사랑해
사랑해
사랑해

멜로가 체질 2

이병헌 · 김영영 대본집

멜로가 체질 2

1판 1쇄 발행 2022. 6. 22.
1판 4쇄 발행 2024. 2. 26.

지은이 이병헌 · 김영영

발행인 박강휘
편집 김민경 디자인 조은아 마케팅 김새로미 홍보 반재서
발행처 김영사
등록 1979년 5월 17일(제406-2003-036호)
주소 경기도 파주시 문발로 197(문발동) 우편번호 10881
전화 마케팅부 031)955-3100, 편집부 031)955-3200 | 팩스 031)955-3111

저작권자 ⓒ 이병헌 · 김영영, 2022
본 책자의 출판권은 ㈜삼화네트웍스를 통해 이병헌, 김영영 작가와 저작권 계약을 맺은 ㈜김영사에 있습니다. 이 책은 저작권법에 의해 보호를 받는 저작물이므로 저자와 출판사의 허락 없이 내용의 일부를 인용하거나 발췌하는 것을 금합니다.

값은 뒤표지에 있습니다.
ISBN 978-89-349-4244-3 04810
978-89-349-4242-9 04810 (세트)

홈페이지 www.gimmyoung.com 블로그 blog.naver.com/gybook
인스타그램 instagram.com/gimmyoung 이메일 bestbook@gimmyoung.com

좋은 독자가 좋은 책을 만듭니다.
김영사는 독자 여러분의 의견에 항상 귀 기울이고 있습니다.

멜로가체질 2

이병헌·김영영 대본집

김영사

작가의 말

이병헌

십수 년 전. 그러니까 20대 후반으로 접어드는 그 어느 시간쯤? 작가라는 직업이 내 평생의 직업이 될지도 모른단 찝찝한 생각이 번뜩 난 이후 줄곧 그 타이틀을 거부하며 살아왔던 것 같은데, 거부는 하되, 또 어떤 글을 쓰고 있는 찝찝함이 십수 년째 이어지고 있다. 그보다 훨씬 전, 영화 시나리오를 습작하며 공모전에 쉼 없이 도전하던 시절, 누군가 내 직업을 물었고 난 작가라 하였다. 물어본 이는 내게 이렇게 말했다. "요즘 집에서 놀면 다 작가지 뭐."

그렇다. 트위터만 들여다봐도 쎈 작가(?)들 여럿 보였다. 난 그날 이후 나 스스로를 작가라 하지 않았다. 난 글로써 이룬 그 어떤 성과도 없었으며 아직까지도 순수 글 창작으로썬 이룬 게 없다.

'나 주제에 고귀한 그 영역을 훼손하지 말자.' 그 생각은 아직도 변함없다. 단 이야기를 영상화하는 사람으로서 스태프와 배우들에게 전달 가능한 글로써의 작업은 충분히 가능하다 여겨져, 곱게 포장해서 말해도 영상작가, 혹은 글 작업 가능한 연출가라고 스스로 생각한다. 대본집이 나온다니 다소 쑥스러운 부분이 없지 않아 구차한 변을 늘어놔 본다.

〈멜로가 체질〉은 그 십수 년 전부터 머릿속에 형태 없이 떠돌던 무엇이었다. 사람에 가까운 이야기를 하고 싶었다. 전쟁도 재난도 사람들에게 벌어지는 일이지만, 그보다 일상에 밀착된 무언가. 살상무기와 쓰나미를 버텨내는 인간이 아닌 매일매일 하루 일과 속에 무언가를 버텨내고 있는 사람들의 이야기. 일, 연애, 친구, 가족, 자극적이진 않지만 턱 밑에 괴고 살며 울고 웃는 그 모든 감정들. 어떤 모양새인지 정해지지 않은 상태로 그저 머릿속에 떠도는 단어나 문장들 혹은 감정들을 따다가 곳간에 곡식 채우듯 메모장을 채워갔다. 그렇게 십 년쯤 지나 그 막연하던 것이 형태를 갖출 수 있는 기회가 주어졌고, 그 시간은 고작 일 년 남짓이었다. 위에서 말한 스태프와 배우들에게 전달 가능한 글로써의 대본을 완성하는 데 십 년 치 메모장은 물론이거니와 십 년 치 영혼까지 털어 넣은 기분이 들었다. 힘들었단 말을 하고 있는 건데, 그만큼 글에 거친 부분이 있으니 감안해서 봐주길 당부하는 쫌스러움이기도 하다.

촬영고. 그러니까 서점이 아닌 촬영장에서 스태프와 배우들이 마지막으로 받아보는 최종고를 말한다. 일종의 현장용 명령어다. 영상화하기 위한 작업본 자체로 소개되는 게 솔직하다 여겨져 별도의 교정 작업 없이 촬영고 그대로를 내놓는다. 대사 중 파란색 부분은 촬영을 하던 중간에 추가로 쓴 씬들이다. 감독으로서 1회 70분 분량을 맞추지 못해 작가로서 추가 분량을 촬영 중간에 썼다. 분량상의 문제만은 아니었고, 전체 극의 리듬상, 감정상 혹은 단순 재미를 위한 아이디어가 떠올라 추가된 부분이 있다.

배우들과 스태프들, 만든이들 모두 말도 안 되게 좋은 사람들이었다. 더없이 즐거운 현장이었고, 감독인 나의 저질 체력 외에 그 어떤 방해요소도 없었다. 작업하는 내내 분명히 행복했다고 자신 있게 말할 수 있다. 그렇게 만든 작품은 보는 사람도 행복해질 거란 믿음을 가져 본다. 간혹 시즌 2를 달라는 목소리를 듣게 되는데 농담이랍시고 "시청률 먼저 주세요"라고 말한 적은 있지만 아주 농담만은 아니다.

오랫동안 인사하게 해준 모든 분들께 진심으로 감사하다.

작가, 연출 이병헌 드림.

작가의 말

김영영

2016년 여름 어느 날, 이병헌 감독님과 특별한 만남이 있었습니다.

과거 어느 봄, 함께 준비하던 드라마가 어그러졌던 이후, 다시는 볼 일이 없을 것 같이 헤어졌다가… 처음 같지 않게, 처음인 것처럼, 우린 다시 만나 새로운 드라마를 시작했습니다. 〈멜로가 체질〉이라는.

돌아보건대… 그땐 참 겁이 없었던 거 같습니다. 후회했습니다. 막상 시작하고 보니 제가 써왔던 그런 드라마와는 거리가 멀어서 많이 힘들었거든요. 해내지 못할지도 모른다는 생각이 점차 파도처럼 밀려왔고, 두려웠습니다. 〈멜로가 체질〉이란 작품이 저의 마지막 기회가 될까 봐. 살아가는 데 있어 내가 바라는 것들과 삶이 내게 주는 것들은 언제나 다르거든요. 그렇게 오랫동안 주저앉아 있었던 것 같습니다. 때론 길 잃은 아이처럼, 혹은 갈 곳이 없는 어른처럼.

그때마다 묵묵히 앞장서서 길을 보여주고, 따라갈 수 있을 만큼 넉넉하게 기다려주었던 이병헌 감독님, 김혜영 감독님. 너무 감사했습니다. 언제나 내 편이 되어주고, 힘이 되어주던 우리 보조 작가 지연이. 너무 고마웠어.

제가 곁에 없어도 항상 저를 축복해주고, 사랑해주는 저의 가족들.
사랑합니다.

아마 제 삶이 다하는 날까지 잊지 못할 거 같아요. 너무 힘들었고, 참으로 감사한 시간들이었습니다. 더불어 〈멜로가 체질〉을 함께해 준 모든 배우분들과 스태프들께도 진심으로 감사의 인사를 드립니다. 여러분이 있었기에 어느덧 방송을 하고, 이렇게 대본집이 나오게 되었으니까요. 정말 감사합니다.

그리고 마지막으로 〈멜로가 체질〉을 사랑해주신 시청자분들께 고개 숙여 진심으로 감사드립니다. 서른 살이 되어가는 누군가와 서른 살을 거쳐갔던, 혹은 서른 살을 거쳐가는 모든 이들에게 〈멜로가 체질〉이 작은 위안이 되길 바라며 글을 마칩니다.

2022년, 봄의 기로에서

김영영 드림.

일러두기

- 이 책은 이병헌, 김영영 작가의 드라마 대본 집필 형식을 최대한 따라 편집하였습니다.
- 파란색으로 표시된 대사 부분은 작가의 추가 집필 부분입니다.
- 드라마 대사는 글말이 아닌 입말임을 감안하여, 한글맞춤법과 다른 부분이라 해도 그 표현을 살렸습니다.
- 띄어쓰기와 말줄임표는 다양하게 표현되어 있습니다. 이는 대사 시 호흡의 양을 다양하게 하고자 한 작가의 의도를 반영한 것입니다.
- 쉼표, 느낌표, 마침표 등과 같은 구두점도 작가의 의도를 따랐습니다. 마침표가 없는 것 역시 작가의 의도입니다.
- 이 책은 작가의 최종 대본으로, 방송되지 않은 부분이 포함되어 있으며 욕설과 비속어를 포함하고 있습니다.

차례

기획의도

서른,

견디기 힘든 현실 속에서도 서른 살이기에 아직 꿈을 꾸는 그들.
일과 연애에 대한 고민을 친구들에게 털어놓고 위로받으며
한 걸음씩 성장하는 서른 살 그들의 판타지.

비록 현재 처한 상황이 녹록지 않을지라도!

이룬 것이 단 하나도 없을지라도!

그래도 꿋꿋하게 나아가는 대한민국의 모든 서른들에게
이 드라마를 바친다.

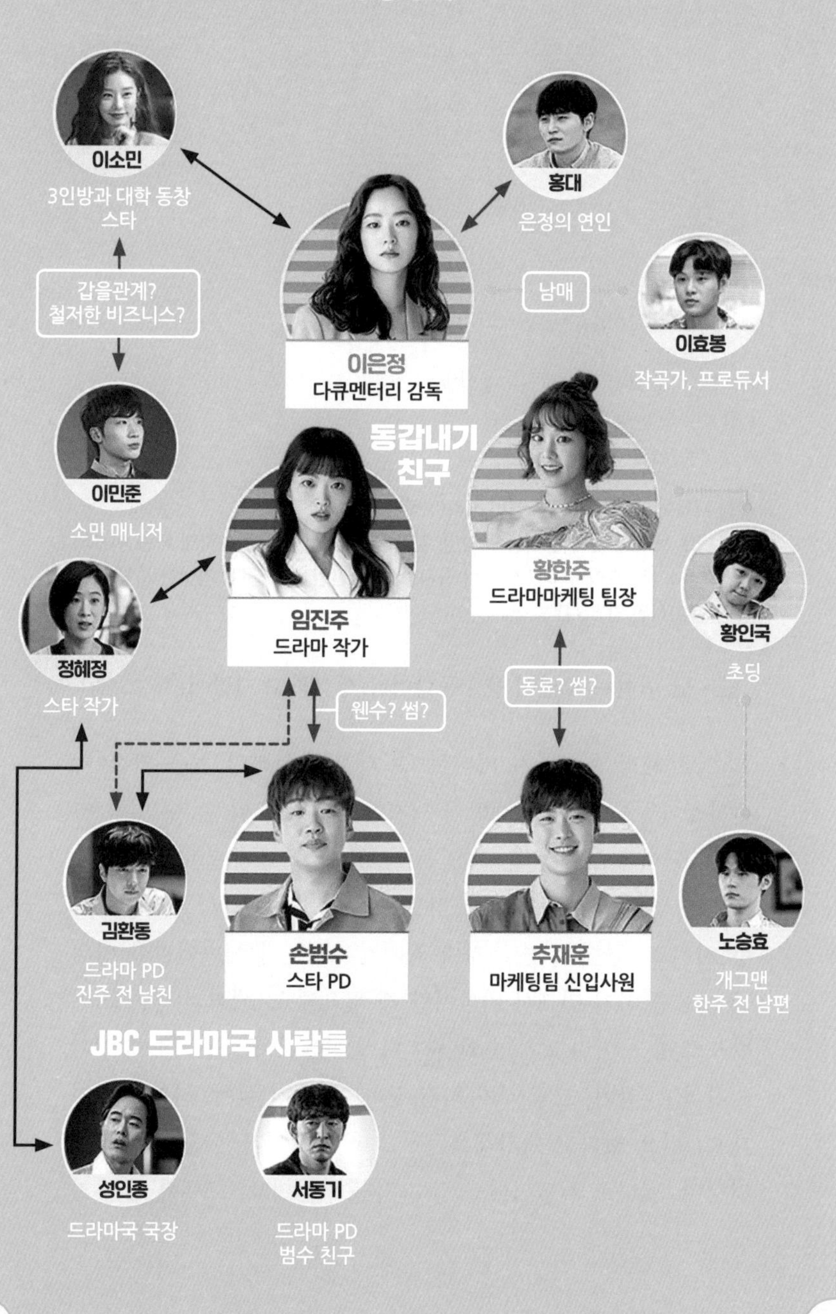
인물관계도
이소민
3인방과 대학 동창
스타
홍대
은정의 연인
갑을관계?
철저한 비즈니스?
남매
이효봉
작곡가, 프로듀서
이은정
다큐멘터리 감독
이민준
소민 매니저
동갑내기
친구
임진주
드라마 작가
황한주
드라마마케팅 팀장
정혜정
스타 작가
황인국
초딩
웬수? 썸?
동료? 썸?
김환동
드라마 PD
진주 전 남친
손범수
스타 PD
추재훈
마케팅팀 신입사원
노승효
개그맨
한주 전 남편
JBC 드라마국 사람들
성인종
드라마국 국장
서동기
드라마 PD
범수 친구

임진주(천우희) • 신인 드라마 작가

#복잡_아주 복잡 #감정기복_활발함
#귀여니소설_덕후 #연애_노관심
#방송국_놈들 # 진짜시룸

감정 기복이 지나치게 심한 신인 드라마 작가.
정상으로 보이고 싶어 발버둥 치지만, 결국 비정상의 범주에 속하게 되는 비운의 여인. 잘나가는 드라마 작가가 되어 사치할 그 순간만을 꿈꾼다! 가난한 사람은 사치 좀 좋아하면 안 되나?

"난.. 난 귀여니 소설이 순수문학이라 생각하고 자랐어."

'방으로 재빨리 도망가 버리는..'이라고 표현하면 쉬운 거잖아? 편하잖아? 사실.. 그렇게밖엔 써지질 않아요.. 뭐 쓸 수 있긴 있어요. 근데 못 써요. 쓸 수 있는데 못 써요. 그게 뭐냐면 제대로 쓰려면 엄청난 집중을 해야 하고, 그럼 기운이 금방 빠져요. 금방 지치죠. 근데 우린 드라마 작가잖아요? 이 어마어마한 양의 글 노동을 하기 위해선 비축이란 게 필요해요. 체력 비축. 그냥.. 방으로 슝— 이라고 쓰면 안 돼? 다 알아듣잖아? 난 이렇게 써야 써진다고, 글이. 그럼 작가 하지 말라고? 그건 싫어. 하지만 나가래요. 필요 없다고 나가래요. 저 스타 작가인지 늙은 작가인지, 저님이. 싫다고 버텼더니 그럼 자기가 나간대요. 그래서 현관 앞에 드러누웠죠.

"못 나가요! 못 가십니다! 가시려거든!
저를 즈려밟으세요! 사뿐히 즈려밟으세요!!"

사뿐. 즈려밟혔어요. 전 또 다시 백수가 되었답니다. 내가 좋아하는 건 사실…. 사치. 명품. 그런 거요. 아, 가난한 사람은 사치 좀 좋아하면 안 되나요?

이은정(전여빈) • 다큐멘터리 감독

#그나마_이성적
#집주인 #졸부 #난_아직_열애_중

세 친구가 함께 살고 있는 집의 주인이자, 다큐멘터리 감독. 참고로 이 50평대 아파트는 대출도 끼지 않은 자가다. 젊은 나이에 이런 커다란 부를 축적할 수 있었던 것은 저예산으로 제작한 다큐멘터리가 성공했기 때문이다.
그때 기꺼이 인터뷰를 해주고, 투자까지 해주었던 청년사업가 홍대. 둘의 관계는 연인으로 발전했고 둘은 오래오래 행복하게 살았답니다?

"처음 알았어. 돈보다 설레는 건… 사랑이라고."

다큐멘터리 제작팀 조수로 들어갔어. 나름 사회적으로 덕망 있는 다큐멘터리 감독이었지. 그런데 면접 첫 인사가 "예쁘게 생겼네?"였어. 참자. 첫 질문은 "피부 관리 하나 봐?" 참자. 그러다 면접 첫 평가. "하긴. 어리니까 피부가 좋지"였어. 참자. 여자가 버티기 힘든 곳이라는 건 이미 알고 있었어. 마음의 준비는 하고 왔어. 버티자. 버티는 것이 이기는 것이다.

"오빠라고 해볼래?"

……버티는 게 이기는 것이 아니라 알려주는 게 이기는 거야.

"뭐 이 개새끼야?"

개새끼 밑에서 뭘 배워. 개 짖는 소리나 배우지. 배울 곳 찾지도 마. 없어. 바로 독립했어. 내가 나의 다큐멘터리를 만든다. 내 힘으로 한다. 근데 말이지. 남자 새끼들 죄다 견의 후손으로 보일 때 그때가 모순이야. 어떤 녀석이 좋아졌어. 친일파 후손들의 인터뷰를 기획했는데 당연히 다 거절 당했지. 근데 흔쾌히 허락해 주는 녀석이 있는 거야. 나름 재벌 3세인데 작은 1인 식당을 운영하며 유유자적 살아가는 자유로운 영혼의 그 녀석. 이런저런 얘기도 해주고, 들어주는 그 녀석이 난 너무 좋았어. 뽀뽀가 절로 나왔어.

"먹다 말고 미안한데. 뽀뽀 좀 해도 돼?"
"먹어. 먹어. 내가 할게."

우린 영원할 것만 같았는데. 그런데 말이지. 어느 날 죽었어, 그 녀석이. 죽었어. 죽음은 그냥 와. 전조도 없이 예고도 없이 그냥 와. 그리고 남겨진 자는 죽음보다 아픈 고통을 견뎌야 하지. 난 자살 충동을 느꼈어. 근데 말이지. 그때, 그 녀석이 나타났어. 죽은 그 녀석. '아, 이건 환영이구나.' 죽지 말래. 죽지 말아달래. 그래서 안 죽기로 했어. 그 대신 난 부탁했어. 이렇게 날 매일 찾아와 달라고. 내 고민을 가지고 어떤 말이든 해달라고. 아무 말이나. 녀석은 역시 내 부탁을 들어줬고, 그렇게 난 보통 사람의 눈엔 허공을 바라보고 공기와 얘기를 나누는 사람이 되었지. 주변 사람들은 익숙해해. 그리고 그게 여러모로 낫다고 여기고 있어. 아, 이제 돈도 떨어져간다. 뭔가 일을 하긴 해야 하는데 의욕

이란 게 쉽게 돌아오질 않네.

황한주(한지은) • 드라마 제작사 마케팅 PD

#워킹맘 #아들_때문에_버틴다 #전남편_망해라
#육아고_일이고 #뭐하나_쉬운_건_없더라

아홉 살 아들 인국을 혼자 키우는 이혼녀이자 워킹맘. 아무리 힘들어도, 가식으로 보일지라도 웃어야만 한다. 웃는 얼굴에 침 못 뱉는다고? 모르는 소리. 드라마 찍는 X들은 시시때때로 뱉더라. 그럴 때도 상큼하게 웃어 준다. 전 남편은 잘나가는 개그맨이 되어 수시로 TV에 나오고, 하나 있는 아들놈은 더럽게 키우기 힘든 요즘이다.

"난 침 뱉는 놈에게도 웃는 여자야."

"오호호호호호."
오늘도 웃어요. 가식으로 보여도 웃어야 해요. 저는 약자거든요. 드라마에 피피엘 한 번 넣으려면, 드라마 연출님한테 가서 이렇게 웃고 시작하는 게 좋아요. 아, 물론 대부분의 감독님들은 웃는 얼굴에 침 뱉으세요. 그런 거죠, 뭐.

**"오호호호호호. 저기 사랑하는 배우님··
치킨 한 번만 드셔주시면 안 돼요?"**

"치킨은 살쪄요. 치킨, 촬영, 둘 중에 뭐가 중요해요?"

난 치킨.
그리고 욕을 바가지로 먹었더니·· 아~ 오늘은 배불러서 밥을 안 먹어도 되겠어요.

오호호호호.

그래도 난 버팁니다. 난, 엄마니까. 우리 인국이 먹여 살려야 되니까! 초딩 2학년 우리 인국이. 왜 드라마 같은 데서 보면 아빠 없이 자란 철 일찍 든 아이가 일하고 들어온 엄마의 어깨를 도닥이며 위로하는, 그래서 힘을 얻는, 그런 거 많이 보셨죠?
오호호호·· 그런 아이는 드라마에나 있어요~

"사줘!! 사줘!! 죽어도 사줘!! 터닝메카드 사줘!!!"

"터닝메카드를 종류별로 다 가질 셈이야?! 어떻게 그걸 다 갖니?!!
우린 넉넉하지 않아! 갖지 못하는 것에 익숙해져야 버틸 수 있다고!!
이 험난한 세상에! 고작 터닝메카드로 엄말 힘들게 해야겠어?!!
터닝메카드는 카드를 밟으면 로봇으로 변신하지만!
엄만 카드값을 내지 못하면 낙오자로 변신해!
그럼 널 키우지 못 한다고!! 우린 갖고 싶은 걸 다 갖고 살지 못 해!!"

"난 아빠가 없잖아!!!"

네. 결국 사줍니다. 어쩌겠어요. 아빠도 없는데 터닝메카드도 없으면 기죽는다는데·· 아. 애 아빠요? 이혼했는데요. 개그맨이에요. 나를 웃기겠다고 아예 개그맨이 되어버린 좋은 놈, 이상한 놈, 나쁜 놈 혼자 다하는 멀티 플레이어. 세상 꼴 보기 싫은 인간인데·· 아빠라고 찾기 시작하니·· 괜히 서운하기도 하고. 차라리 죽었으면 좋겠는데 술, 담배도 안 하네요. 후··· 네. 그래도 저는 버팁니다. 저는·· 엄마니까요.

손범수(안재홍) • 드라마 스타 PD

#스타감독 #흥행보증수표 #드라마국_또라이 #결론: 다_갖춘_찌질이
안_해 #임진주작가랑_일_안_해!! #근데_자꾸_신경_쓰이잖아

섹시한 두뇌, 연출력까지 다 갖춘 방송가에서 성공 보증수표로 불리는 드라마 감독. 탄탄대로를 걷고 있던 어느 날, 범상치 않은 신인 작가 임진주를 만나게 되면서 꽃길인 줄만 알았던 앞날에 비포장도로가 펼쳐지기 시작하는데. 이 길, 왜 이렇게 덜덜거리는 거야?

"왜 입장 바꿔 생각해야 돼? 내 입장이 훨씬 좋은데."

정석. 정석만이 살길이야. 그래서 살아남았어. 여기서. 한 번도 실패한 적 없어. 근데 말이야. 언제부턴가. 아무런 재미를 느끼지 못하겠어. 찾아보니 성공한 드라마였지만 안티도 많아. '빻은 얘기' '빻은 연출' '새로운 거 하나도 없음'. 나 욕 많이 먹고 있었구나. 그때부터 글이 안 보이기, 아니 정확히 안 읽히기 시작했어. 저 노땅 작가들. 하나같이 똑같은 대사들을 생산, 아니 배설하고 있잖아. 아예 안 읽혀. 그러다 인스타에 빠졌지. 그건 읽혀. 그러다 우연히 임진주의 글을 봤어. 스타 작가라고 하는 저 배설자의 작업실에서 빈 책상 위 아무렇게나 던져진 프린트된 대본을 봤어. 어? 읽혀. 그래서 그냥 한 번 만나 봤어.

"임진주 작가님. 왜 글을 이렇게 쓰십니까?"

"안 해요!"

신인 작가라면 나한테 잘 보이고 싶을 텐데? 왜 이렇게 잘 안 하는데? 이러면 안 되는 건데? 이 여자 아주 조금이지만 정상이 아닌 것 같다. 까칠하기도 하고… 그냥 지나가려 했으나… 이 여자 글은 읽힌단 말이야. 심지어 재밌단 말이야.

秋재훈(공명) • 한주 직장 후배

#지켜주고_싶은_청순_연하남
#눈망울이_초롱초롱 #알고_보면_미스테리남

최근 한주 회사에 들어온 신입사원. 험난한 드라마 판에서 한주와 찰떡궁합으로 다양한 위기상황을 헤쳐나간다. 전쟁통에서도 어김없이 사랑은 피어난다고 했던가. 따뜻하고, 편안한 한주가 마음속에 커져가는데… 하지만 해맑은 얼굴 뒤에 감춰진 속사정은?

"선배님, 고마워요. 재밌게 일하게 해주셔서."

평범하게 자랐어요. 큰 욕심 없이. 친구들과 주먹다짐 한 번 해본 적 없는 게 오히려 다르다면 다를까? 집이 시골인 탓에 고등학교 졸업 후 자취 생활을 해서인지 요리도 조금 하고. 대학 4년, 군대 2년, 취준 기간 없이 입사. 그리고 한 번의 이직. 큰문제 없는 그럭저럭한 인생이었죠. 그녀를 만나기 전까지. 첫 번째 직장에서 아르바이트를 하던 여학생과 사귀게 되었어요. 누가 봐도 아름다운 여자였죠. 너무 사랑했지만 사귄 지 두 달 만에 양다리였단 걸 알게 됐어요. 그래서 동거를 시작했습니다. 엥? 말이 좀 이상하죠? 그녀는 절 선택하고 싶다고 했고, 전 그녀를 다신 누구와도 나누기 싫어서 동거를 제안했습니다. 그녀는 고맙게도 제게로 와주었죠. 하지만.. 그녀는 남자가 참 많은 것 같네요.. 술도 좋아하고.. 취업 준비는 안 하고 저래도 될까? 잔소리라도 하는 날엔.. 술을 더 먹어요. 그리고 우네요. 그러더니 따귀를 때려요. 그래서요? 안아줬죠. 안고 있으면 세상 사랑스러워요. 하지만.. 그녀는 클럽을 참 좋아하는 것 같네요.. 나와 조금 더 있어주면 안 될까? 잔소리라도 하는 날엔.. 외박을 해요. 그리고 우네요. 그러더니 안겨요. 그날은 안아주기 싫어 피했어요. 그리고 헤어져 달라고 말했죠. 그날 저희 집 살림은.. 모두 부서졌습니다.

TV는 아직도 못 바꿨어요. 그래서요? 안아줬죠. 안고 있으면 세상 사랑스러워요. 그리고 두 번째 직장에서… 한주 선배를 만났어요. 나와 함께 사는 그녀와 모든 게 반대예요. 따뜻하고… 편안하고… 지금 힘든 그 사람과 다르기 때문일까요? 요즘 저의 마음속엔 그녀보다.. 그녀가.. 더 커지려는 것 같아 두렵네요. 이 마음이… 그 사람과 다를까 봐… 조심하게 돼요.

| 진주 주변 인물 |

정혜정(백지원) • 노처녀 스타 작가

#예민보스

진주가 모시고 있는 스타 작가. 스타 작가의 면모에 걸맞게 보조 작가들에게 예민함을 내뿜고, 특히 진주를 눈엣가시처럼 여긴다. 손범수 감독과의 협업을 앞두고 미묘한 기싸움을 시작하려는 찰나, 전에 보지 못한 돌I를 직면하고 당황한 기색이 역력하다.

**"대사 좋은데요? 이렇게 좋은데,
왜 대사가 안 써지신다고 엄살 부리세요?"**

노처녀는 결혼보다 테러당할 확률이 더 높다지? 이젠 아예 결혼 확률은 제로고, 테러는 삶의 일부가 되었어. 영화 〈로맨틱 홀리데이〉에 나온 대산데, 그땐 이 대사가 와닿지 않았어. 난 노처녀가 아니었고, 대한민국은 나름 테러 안전국가였으니까. 근데 지금의 난… 이제 이 대사를 이해하고 공감해야 하는 입장이야. 내 의지와 상관없이 이 사회가 제멋대로 규정한 범위 안에서 명확한 노처녀고, 대한민국은 더 이상 테러 안전국가가 아니니까. 그래서 말인데, 난 굉장히 예민해. 예민할 거야. 아무도 못 막아. 난 내 맘대로 앞으로 쭈욱 당당하게 예민할 거야! 내 말대로 해. 시키는 대로 해. 대꾸? 좋은 쪽으로도 하지 마. 그냥 내 말대로 내가 시키는 대로 하라고!!! 내 대사가 진부하다고?!!! 내 이름 없이 편성 받을 수 있어, 없어?!! 그게 진부한 거야? 아니 위대한 거지!! 존경해! 날 존경하라고!!!

진주 부(서상원) • 세탁소 사장님

진주의 기상천외한 행동에도 묵묵하게 딸을 지켜보고 응원해주는 따듯한 아버지.

진주 모(강애심) • 세탁소 사모님

뛰는 진주 위에 나는 엄마 있다?! 진주에게 맞불을 놓을 수 있는 몇 안 되는 인물. 진주 앞에서는 강하게 이야기하지만 뒤에서는 항상 딸 걱정뿐인 엄마.

임지영(백수희) • 진주의 하나뿐인 동생이자 경찰 공시생

평범치 않은 언니 덕분에 집에서는 상대적으로 성숙한 딸의 역할을 맡고 있다. 같은 공시생인 정환과 알콩달콩 연애 중.

사랑(윤설)

정혜정 작가의 보조 작가.

수희(김지연)

정혜정 작가의 보조 작가 중 막내.

미영(위신애)

정혜정 작가의 보조 작가. 보조 작가 중 가장 경력이 많다.

이효봉(윤지온) • 작곡가, 프로듀서

#감성적 #온순

진주 3인방과 함께 동거 중인 은정의 친동생. 서른 누나들의 수다 파티에서 절대 빠지지 않고 당당히 자신의 분량을 꿰차고 있다. 가끔 주크박스 역할도 한다. 집에서는 온순한 동생이지만, 밖에서는 매력적인 작곡가이자 프로듀서.

고등학교 때 알았어요. '아, 나. 남자 좋아하는구나.' 힘들었지만 받아들였죠. 가족에게도 숨기며 살았어요. 힘들었죠. 그래도 누나에겐 말하고 싶었어요. 감추고 사는 거 그거 참 고독하고 쓸쓸한 일이잖아요. 고백했어요. 나도 모르게 눈물이 한 바가지 쏟아졌어요. 누나는 날 와락 안아줬어요.

"이 새끼.. 새끼라고 해도 되니?
이 새끼야.. 왜 숨겼어! 왜! 28년이나!!"

"고등학교 때 알았으니까 10년 정도야."

"아무튼 새끼야!!! 이 바보… 근데 있잖아… 미안한데… 흑…
우리 둘만 알자. 응? 아직 대한민국은 말이야..
성소수자로 살아가기 너무 힘든 곳이잖아.. 교회 가서 동성애 반대한다고 연설 까는 정치인이 버젓이 표를 받고 있는 나라. 응?
누나 이해하지?
아직은 아니야. 우리 둘만. 응? 외롭게 하지 않을게. 우리 둘만 알자.
우리 둘만!"

이해하죠. 문제는.. 저 어둠 뒤에.. 언제부턴가 누나 친구들이 있었네요. 진주 누나. 한주 누나. 하하하.

"우리 넷! 우리 넷만 아는 거야!"

음‥ 한주 누나 아들 인국이도‥ 있네요‥

"우리 다섯!! 우리 다섯만 아는 거야!!"

모르겠어요. 우리 다섯만 아는 건데‥ 뭔가‥ 세상이 다 아는 거 같아요.

홍대(한준우) • 은정의 남자친구

#은정의_든든한_조력자 #소울메이트

은정이 다큐멘터리를 기획하며 만난 나름 재벌 3세. 작은 식당을 운영하며 유유자적 살아가는 자유로운 영혼. 은정의 영화에 투자하고 둘은 연인 사이로 발전한다. 24시간 은정이 있는 곳이라면 항상 그녀와 붙어있는 스윗가이.

"이 다큐멘터리에‥ 투자하게 해주세요.
저도 조금은‥ 멋지고 싶어서요."

이은정이 말한 그 자기. 그 녀석입니다. 2년 전에 죽었습니다. 네, 없는 사람입죠. 이은정의 환상 속에만 있습니다. 로맨틱한 성격인데 영혼입니다. 잘생겼는데 영혼입니다. 그렇습니다.

이소민(이주빈) • 배우, 진주 3인방과 대학 동창

우주 대스타인 줄 알지만 하향세.
진주 3인방과 대학 동창으로, 이 셋을 왕따 시키고 마이웨이를 걸었다. 지금은 배우가 되어 매니저 민준과 티격태격하며 순탄치 않은 연예계 생활을 해나가는 중이다.

여배우라고 하면 왠지 까다롭고 도도하고 가식적인 미소 뒤에 탈세를 숨기고 살 것만 같지? 맞아 내가 그래. 분명 말하는데. 난

대학 때부터 꾸준하게 재수 없었어. 아니 니들이 몰랐던 영유아, 초딩고딩 시절, 모두 단 한 순간도 재수 없지 아니한 적이 없었어. 그래서 쌩깠더니 저것들도 쌩까네. 그러든지. 그리고 수년 동안 본 적도 없었어. 근데 은정이가 몇 년 만에 다큐 한답시고 캐스팅하러 찾아 왔네? 그래서 말했지.

"누구…?"

음·· 근데 말이야. 은정이 동생 효봉이. 잘 컸네. 더 예뻐졌어. 그래, 사실 나 저 인간 짝사랑했었어. 후후. 그래도 아직 내 사랑은 좌석이 많아. VIP석. 아. 그런데 이놈이 남자 놈을 좋아한다네? 그럼 내가 짝사랑하던 때도 그랬던 거야? 음. 그렇구나.

"야 이 새끼야!!! 더 좋은 사람이 되어 줄게!! 니가 날 싫어하는 거 보다! 니가 사내놈을 좋아하는 거! 그걸 용서 못 해!!"

아. 외로워··

이민준(김명준) • 소민의 매니저

고등학교 때 처음 만난 소민의 매니저가 되기 위해 일진의 왕좌에서 벗어나 지금까지 소민의 곁에 머물고 있다. 분명 동창인데·· 웬만한 갑을관계보다 더 더럽고 빡센 관계의 굴레를 벗어나지 못하고 있다. 하지만 묵묵하게 소민을 받아주는 츤데레.

소민이가 외로운 게 싫습니다. 연예인의 연예인이 되어 주고 싶은데·· 저는 그냥 배우 운전이나 해주는 뭐·· 매니저니까 그냥 맞춰주기나 하는데·· 소민이 성질이 더럽습니다. 어렸을 땐 안 그랬는데··· 아 동창입니다. 동창인데·· 더럽고 치사해서 그만둘까 하다가·· 내가 아니면 저거 맞춰 줄 사람이 대한민국에 없을 것 같아서··· 요즘 세상에 저러다 해코지 당할까 싶어 제가 참고 일합니다. 가끔·· 아니 자주 아무 말 안하고 있으면 소민이가 먼저 말을 걸어줍니다.

"너 왜 이렇게 날 귀찮게 해?"

아무 말도 안 했는데··· 말 걸어달라는 겁니다. 뭐 계속 보니까 귀여운 면도 있습니다. 그렇게 참은 세월이 5년·· 저의 그 고생을 대표님께서 알아주신 걸까요? 드디어! 꿈에 그리던 본부장으로 승진 기회! 열심히 일한 보람이 있습니다. 근데··· 그 대표님이·· 우리 회사 대표님이 아니네요. 타사에서 스카웃 제의가 들어왔습니다. 어찌하다 보니 그 사실을 소민이도 알게 됐고··· 꺼지라네요. 정 없는···· 미쳤냐·· 내가 널 두고 가게. 평생 운전을 하고 말지.

아랑(류아벨) • 은정의 다큐 선배

은정이 제작 중인 다큐 〈여자 사람 배우〉의 제작자이기도 하다. 선배이기 이전에 은정의 아픔을 걱정하고 신경 써주는 멋진 언니.

병삼(이하늬) • 촬영감독

은정의 다큐 〈여자 사람 배우〉 촬영감독. 은정과 산전수전을 겪으면서 묵묵히 자신의 일을 해내는 은정의 조력자.

소 대표(박형수) • 소속사 대표

소민과 민준의 소속사 대표지만 둘의 등쌀에 가끔 자신이 갑의 자리가 맞는지 고개를 갸웃거리는 인물.

소진(김영아) • 엔터사 대표

한주와 재훈의 회사 흥미유발 엔터의 대표. 냉철하고 정확한 판단과 일 처리로 한주가 롤모델로 삼고 존경하는 인물. 차가울 것만 같은 인상과 달리 따뜻하고 여린 감성을 가지고 있다.

황인국(설우형) • 한주의 아들

뼈 때리는 돌직구 날리는 초딩. 한주와 전 남편 사이에서 태어난 아들. 전 남편의 흔적을 지우려고 성도 자신의 성인 황으로 붙였는데 어쩜 점점 지 아빠를 꼭 빼닮는지. 인생 2회차가 아닐까 의심이 될 정도로 뼈 때리는 멘트들을 던지지만 가끔 아빠를 그리워 하는 천상 아홉 살.

"이제 데려다 주지 않아도 돼. 나 이제 2학년이야. 후배들 보기 창피하다고."

"장난감 사달라고 떼쓰는 어린이 주제에…"

"남편도 없는 엄마 주제에."

노승효(이학주) • 한주의 전 남편이자 유명 개그맨

웃기는 남자를 좋아한다는 한주의 마음을 얻기 위해 무작정 개그 극단에 들어가고 한주와 결혼에 골인, 아들 인국이를 낳았다. 하지만 돌연 자신의 행복을 찾겠다며 누구보다 빠르게 한주를 떠난다.

성인종(정승길) • 제이비씨 드라마국 국장

제이비씨 드라마국을 이끌고 있는 국장이자 범수의 선배. 기성 PD답게 왕년의 시절을 추억하며 기성 작가인 정혜정 작가와 돈독한 관계(?)를 이어간다. 범수, 환동 등 무섭게 치고 올라오는 후배들을 보며 씁쓸한 마음을 비우기 위해 술친구를 찾지만, 전화할 사람이라곤 정혜정 작가뿐.

김환동(이유진) • 범수의 조감독, 진주의 구 남친

괜히 너무 예의 바름. 괜히 너무 논리적임. 진주와 7년을 사귀며 전쟁 같은 나날을 보냈다. 진주에게 잘해주고 싶어도 마음처럼 되지 않았고, 진심과는 다르게 표현하는 날도 많았다. 끝나지 않을 것 같던 이 지지부진한 고지전은 예상치 못한 타이밍에 종전을 선언하게 되고, 그로부터 몇 년 후 진주와 예상치 못한 자리에서 재회하게 되는데…

"너와 만나는 7년 중에 5년이 전쟁 같았어."

"그래도 2년은 행복했군…"

"2년은 군대."

진주와 7년을 만났습니다. 저는 가난했고, 적당히 소심했으며 미래가 불안한 취준생이라면 대개 그렇듯 자존감도 낮은 20대를 보냈습니다. 그리고 그 시간의 대부분을 한 여자와 보냈습니다. 잘해주고 싶어도 마음처럼 되지 않았죠. 그래서 우린 이렇게 많이 싸우는 걸까?라고 물어본 적이 있습니다.
그런데 왜 그녀는 항상 제 질문에 질문으로만 답할까요?

"니가 생각하는 이유는 뭔데?"

"논리가 맞는 게 문제야."

어려운데? 논리가 맞는 게 문제라니·· 우린 대화를 한 게 아니라 방구를 뀐 걸까요? 그런 그녀를 조감독의 입장에서 작가님으로 맞이하게 됐습니다. 그땐 좀 미웠지만 이렇게 자기 꿈을 이루어가는 모습이 대견하기도 하고·· 그래도 보고 있으면 기분이 좋네요.

동기(허준석) • 범수의 제이비씨 동기 PD

매사에 긍정적이고 밝은 성격으로 범수와 환상의 수다 티키타카를 선보인다. 영양사 다미에게 꾸준하게 별로인 모습을 보여주며 그녀의 마음을 사로잡기 위해 노력하는 불굴의 사랑꾼.

다미(이지민) • 제이비씨 구내식당 영양사

범수에 대한 6단 직진 고백으로 주변 사람들을 당황시킨다. 그러던 어느 날부터 꾸준히 별로인 동기의 모습이 눈에 들어오기 시작한다. 마음에 드는 사람의 식판에 계란 프라이를 무심하게 올려주는 것이 주특기.

| 그 외 인물들 |

하윤(미람) • 재훈과 동거 중인 여자친구

언제부터 서로 어긋났을까? 서로 달달했던 연애 초반과 달리 재훈에게 상처를 주고 용서를 구하고, 다시 애정을 갈구하고… 불꽃이 꺼져가는 심지 위에 위태롭게 서있는 인물.

문수(전신환) • 뮤직 프로듀서

효봉이 속한 플랜D 스튜디오의 프로듀서. 듬직하고 자상한 효봉의 애인.

승균(진석진)

플랜D 스튜디오의 베이스 세션.

상일(박상우)

플랜D 스튜디오의 기타 세션.

솔비(남영주)

플랜D 스튜디오의 키보드 세션. 범수의 전 여친.

상수(손석구) • CF 감독

두 얼굴을 가진 CF 감독. 촬영 현장에서는 막말 작렬에 안하무인이지만, 현장 밖에서는 반전의 모습을 가진 예측 불가 캐릭터.

용어정리

플래시백	화면과 화면 사이에 들어가는 순간적인 장면으로, 주로 과거의 중요한 기억으로 되돌아갈 때 쓰인다.
인서트	화면의 특정 동작이나 상황을 강조하기 위해 삽입한 화면으로 이 화면을 삽입함으로써 상황이 명확해지고 스토리가 강조되는 효과가 있다.
몽타주	따로따로 편집된 장면들을 짧게 끊어서 연결해 하나의 긴밀하고도 새로운 내용으로 만드는 편집 기법을 의미한다.
디졸브	앞의 장면이 사라지는 동안 새 장면이 페이드인 되는 형식이며, 짧은 시간의 경과나 가까운 장소의 이동을 나타내는 경우에 주로 쓰인다.
페이드인	화면이 차츰 밝아지는 효과.
페이드아웃	화면이 차츰 어두워지는 효과.
Cut to	하나의 씬이 끝나고 다음 씬으로 넘어가는 장면 전환 효과.
점프 컷	연속성이 없는 장면을 연결해 급격한 장면 전환 효과를 주고자 할 때 쓰인다.
(F)	전화기를 통해 들려오는 대사나 마음속으로 하는 이야기를 표현할 때 사용한다.
(E)	효과음을 뜻하며, 보통 등장인물은 보이지 않고 소리만 나는 경우에 사용한다.
(V.O)	대사를 입 밖으로 꺼내지 않고 속마음이나 현 기분 상태를 표현할 때 주로 쓰인다. 극 중 상대는 듣지 못하고 관객만 들을 수 있다.

9부

3. ‘(V.O) 내가 존재하는 공간이 내 몸보다 작게 느껴질 때가 있어. 내 몸을 으깨서 그 공간의 크기에 맞추고 다시 끼워 넣는 것처럼 아파. 그렇게 또 그 공간에서 빠듯하게 숨을 쉬고.. 그렇게 또 난 버텨야 돼.. 널 기억해야 하니까. 참.. 너.. 나쁘다..’

12. “아니 나 믿고 맡기는 거 끝까지 믿고 가지.
왜 또 이런 진부한 갈등을 만들지?”

34. “..인도를 사줄 수도 있어. 중학교 때부터 적금 넣었어.”

37. “가진 자 주제에 가지지 못한 자들 앞에서 고작 기억으로 남아있는 것 따위 재미 삼아 떠들지 마. 재수 없어.”

41. “세계는 객관적으로 존재해.
주관적인 노력이 바꿀 수 있는 게 아니야.”

47. “.......나 힘들어. 안아 줘.”
‘(V.O) 2년 넘게 기다린 말이야.. 힘들다고 말해줘서..
너무 고마워..’

25. "바쁜 세상이잖아.. 작은 것도 특별하게 보고 넘기려고."

27. "젊었을 땐 사람들 전부 성격장애가 있다고도 생각해봤어.
근데, 전부 그렇다는 건 장애가 아니라 그냥 다 다른 것뿐이더라고.
달라서 생기는 문제라면 결국 그 문제의 반은 내 몫인 건데,
안 그래야지~ 하면서 나도 모르게 내 생각을 강요하고 있더라."
"안다고 되면 다 부처게?"
"상대방이 한 말은 맘대로 재단하고 곡해하고. 강욘지 강압인지.
암튼, 높은 위치에 오를수록 그 강요가 자꾸 이긴다?
그게 이긴 게 아닌 건데. 정말 그러지 말아야지~
하고 입을 닫아봤자, 표정으로, 기운으로, 기어코 내 주장을
드러내고.. 그렇게 난 멋없게 늙어가."
"…멋없게 늙어가는 건 걱정 안 해도 돼."

33. "서로 미안해하지 않아도 되는 걸로 하자.
그냥 일기장에 있는 거 몇 글자 꺼내다 쓴 거야.
이제는 그래도 될 만큼 서로 별거 아닌 일이 된 거잖아."

"뭐랄까.. 너하고 작가님 추억을 내가 찍고 있자면.. 질투 난달까.."

36. "개… 개새끼?!!"
"너 (병삼) 저분한테 개새끼라며? 같은 종 아니야? 넌 달라?
넌 뭐 개 쓰레기 새끼냐! 여기 우리가 몰래 들어왔니?
허가 받고 정당하게 일하고 있는 거야! 니가 걸리적거린 거라고!
어따 대고 남에 귀한 자식한테 욕지거리야!
어따 대고 사람을 개로 만들어!!
사람이야! 귀한 사람이야!! 니가 뭔데 지랄이야!!!"

37. "엎드려서 써요. 일은 해야지."
"참·· 따뜻하게 잔인하다··"

40. "왜 그렇게 힘들려고 애쓰니·· 그만해.
사랑하는 사람이랑 떨어져 있는 거."

"그 마음이 하루 갈지 천년 갈지 그것도 생각하지 마.
마음이 천년 갈 준비가 돼있어도 몸이 못 따라주는 게 인간이야.
시간 아깝다 야."

51. "남이 만든 말 신경 쓸 거 있나··
사실이 아닌 말에 무슨 힘이 있다고."
"그 말들이 모이면 덩치 큰 멍청이가 되지.
멍청이가 힘자랑하면 사람이 다쳐요. 그러다 죽기도 하고."

"어쨌든 살아가는 하루의 엔딩 점에 뜻하지 않게 단 맛을 봤어."

55. "감독님."
"응?"
"진주··· 좋아하세요?"
"작가님 아니고··· 진주?"
"네, 진주."
"·····응."
"·······"
"자꾸 사람 웃게 해. 사람 자꾸··· 착해지게 만들어."

11부

8. "많이 채우기 위해서 조금 비우는 거라고 생각하자."

14. "못 할 거 뭐 있어. 소문에 그냥 너를 맞춰버려."

"너 같은 놈이 소문 튀기는 거야.
배려를 왜 꼭 멜로로 엮지 못해 안달이야?"
"지가 언제부터 배려하는 성격이었다고.
됐어. 신경 끄고 해야 할 일을 해."
"아 일은 하지. 그것 땜에 작품을 엎겠어?"
"아니 그 일 말고."
"?"
"좋아하는 사람한테 해야 할 일. 몰라? 다 큰 놈이 그걸 몰라?"

16. "일단 있는 거 전부. 나 돈 많이 벌 거야. 너 다 줄 거야."
"왜 이렇게 철이 없니?"
"능력은 있잖아. 사랑해."

31. "나 너 안 보고 못 살아. 그걸 여태 못 느꼈어?"
"느꼈어."
"우리 떨어져서 일하고 바빠지더라도 서로 이해해주고··
배려해주고·· 개뿔 그러지 말자. 매일 보는 거야.
싸우더라도 얼굴 보고, 시원하게 멱살 잡고, 아니 멱살은 아니고."
"매일 보는 거야."
"매일."

38. "아·· 씨·· 하루 안 보는 게 뭐 이렇게 힘들고 그래··"

39. "굶으면 허기가 오고. 채우면 외로움이 오고. 사는 게 그런 거지."

44. "꼭 멍청한 애들이 내가 나쁜 사람은 아니라고 말하더라.
나는 명백하게 나빠. 왜? 지랄 맞으니까. 나는 나쁜 게 좋아."

"네. 지금껏 수많은 유형의 지랄을 겪어 봤지만 작가님은
격이 달라요. 뭐랄까… 순수해요. 지랄의 결정체 같은 거죠."
"어느 지점에서 그걸 느끼지?"
"간단한 지랄도 허투루 하지 않으시고, 격앙된 감정을 담아내는
표정과 사운드에 진심이 묻어있어요. 순수하게 몰입하시는 거죠."
"역시 똑똑해… 너 알지? 내가 너 싫어한 거."
"알죠. 쫓겨났는데."
"질투했어. 니 글에 내가 하지 못하는 것들이 수두룩해서."
"…."
"그렇다고 그게 뛰어나다는 건 아니야."
"네."
"너무 잘 되진 마. 망하지도 말고. 그래도 내 새끼였는데…
사수의 명예를 지키는 정도만 해."

47. "원망도 해봐야 알아. 실컷 원망하다 보면
자기 잘못이 보이기 시작하더라고요."

"여기가 어디냐면… 보통의 고슴도치가 사는 곳이에요…
그곳에서 고슴도치는… 어쨌든 또 고슴도치를 만나야 돼요…
고양이를 만날 순 없잖아…"
"찔리지 않고… 다치지 않는 방법을… 찾게 될 거에요."

48. "작가님 좋아하는 내 마음이요. 그냥 좋아하는 게 아니라…
해결해야 할 만큼… 내가 좋아해요."

12부

1. "좋아하는 감정이, 근무 중이라서 잠시 내려놓겠습니다, 하면 내려놔지는 거예요? 솔직한 마음 주고받고 그리고 나서 추후를 논의해야지 이 사람아."

"어련히? 남자가 여자를 좋아할 땐 일곱 살 난 아이와 같은 거예요. '어련히' 같은 느긋한 여유가 일곱 살 난 아이에겐 존재하지 않는다고."

7. "야 난 헤어지면 설레던데? 그게 끝이 아니라 시작이잖아.
이번엔 어떤 사람을 만나게 될까~ 하면서 설레던데."

13. "비밀은 누설되라고 있는 거니까?"
"감추라고 있는 게 아니고?"

25. '(V.O) 사랑도 보류가 되나요? 어디서 들어본 영화제목 같은 상황인데.. 크게 문제가 없다. 오히려 일과 서로의 감정, 어느 쪽도 소홀하지 않게 존중받고 있다 느껴지는 이 기분이 나쁘지 않다.
사랑도.. 보류가 된다.'

26. "선배님은 사랑하면서 겪는 지금의 문제를 바로잡을 수 있습니다.
단 그 사람을 수정하는 것이 아니라 선배님을 수정해야 가능합니다.
늦으면 후회만 남고.. 절대.. 되돌릴 수 없습니다.
빨리 깨닫는 것이.. 핵심입니다."

32. "돈은.. 계속 없는 거야."
"지금은 공부하니까 없는 거야. 그러다 다행히 합격했어.
공무원 했어. 안정적으로 월급 들어와. 그럼 결혼하겠지?

집 구해야지. 그게 니 집이야? 은행 집이야. 그럼 또 없는 거야.
그래도 성실하게 한 20년 죽어라 일해서 갚아. 근데 애도 있을 거 아니야? 그럼 또 애들이 대학 간대. 또 없는 거야.
착실하게 또 일해서 공부 시켰어. 그럼 이제 은퇴할 나이네?
또 없는 거야."

34. "힘들면 잠깐 헤어지든가."
"엥?"
"보류하는 거지. 지금은 가난하니까."
"이게 보류가 되는 거라고?"
"안 될 거 뭐 있어?"
"어이구 여유 있네. 사치 부리지 마, 나이든 주제에.
우리한테 남은 시간이 얼마나 된다고. 길어야 70년 아니야?"

37. "마음에 담긴 눈물은 병을 만들고 흘려보낸 눈물은 곧 증발해서 세상에 없는 것이 돼요. 지금 은정 씨는 자연스럽게 흘려보낸 거예요. 보내야 할 것을… 보낸 거죠. 아무것도 아니에요."

43. "우린 사랑하는 사이였지만 누가 누구에게 비싼 밥 사주지 못한 걸 후회해야 할 건 아니야. 나도 너한테 이런 음식 사주지 못한 건 똑같아. 너 미워하고 욕하고, 그래 최근까지 그랬던 건 맞아.
나도 당연히 후회도 하고 아쉽기도 하고… 근데 지금은 조금 달라.
앞으로 올 시간에 대한 기대가 지난 시간에 대한 후회를 앞질렀달까… 그때 우린 그때의 시간 안에서 최선을 다한 거야.
지난 시간은 그냥 두자. 자연스럽게."
"그냥… 마지막으로… 한 끼만."
"미안해. 난 이제 이런 음식을 함께 먹고 싶은 사람이 있고.
그 사람 마음이 나랑 다르지 않다는 걸 알아서…

내가 너랑 여기에 마주 앉아있단 걸 알면 섭섭해할 것 같아."
"……."
"내가 지금 좋아하는 사람에 대해 예의를 지키는 게
너에 대한 예의라고 생각해."

13부

1. '(V.O) 그 사람이 손을 잡아주면.. 이상하게.. 마음이 편안해져..
기대도 될 것 같고.. 안아도 될 것 같고.. 후회하지 않을 것 같고..
뭐.. 그런 믿음이 깨져가는 과정이 연애지만.'

2. "그 믿음이 깨져도 다시 붙이는 과정이 있는 거니까.
그게 또 연애지."

7. "좋은데, 좋아하는 사람이 뭘 해도 다 좋은데,
그래도 불편한 거 있잖아 왜."
"그 좋은데 불편한 것들을 조심해야 돼. 한참을 싸우고
시간이 지나서 우리가 도대체 뭐 땜에 싸웠지? 하고
돌아보면 기억이 잘 안날 때 있잖아. 그런 경우는
대부분 불편할 수 있는 것들을 자기도 모르게 배려하지 못했던 거야."

14. "우린 왜 순탄하면 불안한 걸까.. 그래.. 드라마는 연애와 같은 거
야.. 위기가 없으면.. 재미가 없지.. 재미가 없으면.. 조기종영.."
"그래서.. 그게 불안해. 한 번에 몰려올까 봐."
"뭐 어때, 버티면 되지. 드라마 감독이 하는 게 뭐야? 버티는 거.
안 죽고 버티는 거. 하던 대로 버티면 돼. 드라마든 연애든. 나 봐.
얼마나 잘 버텨?"

18. "와… 너 민준 씨 많이 사랑하는구나?"
"적당히 할 거면 안 만나지."

26. "요즘 애들은 조언 싫어해. 우리 세대를 존경하지 않거든."
"우리 보조 작가들은 나 존경하는데?"
"농담이 꽤 슬프네."

43. "제가 할게요, 가해자.
제가 한번 사랑의 가해자가 되어 보겠습니다."

14부

17. "세상엔 여러 가지 삶의 방식이 존재하고 때론 거부할 수 없는 이유들이 우리의 신념을 바꿔놓기도 해."

24. "불쌍해서 배가 고파?"
"불쌍한 거 이거 체력전이야."

33. '(V.O) 피곤해도. 행복하고 싶어.'

44. "일만 하면 지루해. 놀기만 하면 지루해. 균형."
"노는 건 중요해. 균형을 위해서."

47. "사연… 있지. 난 모자라지도 넘치지도 않은 중산층 가정에서 태어나 행복한 유년시절을 보내고, 열심히 공부해서 대학가고 성공했어."
"……."
"……."

"……끝이에요?"

"그치."

"아리고 먹먹해 그게?"

"그치. 저 애들 사연 한번 들어봐 볼까?

내가 그 정도 사연뿐인 게 얼마나 아리고 먹먹한지 알아?"

"‥안아줄까요?

안으면…

……포근해."

55. '(V.O) 피곤해도‥ 행복하고 싶다. 피곤한데‥ 행복하다.'

"노는 게 더 힘들죠?"

"그렇진 않아요."

"그치. 말이 그렇단 거지."

"그치. 노는 게 더 좋아, 언제든."

56. "그 사람이 사과해도 풀리지 않을 거예요. 이해할 수 없는

행동들을 했고 여전히 이해가 되지 않은 상태에서

어떻게 마음이 풀려? 다 그래. 밉지. 미울 수밖에 없어.

그럴 땐‥ 용기를 내 봐요. 미워하지 않을 용기."

"미워하지 않을 용기‥?"

"그게 다른 게 아니고 용기가 필요한 거더라고. 해봐요.

미워하는 마음보다 사랑하는 마음이 더 귀한 거잖아."

60. '(V.O) 날 위해서‥ 부디‥ 너를 지켜줘.'

'(V.O) 그럴게. 할게. 내가‥ 해낼게.

……사랑해.'

15부

1. ‘(V.O) 처음 사랑할 때‥ 우린 사실 상대에 대해 많은 것을 알지 못한 채 시작한다. 몰랐던 사실 중엔 좋은 점도 나쁜 점도 있겠지만 좋은 점이 더 많은 경우란 결코 쉬운 일이 아니고‥’

‘(V.O) 심지어 나쁜 것들은 대개 모양새도 화려해서 눈에 더 잘 띈다는 당연한 진리‥ 실망은 어찌 보면 당연한 수순.’

2. ‘(V.O) 타협, 결렬, 타협, 결렬. 격렬하게 결렬되는 과정의 연속. 상대를 알아간다는 것 또한 어쩌면 변수의 연속.’

6. “난 못 해요! 입은 말하지만 몸은 움직이는 게 조직 생활이지. 내기할까? 니가 하게 되나 안 하게 되나?”

33. “응. 남자는 자기가 일한다는 것에 엄청난 명분을 부여해. 일하는 거니까 좀 그래도 된다. 그게 되게 쎄고 당연해.”
“왜 그러는 건데?”
“사냥해서 먹고 살던 시절에 본능 같은 거랄까?”
“왜 본능엔 시대정신이 없을까‥
그놈에 본능한테 시대 좀 따라오라 그래.”

45. “음‥ 물어볼게 뭐 있어요? 그냥 그렇게‥
느껴지는 대로 느끼면 되지.”

46. “뭐지‥ 죽을 뻔 했는데 큰 노력하지 않고 살아난 기분이야.”
“내가 그런 사람이야. 복 받은 줄 알아.”
“아‥ 진주 씨 만나고 내가 전생에 나라 정도 구했겠거니‥
했는데‥ 내가 뭘 더 구했나 봐?”

47. "후… 난‥ 남자한테서
내 행복을 찾을 생각 따위‥ 없어."

16부

6. '(V.O) 드라마를 보는 것만으로는 도무지 학습이 되지 않아
기어코 드라마의 주인공 되어버리고 마는, 어리석은 우리.'

18. "그거 알아?"
"알고 싶지 않아."
"어렸을 땐 몰라서 헤맸는데 지금은 모른척하다가 헤매."
"그래… 우리 그냥 평생 모르자."
"하하하하하."
"그게 더 젊어 보여."
"응~ 하하하."

23. "……니 먹을 거나 챙겨. 그 정도면 난 너 사랑할 거니까."

27. "좋잖아요, 해피엔딩."
"결혼이 왜 해피엔딩이야? 굳이 따지자면 비혼 선언이
오히려 해피엔딩에 가깝지."

28. "나한테 그렇게 확신해?"
"확신이 없어서 빨리 하고 싶어."
"빨리 서류상으로라도 구속하겠단 건가."
"구속당하겠다는 거야. 니 말 듣고 사는 게 너무 행복해서."

37. "사람들은 무너지고 싶어서 강한 척하는 거 같더라고.

조금은 무너져도 무리 없겠지·· 싶을 때까지."

"자기를 정확히 아는 사람이 어딨어요?
자길 다 안다고 믿는 사람은 결국 상처받을 일이
더 많이 남은 사람들이에요."

40. '(V.O) 시작. 시작은 본디 끝을 향해 달리는 것이지만
우린 그것을 끝이 아니라 완성이라 부른다.
성공이나 실패에 그 의미를 두지 않겠다는 것.
시작의 의미는 완성에 있는 것. 지금의 설렘을 즐기기로 한다.'

43. "외롭다고 사람이 사람을 죽이면 그게 사람인가 사탄이지."
"그러지 않은 사람이 더 많다는 게 얼마나 다행이에요.
그냥 세상은 조금 더 착한 사람이 조금 더 애쓰고 살 수밖에 없어요.
엄청난 손해 같지만 나쁜 사람한테 세상을 넘길 순 없잖아.
우린 어떻게 보면 지구를 지키고 있는 거야."

"난 너 그게 좋아. 산책하면서 듣는 그 시답잖은 농담이 좋아."
"아 반말 섹시하다."
"너무 뜨거워지지 마. 난 뜨거운 거 싫어.
지금 정도의 온도로·· 평생 옆에 있어."

'(V.O) 나쁜 일은 좋은 일이 혼자 오게 두는 법이 없었지만,
다행히 우린 알고 있었다. 서로를 도닥이는
작은 제스처가 위기에 맞설 가장 큰 무기임을··'

45. "··우주가 왜 가늠할 수 없이 넓은 줄 알아?"
"··응?"

"우리 각자의 자리가 하나씩 마련되어 있대.
행성에선 영원히 머물 수가 없어서 정해진 시간이 되면,
그곳으로 이주하는 거지."
"……."
"거기서 만나. 우리."

47. '(V.O) 서른. 어리다는 핑계를 댔다간 다 큰 어른이라는 것이
질책이 되어 돌아오고, 어른이라고 으름장 놓았다간
코웃음의 조롱거리가 되기 십상인.. 이상한 나이.'

51. "here's looking at you, kid."
"….?"
"카사블랑카에 나온 대사야.. 우리나라에서 참 멋지게 번역됐지.
당신 눈에 뭐가 보이든..
난.. 당신의 눈동자에.. 건배.."

"……나 힘들어. 안아 줘."

'2년 넘게 기다린 말이야..
힘들다고 말해줘서..
너무 고마워..'

_ 은정과 진주의 말 중

· 9부 ·

9

1. **은정의 편집실 / 밤.**

8부 마지막 장면.

2. **과거 / 은정의 병실 / 낮.**

팔목에 붕대를 감은 은정이 나른한 낮잠에서 깬다.

창가에 앉아 은정을 그윽하게 바라보고 있는 홍대가 보인다. 은정이 가늘게 홍대의 이름을 불러보지만 목소리가 잘 나오지 않는다. 미소로 대답해 주는 홍대를 보니 은정의 입가에도 미소가 드리운다.

홍대 나 좀 기억해 주라. 그냥 나 말고. 너랑 행복했던 나.

너가 여기 없으면‥ 누가‥ 그렇게 행복한 날 기억해 주겠어?

젖은 눈으로 고개를 주억거리는 은정.

3. 은정의 편집실 / 밤.

아직 몸을 웅크린 채 일어나지 못하는 은정의 뒷모습.

은정 (V.O) 내가 존재하는 공간이 내 몸보다 작게 느껴질 때가 있어. 내 몸을 으깨서 그 공간의 크기에 맞추고 다시 끼워 넣는 것처럼 아파. 그렇게 또 그 공간에서 빠듯하게 숨을 쉬고.. 그렇게 또 난 버텨야 돼.. 널 기억해야 하니까.
참.. 너.. 나쁘다..

페이드아웃.

3-1. 재훈의 집 / 낮.

출근 준비를 마치고 식탁에 앉아 시리얼을 먹는 재훈.
잠에서 깨 침대에 걸터앉는 하윤.
재훈의 뒷모습을 하릴없이 바라본다.
시리얼을 다 먹은 재훈,
그릇을 개수대로 가져가 설거지를 하려 한다.

하윤 내가 할게. 출근해.

재훈 (설거지하며) 괜찮아. 밥 먹을래?

하윤 아니.

하윤 내가 할게.

재훈 괜찮아.

하윤　　…·안 늦었어?

재훈　　…응.

Cut To

식기 건조대에 물기가 닦이지 않은 그릇.

신발 신는 소리. 현관문이 열리고 닫히는 소리.

아직 침대에 걸터앉아 재훈이 나간 현관문을

바라보고 있는 하윤.

깔끔하게 정리된 방을 둘러본다.

4.　　제이비씨 구내식당 / 낮.

범수, 환동, 동기, 인종이 한 테이블에서 식사 중.

배식대 쪽에서 그 그림을 감상 중인 다미.

범수　　어이 김 감독.

환동　　(보면) 네 감독님.

범수　　그냥 불러봤어. 감독이니까. 김 감독.

동기　　김 감독님.

인종　　김 환동 감독님.

환동　　그만들 하십시오.

범수　　(진지하게 장난치는) 뭔가… 힘이 느껴져.

동기　　(꿍짝이 맞아) 방금 건 원래 (수줍게) 그만들 하십시용~ 헤헤~ 하는 건데.

범수 카리스마.

인종 (힘 있게 환동 성대모사) 그만들 하십시오!

범수 힘이 느껴져. 감독이야.

환동 (전과 다른 분위기. 빤히 범수를 보며) 근데 왜 좋아하십니까?

범수 (살짝 당황) 으.. 응?

환동 저 보내놓고 왜 좋아하십니까?

뭔가 진지함의 선을 넘긴 분위기에 잠시 정적.

다미 역시 오오.. 하며 관심. 그 정적을 깨는

범수 …힘이 느껴져.

동기 그건 원래 (수줍이의 섭섭한 연기) 보내놓고 왜 져아하세욤? 하는 건데.

범수 카리스마.

인종 (카리스마 있게) 보내놓고 왜 좋아하십니까?!

환동 아.. 제가 언제 또 그렇게..

범수 힘이 느껴져. 감독이네. 맞네.

환동 (말을 말자)

좋다고 바보같이 웃는 범수, 동기, 인종.

하찮은 형 3종 세트를 가만히 보고 있던 다미가 하던 일 하며

다미 방송국 터가 안 좋은 건가..

5. 제이비씨 로비 / 낮.

하찮은 형 세 명과 환동 걸어온다.

인종 야 스무디 한잔하자. (동기에게) 얘가 쏠게.

동기 아 저 식후 음료 끊었어요.

인종 그럼 우리 거만 사죠. 넌 먹지 말고.

동기 제가 그래야 할 약점이라도 있나요, 혹시?

인종 지금껏 얻어먹으면서 지낸 과거가 약점이지.

이제 그만… 니가 살 때가 된 거 같다.

동기 음… 회사를 옮길 때가 됐군.

인종 불러주는 데도 없잖아.

동기 저 원래 부르지 않아도 잘 가잖아요.

환동 전 작가님 작업실 가봐야 합니다. (꾸벅) 먼저 가겠습니다.

범수 응? 응.

동기 야, 또가? 거기 뭐 최신형 안마의자 있니? 뭐 맨날 가.

걸음도 빨라 금세 사라지는 환동.

인종 쟤 너무 오바야. 잠을 안 자고 일한다는데?

대본 리뷰가 기획안보다 길고,

동기 그게 있을 수가 있는 일인가?

인종 보조 작가보다 글 쓰는 양이 많대.

동기 또라이네… 진짜 질투하나…?

범수 응?

동기　　응? .. 아니야.

인종　　페이스메이커 좀 해줘라 야. 초반에 지치면 답 없어.

범수　　아 나도 그랬어요. 입봉할 때.

인종　　그런 차원이 아니야. 재 벌써 양 감독까지 섭외해 놨던데?

범수　　(놀란) 양 감독? 촬영감독 양 감독?

인종　　응.

범수　　뭐야.. 내 건데!

동기　　인터셉트. 사수의 촬영감독도 인터셉트. 겁나 카리스마.

6. 드라마 세트장 3 / 낮.

티 테이블에서 스태프들 눈치 살피며 커피를 내려 마시고 있는 범수. 양 감독이 다가와 반갑게 인사한다.

양 감독　어이 손 감독~

범수　　어이 양 감독~

양 감독　남에 촬영 현장엘 다 놀러 오고 웬일이래?

범수　　그냥. 나 집이 옆이잖아.

양 감독　너 상암 아니야?

범수　　그치.

양 감독　상암에서 파주가 옆이라고?

범수　　(당황) 아 거 좁아터진 나라에서 버스 한 번에 오면 옆이지.

양 감독　그래. 뭐. 밥 먹고 가. 여기 밥차 맛있다.

범수　　형.. 거.. 다음 작품 잡았어?

양 감독	응? 나 환동이 거 하잖아. 너랑 얘기된 거 아니었어?
범수	아, 맞다. 맞다. 내가 부탁하라고 했지.
양 감독	그래. 입봉하는데 잘해줘야지. 근데 너 건 언제 들어가?
범수	나? 아·· 나·· 그냥·· 비슷할걸?
양 감독	아 그래? 아·· 그럼 너 천 미감도 같이 못 하는 거네 이번엔?
범수	(당황) 천 미감? 미술감독 천 미감?!
양 감독	김태성 음악감독도··
범수	(헉!!!) 김태성 음감…!!! (참는…)
양 감독	너가 그렇게 후배 잘 챙기는 앤 줄 몰랐다 야.
범수	하하·· 환동이 입봉이니까.

7. 세트장 미술 소품실 / 낮.

괜히 삐져서 이것저것 구경하는 척하고 있는 범수.

범수가 가져온 박카스를 따 먹으며 왜 저러지? 보고 있는 천 미감. 만지작거리다 미술 소품 하나를 떨어트려 부수는 범수.

천 감독	아·· 그러려고 온 거구나··
범수	아·· 죄송해요. 죄송해요.
천 감독	괜찮아. 그 옆에 게 비싸. 그거 부셔.
범수	(그 옆에 소품을 집는)
천 감독	(진짜 부수는 건 아니겠지?)
범수	(떨어트리는) 엇! 미끄러졌어!

천 감독	왜 그래?!!! 말을 해 그냥!!

범수	아 미끄러졌다니까!!

천 감독	뭘 미끄러져?! 손목 스냅을 봤는데 내가 지금!

8. 음악 스튜디오 / 낮.

건반 앞에 앉아 불안하게 움찔거리고 있는 김태성 음악 감독. 앞에 범수가 앉아 기타를 연주하고 있다.
연주라기보다 뭔가 뜯는 느낌.

태성	(움찔·· 움찔··) 그·· 거··

괴기하게 웃으며 기타를 연주하는 범수.
띠잉— 결국 기타 줄을 끊어먹는다.
태성의 힘없는 한숨··

8-1. 커피숍 / 낮.

마주 앉아 커피를 마시고 있는 범수와 진주.
굉장히 여유 있는 미소를 짓고 있는 게 더 어색한

범수	뭐 일단 환동이가 데뷔작이니까·· 잘해줘야지.
나랑 하던 스태프들이 다 업계 최고거든.
작가님 내가 이렇게 쿨하게 해도 괜찮죠?

진주　　(아무렇지 않은) 네.

범수　　그래요. 내가 참 사람이 너무 쿨한가 생각이 들다가도 작가님이 걱정할까 봐 그게 신경 쓰이더라고.

진주　　신경 안 쓰셔도 돼요.

범수　　그래. 그래요. 작가님도 마음이 참 넓어.
그 스태프들이 업계 최고이긴 한데. 그렇다고 우리랑 할 스태프들이 그 사람들보다 떨어진다는 뜻은 아니거든.
걱정하지 마요.

진주　　아니.. 걱정 안 한다니까.

범수, 되레 걱정 없는 진주가 또 짜증 나는…

범수　　아, 거 왜? 너무 걱정 안 하는 건 아니지 않나?

진주　　내가 그 걱정을 왜 해야 되는데?

범수　　작가니까.

진주　　그니까.

범수　　아.. 자기가 쓰겠지만 자기가 연출할 건 아니니까,
그냥 딱 분리해서 내 할 일 걱정만 하겠다는 건가?

진주　　아니 왜 걱정하지 말라는 사람이 걱정 안 한다니까 뭐라 그래?

범수　　몰라요, 그냥 너무 안 하면 그게 또 그렇지.
왜 걱정을 안 하는 거야?

진주　　우린 감독이 손범수니까.

범수　　……

뭔가 슬쩍 웃을 뻔한 범수.

대수롭지 않게 일어서는

진주 가요. 나 작업실 보러 가야 돼.

범수 네…

진주 거 좀 스태프 좀 뺏겼다고 쫄지 말고.

범수 아니 내가 쿨하게 양보한 거라니까…

진주 아 알았어.. 그래.

9. 제이비씨 드라마국 / 낮.

한가한 실내. 몇몇 직원들 약간의 분주함.

뭔가를 열심히 작성 중인 환동.

그를 빤히 쳐다보고 있는 범수.

뭔가 더운 기운을 느끼는 환동.

돌아보니 범수의 눈빛이 뜨겁다.

환동 … 왜.. 왜 그러십니까?

범수 응? 뭐가?

환동 아니.. 계속 쳐다보신 것 같아서..

범수 응? 아닌데?

환동 아… 네..

범수 준비 잘 돼가?

환동 네. 열심히 하고 있습니다.

범수 그래. 천천히 해. 페이스 조절해야지.

환동 네. 그런데 제 성격이 참 저도 어쩔 수 없는 게 있습니다. 하하.

범수 아.. 어쩔 수 없는 게 있구나..

환동 네. 그렇습니다. 하하.

범수 어쩔 수 없지 그럼 뭐. 하하. 해. 계속.

환동 넵.

키보드 속도가 더 올라가는 것 같은 환동.

그래. 그 정돈 양보할 수 있어. 하며 스스로를 격려하는 범수.

10. 진주의 작업실 전경 / 낮.

11. 진주의 작업실 안 / 낮.

아직 세간이 전부 들어서지 않은 20평대 오피스텔 내부.

새로운 진주의 작업실.

한주가 러브하우스 안내하듯 진주에게 작업실을 소개하며 들어온다.

한주 크기 적당하고 뷰도 괜찮고. 조용해. 현관 비번은 천사. 여기 설명 보고 작가님이 바꾸면 되고요. 여기가 화장실.

아직 어두운 욕실 안에서 전구를 갈아 끼우고 있는 재훈.

재훈　안녕하세요.

한주　(엇 하고 갑자기 눈을 가리는) 엇.

재훈　왜·· 왜요? 실장님.

한주　팔뚝이·· (근육에 갈라진 재훈의 팔뚝) 팔뚝이 갈라졌어.

진주　(한주의 왼쪽 가슴을 쓰다듬어 주며) 심장 차렷. 열중쉬엇. 차렷.

재훈　(부끄) 하하·· 아·· 작가님이 백열전구 싫어하신다고 해서. 이제 켜보세요.

불을 켜보는 진주. 주황 불빛.

재훈　짠. (의자에서 내려오면)

한주　아 환풍기 고장 났다고 했었는데. 관리실··

재훈　아니요. 그냥 갈아 끼우면 돼서요, 제가 하려고 장비 가져왔어요.

한주　와아·· 오늘 되게 기술자네.

재훈　하하·· 그냥 누구한테나 있는 작은 기능입니다.

방 쪽으로 안내하는

한주　여기 침대 들어오고.

재훈　(욕실 안에서) 오늘 들어옵니다!

한주　방 답답하면 나와서 작업하시라고 여기 식탁 겸 쓸 수 있는 테이블 들어올 거야.

재훈 (욕실 안에서) 그것도 오늘 들어옵니다!!

A4용지 박스 위에 올려놓은 조악한 TV를 내려다보고 있는 진주.

한주 (슬쩍 진주의 시선을 가리는) 난 작가님이~
여기서 TV 오래 안 보셨으면 해서.
여기 넘 오래 있으면 내 친구 진주를 집에서 못 보잖아. 힝.
그건 너무 속상한 일이얌.

진주 아 씨·· 사람이 어떻게 이렇게 귀엽지? 화를 못 내겠네.

한주 사랑해.

진주 어쩐들 상관없어·· 내가 드디어·· 작업실을··
지금은 그냥 그것만 누리고 싶어. 딴 생각 안 하고.
나의 첫·· 작업실··

바닥에 드러누워보는 진주.
뿌듯하게 그런 진주를 내려다보는

한주 니가 자랑스러워. 머리 커 보이고··

진주 그건 아니지 이년아··

한주 멋있단 얘기야.

진주 아··· 좋아·· 아무도 건들지 못하게 할 거야.
내 고요하고도 아늑한 작업실···

Cut To

다른 날. 세상 분주하고 시끄럽게 요리를 하고 있는 진주 모와 지영. 각종 재료들이 어지러이 놓여 있고.

진주 모　내가 사람들 다 불렀어! 잔치다!! 잔치!!! 오호호호~ 우리 딸래미가 작가님이 됐다우~~ 다 불렀어, 내가!!

지영　파뤼피펄~~

전혀 고요하지 않은 공간 한 구석 벽에 기대어 앉은 진주. 아무 표정 없이 창밖만 내다본다. 뭔가 좀 씁쓸하기도··

12.　제이비씨 드라마 국장실 / 낮.

인종과 대치하듯 앉아있는 범수.

인종　걔는 안 돼.

범수　아니 왜요? 핫하다니까.

인종　핫한 건 알겠는데 아직 드라마 주인공 할 급은 아니야.

범수　좀 신선한 얼굴로 갑시다. 걔, 요즘 대본 많이 들어가. 소비되기 전에 우리가 캐스팅하자고요.

인종　주인공은 안 돼. 왜 그런 모험을 해?

범수　아니 나 믿고 맡기는 거 끝까지 믿고 가지. 왜 또 이런 진부한 갈등을 만들지?

인종　야, 너네 신인 작가에 기존 드라마랑 형식도 다르고.

채널이 이 정도 모험하고 가면 너도 그 정돈 양보해야지. 어떻게 주인공까지 신인으로 가?

범수 에이급 스타가 시청률 얼마나 보장해준나고 생각해요?

인종 너 예고편 영상에 무플 한번 당해볼래? 인지도 중요해.

범수 좋은 사례가 있잖아. 응답하라 시리즈 봐요.

인종 아 응답하라를 하든 대답하라를 하든 거기 가서 해 그럼. 여기서 모험하지 말고. 그리고 솔직히 니가 신원호 감독급은 아니지.

범수 엄머. 엄머.. 내가 그 정도 급이 아니라고? 응팔이 잘된 게 누구 때문인데!

인종 누구 때문인데?

범수 그.. 뭐.. 아무튼.. 아무튼 내가 왜 그 급이 아니야?

인종 너 대박 친 것도 주말이었고. 미니는 그냥 그랬잖아 솔직히.

범수 뭘 다 두 자릿수 넘겼는데!

인종 막 대박 느낌은 아니었어. 솔직히 인정할 건 인정해야지.

범수 엄머. 엄멈머.. (가슴을 쓸어내리며) 어떡하지.. 자존심 어떡하지..?

인종 이번 거 대박 쳐. 스타 캐스팅해서.

범수 후.. 뭐? 정지연 정도 잡아오면 돼요?

인종 땡큐지.

벌떡 일어서 나가는 범수.

13. 제이비씨 복도 / 낮.

화난 걸음의 범수 어딘가로 전화를 건다.

범수 손범수야 내가 손범수. 자존심을 말이야..

상대방이 전화를 받는다.

상대 (F) 아이구 감독님~ 아니 이렇게 누추한 번호를 눌러주시고!
범수 대표님. 나 작품 들어가는 거 들으셨죠?
상대 (F) 감독님. 저 감독님만 보고 살아요. 당연히 알죠.
범수 정지연 주세요. 잘해 드릴게.
상대 (F) 엇.. 아.. 이거 어떡하지..
범수 스케줄 빈 거 압니다. 딴 소리 하지 마시고..
상대 (F) 지연이 정혜정 작가님 작품 하기로 어제 결정했거든요..
범수 (걸음이 느려지는..) 그.. 감독이.. 신인인데..
상대 (F) 아 드라마, 작가님 보고 가는 거죠.
우리 신인 많이 들어왔어요. 저랑 커피 한잔하시죠..

끊어버리는 범수. 드라마국 앞에 우두커니 선다.

14. 제이비씨 드라마국 / 낮.

천천히 문을 열고 들어오는 범수.
열심히 일하고 있는 환동을 본다.

환동, 스윽 돌아 자신을 바라보고 있는 범수를 본다.

씨익– 웃음을 보인다.

씨익– 범수도 웃어본다. 기분 좋은 웃음 같진 않지만.

15. 소민의 회사 응접실 / 낮.

카메라 앵글에 잡힌 소민. 아무 말이 없다.

분위기가 좀 다르다. 소민은 말이 없고

은정은 옆에 앉아 창밖을 내다보고 있다.

병삼은 중간에서 두 사람의 눈치를 본다.

두 사람이 같은 분위기.

병삼 (소민을 쳐다보며) 저. 혹시 두 분 싸우신 거 아니죠.

은정 응? 왜? 우리 사이좋은 거잖아?

소민 나쁘지 않으면 좋은 거지. 안 나쁘잖아?

병삼 두 분 분위기가 좀… 적막하네요.

은정 (소민 앞에 읽다만 대본을 보며) 왜? 대본이 맘에 안 들어?

소민 너무 좋아.

은정 근데?

소민 주인공은.

은정 아… 주인공으로 들어온 게 아니야?

소민 주인공에 꼭 욕심이 있는 건 아니야.

그냥… 솔직히… 후… 그래 욕심 있어. 야. 나 연기 못해?

은정 난… 사실 잘하는 연기가 뭔지 모르겠어.

또박또박 말하는 사람도 있고 어눌하게 말하는 사람도 있고. 다 다르게 생기고 다르게 말하는 사람들인데 잘하는 연기가 뭐지?

소민　잘 피해가네.

은정　못하는 연기는 알아. 거짓말이 보이는 거.
그렇다면 넌 못하지 않아. 걱정하지 마.

소민　잘하진 않는단 말을 머리 써서 돌려 말한 거지?

은정　난 지금 머리 써서 말할 만큼 컨디션이 좋진 않아.

소민　무슨 일 있어?

은정　‥ 그냥…

그때 허겁지겁 땀을 삘삘 흘리며 달려오는 새 매니저 동구(25세 남). 눈을 크게 뜨고 거친 숨을 내쉬고 있는 동구가 부담스러운 소민.

동구　차‥ 차… 대기해 놨어요‥ 헉‥ 헉‥

병삼　매니저‥ 바뀌었어요? 아‥ 민준 씨 가기로 했구나? 거기.

은정　(아‥ 그래서 소민이 분위기가 그랬나…)

소민　그… 급한 것도 아니고‥ 안 뛰어도 돼…

동구　네! 헉… 헉…

소민　그리고‥ 차 대기했으면 전화하지‥ 왜 올라와‥?

동구　네! 헉‥ 죄송합니다… 헉‥

소민　응… 뛰지 마‥ 숨소리가 조금‥ 무서워‥

갑자기 숨을 참는 동구.

아니 그렇게까지 아니고… 난감한 표정의 소민.

소민 아니 숨을 안 쉬면 어떡해?

헉! 헉! 시뻘게진 얼굴의 동구가 숨을 내뱉다가 주저앉는다.

당황스러운 소민. 후… 한숨 쉬며 일어선다.

그때 신경질적으로 문을 열고 들어오는 무서운 얼굴의 민준.

소민을 마주 보고 선다. 아무 말 없는 소민. 피하지 않고 노려보다가,

민준 안 간다고 했잖아!!!

평소와 다른 민준의 모습에 놀라는 병삼과 은정.

흔들림 없는 소민의 얼굴.

소민을 지나쳐 대표 방으로 성큼성큼 걸어가는 민준.

16. 소민의 회사 소 대표의 사무실 / 낮.

쾅— 문을 열고는 들어오진 않는 민준.

전화 통화하다 깜짝 놀란 소 대표. 멍—

민준 저 좀 쉴게요. 자르든지 말든지.

돌아서 가는 민준.

소 대표 (멍…) 하‥ 고용불안사회에서 이게‥ 뭔 그림이냐 이게‥
야 내가 갑이야!

17. 진주의 작업실 / 밤.

표정 없는 진주가 우두커니 거실에 서서 시선보다 높은 곳을 바라보고 있다.

진주 엄마‥ 난 오늘 정말 많은 것들을 양보했어.
힘들겠지만 이번만큼은 엄마가 양보해줬으면 해.
정말이지‥ 정말이지 거기까진 못 견디겠어‥

진주의 시선으로 보면,
진주 모와 지영이 양쪽 의자에 올라가 플래카드를 걸고 있다. '경축. 불꽃미녀 임진주 작가 작업실 개업 파티'
널찍한 테이블에 맞춤 떡을 비롯한 잔치 음식들.

진주 모 물러서. 아니면 풍선도 달 거야.

진주 (뒷걸음질)

지영 참고로 만국기도 있어.

진주 (공포에 입을 닫는)

지영 근데 몇 명 부른 거야? 여기 너무 좁은데?

진주 모　　아메리칸 스타일로 간다. 서서 하는 거.

지영　　스탠딩 파티? 여기서?

18.　　마트 / 밤.

두리번 주류 코너를 찾는 한주.

카트를 끌고 뒤따르는 재훈.

하윤에게서 카톡이 온다. 확인하면.

하윤: '언제 와?'

재훈: '늦어. 작가님 작업실에서 회식'

하윤: '얘기 안 했잖아'

재훈: '갑자기 결정됐어'

하윤: '그런 게 뭐 갑자기 결정돼?'

후… 한숨이 나오는 재훈. 답장을 하지 않는다.

하윤: '너 그 여자랑 있어?'

재훈: '안 늦어'

하윤에게서 전화가 온다. 무음으로 넘겨 주머니에 집어넣는 재훈. 한주가 막걸리 코너 앞에 서서 전화를 건다.

한주　　네 어머니. 근데 막걸리 몇 통이나 사요?

(사이) 네? (놀람) 며.. 몇 통이요? 아.. 네..

재훈 (막걸리 담으며) 몇 개 담을까요?

한주 직원을 불러야 할 것 같아요.

재훈 ??

19. 진주의 작업실 / 밤.

막걸리 잔을 들고 나란히 서있는 진주와 범수.

그들 앞으로 많은 사람들이 지나간다.

범수 윤서경 쪽은 캐스팅이 어려울 것 같네요.

진주 왜요? 안 한대요?

범수 채널에서 반대가 너무 심하네.

진주 아.. 난 좋은데.. 감독님도 어쩔 수 없는 간섭이 있구나..

범수 종종 벌어질 일이에요. 미리 겪어보는 것도 나쁘지 않죠.

그때 지나가던 60대 남자가 범수에게 인사한다.

진주 할머니 댁 마을 이장님이세요.

범수 안녕하세요, 손범수 감독입니다.

이장 우리 진주 잘 부탁하오.

범수 걱정 마세요, 이장님. 작가님이 너무 잘하세요.

하하하. 웃으며 막걸리 잔으로 건배를 하는 두 사람.

이장님이 지나가고. 작업실 내 풍경을 보면,
좁은 작업실에 가득 찬 사람들. 스탠딩 파티… 라기보다 그냥 서서 막걸리 집.
테이블 쪽에 웃으며 손 흔드는 한주와 재훈.
시끄러운 진주 모 옆에서 어색하게 웃고 있는 은정과 진주 부.

범수　　정말… 생각지도 못한 풍경이네요.
진주　　종종 벌어질 일이에요. 미리 겪어보는 것도 나쁘지 않죠.

샴페인마냥 건배하고 막걸리를 들이켜는 두 사람.

20. 은정의 방 / 밤.

어두운 방. 지친 몸을 침대에 눕히는 은정.
침대 조명을 껐다가 켰다가 생각이 많은.
그러다 옆을 본다. 아무도 없다. 눈을 감는다. 조명을 끈다.

은정　　나 내일 쉴래.
홍대　　(소리) 그래. 좋은 생각이야.

아무 반응이 없는 은정.

21.　　골목길 / 낮.

한산한 골목길. 목을 늘어트리고 무언가를 찾고 있는 은정. 그리 급한 일은 아닌 듯. 다시 핸드폰으로 지도를 찾아보는. 아 저쪽이구나. 다시 방향을 바꿔 걷는 은정. 프레임 아웃.

은정　　(소리) 길을 잘.. 못 찾네요?

프레임 아웃됐던 은정이 다시 프레임 인되며 과거의 모습으로 화면 전환.

22.　　과거 / 같은 골목길 / 낮.

약간 지친 모습의 과거 은정. 앞서 홍대가 걷고 있다.

홍대　　음… 저는 여행가가 아니라 사업가니까요.

은정　　사업가가 길을 더 잘 찾아야 되는 거 아닌가?
여행은 길을 잃어도 여행이지만 사업이 길을 잃으면 부도지.

홍대　　너무 늦지만 않으면 되죠. 하하. 찾았어요. 저기.

23.　　현재 / 오래된 라멘집 / 낮.

문을 열고 들어오는 현재의 은정.
점심시간이 지나 한가한. 손님이 몰려간 자리.

어지러운 테이블을 치우고 있는 40대 사장. 은정을 보고 알은체한다.

사장 어서 오세요. 오랜만에 오신 거죠?

은정 아… 저요?

사장 아닌가? 앉으세요. 깨끗한 자리.

은정 네… (자리에 앉아) 생맥주 한 잔 주세요.

장면 전환.

24. 과거 / 오래된 라멘집 / 낮.

생맥주를 시킨 은정을 신기하게 쳐다보는

홍대 낮술 드세요?

은정 저는 음식 잘 몰라요. 이렇게 맛집 찾아다니는 것도 못하고. 예전에 일본 여행할 때 식당 들어가면 우선 나마비루 한 잔부터 시켰던 기억이 나서.

홍대 아… 나도 그랬는데.

은정 여긴 뭐 시켜야 돼요?

홍대 라멘 집에서 라멘 시키죠. 여긴 메뉴가 하나밖에 없어요. (사장에게) 사장님! 라멘 두 개랑 생맥주 하나 더 주세요.

사장 네. 고맙습니다.

25. 현재 / 오래된 라멘집 / 낮.

김이 모락모락 오르는 라멘을 내오는 사장.

사장 아 생각났어요. 남자친구분이랑 자주 오셨잖아요.
그분이 잘 오셨는데? 이사 가셨나?

은정 ……· 글쎄요.

사장 (아닌가?) ……· 맛있게 드세요.

주방으로 들어가는 사장.
은정, 테이블 낙서를 살펴보고 있다.
커플들의 사연과 낙서를 읽다가 어딘가에서 시선이 멈춘다.
'2016년 10월 7일. 은정♡홍대랑 다녀감'
라멘을 물끄러미 바라보다 반숙 계란을 먼저 먹고 맥주를 마시는 은정.

26. 과거 / 오래된 라멘집 / 다른 날 / 낮.

홍대, '2016년 10월 7일. 은정♡홍대랑 다녀감'을 다 적고 흡가분한 표정이다. 맥주를 시원하게 비운 은정.

은정 나 맥주 한 잔 더 시킬게. 그거 맨 정신으로 보기 좀 그래.

홍대 미안. 꼭 해보고 싶었어. (기분 좋은 미소) 평생 매매전표 기록이나 할 줄 알았지, 이게 이렇게 행복한 건 줄 알았나, 어디.

은정 고 녀석 참, 그렇다면 할 말 없게 하네.

홍대 나 부지런히 우리를 기록하고 있거든. 사진도 찍고.. 글도 쓰고..(핸드폰 열어 보여주며) 봐봐. 사진이랑 짧은 메모할 수 있는 어플인데.. 지금은 비공개지만.. 결혼할 때? 공개할게.

은정 공개의 조건이 언제쯤 채워질까?

홍대 (나긋이 바라보다가) … 니가 그래라고 할 때.

나긋이 바라보다 홍대에게 입을 맞추는 은정.

27. 과거 / 거리 / 다른 날 / 낮.

삼청동 느낌의 작은 상점들이 양쪽에 늘어선 거리.

나른한 오후 나란히 걷는 은정과 홍대.

여기저기 상점을 둘러보는 홍대와 그런 홍대를

유심히 지켜보는 은정.

홍대 다 리모델링해서 가게를 꾸며놓으니까,
오히려 남아있는 옛날 가게들이 더 예뻐 보인다.

은정 상권분석하러 온 거지?

홍대 응? (들켰나?) 뭔 소리야, 데이트하러 온 거지.

은정 그건 구실 하나 얹은 거고.

홍대 (시치미) 아닌데?

은정 식당 하나 더 할 거라며? 자리 보고 있는 거잖아.

홍대 에이..

은정　라멘집 할 거냐?

홍대　아·· 거 참 아니라니까.

은정　됐어.

홍대　그렇다 한들 이게 삐칠 일이야?

삐친 은정 앞서 걷는다.

쭐레쭐레 은정의 뒤를 따르는 홍대, 으·· 또 삐졌어.

프레임 아웃.

28.　현재 / 거리 / 낮.

위 씬의 거리를 혼자 걷고 있는 은정.

홍대의 목소리가 들린다.

홍대　(소리) 은정 씨·· 자기야.

29.　과거 / 거리 / 낮.

삐친 은정을 뒤따라 걷고 있는

홍대　거기. 앞에. (대답 없는 은정) 사랑해.

삐친 얼굴 그대로 돌아보는 은정.

뒤로 걸으며 홍대를 째려본다.

그만 좀 하라는 듯 미운 조카 보듯 은정을 바라보다가

홍대 아 앞에 봐. 넘어져.

표정을 풀지 않고 획 뒤돌아 걷는 은정.

빠르게 그녀를 따라가 손을 잡는 홍대.

슬쩍 미소 지으며 홍대를 보는 은정.

같은 미소로 은정을 바라보는 홍대.

30. 현재 / 거리 / 낮.

은정의 옆엔 아무도 없다.

31. 과거 / 일식 레스토랑 앞 / 낮.

새로 개업한 식당 앞에서 사진 포즈를 취하고 있는 은정과 홍대. 행복한 모습. 찰칵—

화면 현재로 전환. 현재의 은정 프레임 인.

굳게 닫힌 문에 영업 종료 안내문이 붙어 있다.

32. 진주의 작업실 / 낮.

혼자 글 쓰고 있는 진주. 열심히 작업 모드에 빠져있는 듯

보였지만 이내 집중에 실패하는

진주 (V.O) 아… 적적하네.. 이거 되게 적적한 거네..
와.. 이런 사치를 다 누린다 내가..

핸드폰을 집어 카톡을 열어본다.
목록에 '손감독' 문자를 할까 하다가…

진주 (V.O) 뭐.. 달리 할 말이 없다만.. 거 좀 수시로 궁금해해
주고 그러지 좀..

33. 제이비씨 드라마국 / 낮.

자리에 앉아 진주에게 문자를 보내고 있는 범수.
'작업은 잘하고 계십니..'
쓰다가 그냥 닫는 범수. 음.. 생각을 바꾸고 다시 문자 창
을 여는.. 그러다 다시 닫는..
그때 뒤로 귀신같이 다가오는

동기 전화를 해.
범수 아 깜짝이야. 씨..
동기 작가한테 연락하는 걸 왜 망설여? 감독이?
너 막 설레고 그러냐 혹시?
범수 (!!) 정신병자가 뭐라는 거야.

작가님 한참 작업시간이야. 작가에 대한 배려를 몰라?

동기　니가 그 정도 배려는 없었지.

범수　너 회사 안 옮기냐? 부르는 데 없어도 좀 가.

동기　야. 이히히. 너 환동이한테 스태프 다 뺏겼다며?

범수　아 이걸 강제 입원시킬 수도 없고. 입봉이니까 양보한 거야.

동기　양보 같은 소리 하고 있네. 아‥ 갈수록 흥미로워진단 말이야‥

범수　(확 씨…) 후…. 야 너 우리 작품 삐 팀 해라.

동기　응? 내가? 왜?

범수　같이하던 스태프들 없이 가려니까 뭔가 외로워.

동기　그렇다고 두 작품이나 한 감독한테 삐 팀을 하라니‥
이 정신병자 친구 새끼야‥

범수　넌 어차피 망하잖아. 삐 팀도 과분한 거 아닐까?

동기　그건 또 그래.

34. 제이비씨 구내식당 내 다미의 사무실 / 낮.

책상에 앉아 업무 중인 다미.

문에 기대서 다미에게 혼자 떠드는 느낌의 동기.

동기　다미 씨, 나 고민 있어. 내 친구 범수가 나보고 삐 팀 하래.
어떻게 나한테 그럴 수가 있어? 나도 엄연한 감독인데?
근데 막 싫지가 않다? 난 왜 이렇게 밸도 없을까?
근데 농담이야? 진담이야? 농담이였데도 진담으로 받고

밸도 없는 김에 그냥 할까? 삐 팁?

다미　……그걸 왜‥ 영양사한테 물어요?

동기　영양가 있는 조언 듣고 싶어서.

다미　그거 성희롱이야.

동기　(!!!!! 굳는) … 정말?

다미　내가 싫어하면. 근데 안 싫으니까 해요.

응? 갑자기 조용해지는 동기.

다미　라디오 틀어놓은 거 같아서 좋네요.

… 뭐 다음 사연 없어요?

동기　너 좋아해.

다미　……… (멈칫하다 다시 업무 보며) 요 앞에 극장 있죠?

동기　… 으‥ 응‥

다미　그 건물 1층에 인도 음식점 있어요. 카레 땡기네.

거기 예약하고 기다려요. 그거 사면 영화는 내가 쏠게.

동기　으‥ 응‥

다미　거기 안 비싸. 쫄지 말고.

동기　‥ 인도를 사줄 수도 있어. 중학교 때부터 적금 넣었어.

음… 인도 얼마지‥? 어색하게 쭈뼛거리다

돌아서 가는 동기.

35. 진주의 작업실 / 낮.

땅동—

진주, 현관문을 열면 세상 반갑게 두 팔 벌리고

들어오는 미영, 수희, 사랑.

세 명 언니이이!!!

진주 동지들!!!! 보고 싶었어!!

사랑 아니지. 작가님!!

수희 완전 작가님!!

미영 (슈퍼라지 피자를 내밀며) 피자 사 왔어!

진주 야! 앉아서 일하는 것들이 이런 살찌는 음식을!!

(받아들며) 너무 좋아.

사랑 근데 술을 안 사 왔네.

수희 에이 낮부터 무슨 술이야? 너무 좋은데?

미영 있겠지? 설마.

진주 막걸리는 많은데.

미영 피막? 어우… 피자 앤 막걸리는 좀… 완전 좋아. 오예~

Cut To

피막보다 수다. 막걸리와 피자를 세팅하며 열심히 수다를

떨고 있는 네 여자의 모습에서.

진주 (V.O) 보조 작가들이 모였을 때 메인 메뉴는 테이블 위에

없다.

안주는 거들 뿐. 씹을 건 따로 있지.

36. 혜정의 작업실 / 낮.

두둥. 드러나는 혜정의 얼굴.

무료하고 쓸쓸한 얼굴이 거울에 비친다.

가만히 자신을 바라보다 펼쳐놓은 립스틱을 발라보는

37. 진주의 작업실 / 낮.

사랑 나더러 심부름해주는 애래. 그 말을 대놓고 할 건 아니잖아? 24시간 작가님 옆에 붙어 있음 뭐라도 배우겠지. 공부하고 또 공부하면서 버티고 버텨서 흥신소 됐어 내가.

수희 식탐도 쩔어요. 선물로 케이크나 빵 들어오면, 먹어 보란 얘기 왜 안 해? 왜 혼자 먹고 남긴 거 밀어 놔? 왕이야? 나 뭐 수라간 나인이야?

미영 난 다 참을 수 있으니까 일할 때라도 확실했으면 좋겠어. 아니 주인공 감정을 모르겠대. 헐.. 그걸 왜 나한테 뭐라 그래? 캐릭터, 이야기 다 자기가 만들면서 감정은 내가 알아야 돼? 재료를 자기가 다 가져다 썼는데 내가 원산지를 어떻게 알아?

분위기에 잘 휩쓸린 진주, 바통 이어받듯

진주　씬 하나를 서른한 가지 버전으로 쓴 적도 있어.
뭐 아이스크림이야? 그렇게 쓰게하고 괜찮은 거 하나 골라 쓰면? 야 작가 나도 하겠다!

순간, 정적이 인다.
세 보조 작가의 시샘 어린 시선을 한 몸에 받는 진주.

사랑　그래서 하고 있잖아. 이런 작업실도 있고.
수희　메인 작가 됐다고 자랑하는 거야?
미영　가진 자 주제에 가지지 못한 자들 앞에서 고작 기억으로 남아있는 것 따위 재미 삼아 떠들지 마. 재수 없어.
수희　가진 자‥
사랑　잠재적 정혜정‥
진주　‥‥ 이런 취급받으니까 너무 좋다‥

보조 작가 셋, 경계 어린 시선을 풀고 감격스레 진주를 바라보며

세 명　부러워~~

그때, 혜정의 보조 작가들 메시지 톡이 동시에 도착하고.

수희　(확인하고) 작가님이다.

미영, 사랑, 짜증 내며 확인한다.

혜정이 사진을 보냈다. 빨간 립스틱을 바른 입술 사진이다.

혜정 (E, 자막) 이 색깔 어떠니?

보조 작가들. 영혼 없는 표정과 달리 단련된 손놀림으로 답톡을 시작한다.

미영 (E, 자막) 어머 작가님~~ 너무 잘 어울리세요~~

수희 (E, 자막) 네! 작가님한테 딱! 이에요!

혜정 (E, 자막) 사랑이는 왜 대답이 없어? 이상해? 빨리 말해.

사랑 (E, 자막) 어머 죄송해요. 순간 넋을 잃어서··
답 쓰는 걸 깜빡했네요. 작가님 진짜 예쁘세요!

혜정, 핑크색 립스틱 바른 사진을 또 보냈다.

혜정 (E, 자막) 이건 어때? 남자들이 좋아하는 색이니?

사랑 (E, 자막) 제가 남자였음 당장 작가님께 데이트 신청했을 겁니다.

수희 (E, 자막) 네. 키스를 부르는 색이에요.

혜정 (E, 자막) 키스? 어머어머어머!! 몰라~ 몰라~

미영 (열심히 문자 찍으며) 아 진짜 주먹으로 키스해주고 싶다.

옆에서 대화 내용 본 진주.

진주 하‥ 극한직업‥

38. 혜정의 작업실 / 낮.

거울 앞에 앉아 핸드폰을 보고 있는

혜정 귀 간지러워서 보내봤더니 역시 같이 있구만‥
하여간 이래서 같이 퇴근시키면 안 돼‥

그때 환동에게서 전화가 온다. 은근 기대하며 받는

혜정 네. 감독님.

환동 (F) 네 작가님. 혹시 저녁 어떠십니까? 식사요.

혜정 음… 뭐‥ 같이 할까요?

환동 (F) 네. 데리러 가겠습니다.

혜정 (V.O) 데… 리러‥?

＊플래시백 - 8부 26씬.
기분 나빠지려다 이상한 데 꽂히고 마는 혜정.
환동의 말이 메아리쳐 자신의 귀에 울리는데‥
"저는 정혜정 작가님을 좋아하니까요~
정혜정 작가님을 좋아하니까요~"

혜정 음… 그러세요, 그럼.

환동　　(F) 네 이따 뵙겠습니다.

전화를 끊는 혜정. 아무렇지 않은 척 거울을 들여다본다.
주름을 체크하는 듯

혜정　　아… 애 정말… 나이도 어린애가 왜 이러지‥
음… (다른 립스틱을 골라보며…) 귀찮네‥

39. 혜정의 작업실 오피스텔 로비 / 밤.

현관 입구 쪽에 숨어 무언가 살피는 혜정.
간만에 립스틱 좀 발랐다. 입구 쪽에 환동의 차가 와서 선다.
슥— 몸을 숨기는 혜정. 금세 환동에게서 전화가 온다.
한 템포 쉬고 전화를 받는

혜정　　여보세요.
환동　　(F) 앞에 왔습니다.
혜정　　아 벌써? 아‥ 넘 빨리 왔네. 기다려요. 준비하고 내려갈게요.
환동　　(F) 네네 괜찮습니다. 천천히 내려오십시오.
혜정　　네 미안해요~

전화를 끊고 벽에 기대 시간을 죽이는 혜정.
그런 모습을 가만히 보고 있는 경비 아저씨와 눈이 마주친다. 어울리지 않게 머리칼을 귀로 넘기며 수줍은 미소를 보이는 혜정.

40. 혜정의 오피스텔 앞 환동의 차 안 / 밤.

급히 준비하고 나온 척 문을 열고 조수석에 오르는 혜정.

환동 (시동을 걸며) 금방 나오셨네요. 뭐 먹을까요?

혜정 음… 뭐.. 난 뭐 다 상관 없는데.. 뭐.. 스테이크..

인종 (소리) 아 뭔 스테이크야.

앉아있지 않았다면 뒤집어졌을 만큼 놀란 혜정. 으헉!

바로 뒷좌석에 인종이 짜증 섞인 표정으로 얼굴을 내민다.

인종 냉동 삼겹살 좋아하잖아. 냉삼 먹으러 가자.

(환동에게) 요 앞에 먹자골목 알지? 거기 가는 데 있어.

혜정 (분노…. 인내의 정점…)

환동 괜찮으세요?

인종 (고개 내밀어 혜정을 보며) 입술 발랐어?

혜정 !!! (결국 폭발) 입술이 바르는 거냐!!! 립스틱이 바르는 거지!!!!!

인종 (쫄아서 눈치 맞춘다는 말이..) 분위기도 얼음짱 같고.. 립스틱 색깔도 삼겹살 색이고.. 냉동 삼겹살 딱이네.

혜정 와우….

41. 진주의 작업실 / 밤.

바닥을 전부 드러낸 피자 박스.

수희 우리 작가님이야 원래 이상했다 치고 우리 감독 왜 그래?

진주 (슬쩍 관심이 가는) 김환동?

미영 굉장히 젠틀하고 훈남이고 열심히 일하는데 또라이야.

진주 응? 좋고 좋고 좋은데 또라이야?

사랑 우리 셋 합친 거보다 글을 더 많이 쓰고.
우리 셋 합친 거보다 아이디어를 많이 내.

수희 되게 친절하고 배시시 웃다가도 회의만 들어가면 트럼프가 돼. 지구상에 거칠 게 없어.

진주 걔가 좀 그런 게 있지‥

미영 응?

진주 아니야. 감독들 다 그렇다고.

사랑 감독들 다 그런 수준이 아니라니까. 뭔가 복수할 게 있는 사람처럼.

수희 맞아. 뭔가 달라. 성공에 대한 단순한 욕망이 들끓고 있는데‥ 거기에 뭔가 사연이 하나 붙어 있어.

미영 맞아. 눈칫밥 3년 먹은 작가가 세 명이야.
우리의 눈은 보기 싫은 것도 보게끔 진화되어 있다고.

사랑 내 생각엔 아무래도…

진주 ……?

사랑 전 여친이…

진주 !!

사랑 잘나가는 남자랑 결혼했어.

미영 맞아 그쪽이야.

수희 우리 눈은 못 속이지.

진주 (참내…) 하여간 드라마 쓰는 애들 아니랄까 봐‥

야‥ 감독은 말이야… 작가하기 나름이야. 조련을 잘해야지.

미영 세계는 객관적으로 존재해. 주관적인 노력이 바꿀 수 있는 게 아니야.

사랑 맞아 감독은 조련할 수 없어.

진주 내가 어디 보통 작간가‥

세 명 오……

미영 그럼‥ 여기서 미션 게임 들어간다?

진주 뭐‥ 뭐 또?

미영 지금 당장 손범수 감독한테 문자해. 배고파요~ 쉬림프 피자 한 판 사다 주면 안 돼요? 하고.

수희 좋아‥ 흥미로와‥

미영 여기서 방송국까지 거리 20분‥ 피자 굽는 시간 20분‥

엘리베이터 기다리는 시간 등등. 한 시간 줄게.

진주 (당황) 야 촬영 준비하느라 바쁜 사람이야. 올 수 있는지도 모르는데‥

사랑 조련이 아직 안 됐나 봐?

진주 (이년들…. 쯧‥ 슬쩍 긴장) 좋아.

핸드폰을 열어 카톡을 보낸다.

'감독님 나 배고파요. 쉬림프 피자 한 판 사다 주면 안 돼요? 지금.

나 당 떨어져!!'

그리고 테이블 위에 카톡 창을 열어놓은 채 올려놓는다. 모두가 머리를 모아 핸드폰을 지켜본다. 금세 1이 없어진다.

미영　1 없어졌어!

사랑　봤어! 봤어!

하지만 답장이 없다. 조용하게‥ 기다리는데 답장이 없다. 긴장하는 진주.

수희　…읽씹?

진주　!!!

미영　(킄‥ 웃음 나올 뻔한) 1 없어지고 나서부터 한 시간이다.

그때, 삐삐삐삑ㅡ 현관 문 열리는 소리가 들리고. 덮밥집 종이 박스 두 꾸러미를 들고 범수가 들어온다.

범수　아~ 난 좋은 거 먹인다고 장어덮밥이랑 연어 사 왔구만‥ 뭔 피자를‥ (작가들 보고) 어? 작가님들 놀러 오셨구나. 반가워요. 잘 지냈죠?

정적에 가까운 분위기‥
어색하게 인사하는 세 보조 작가들.

범수 (테이블에 박스 올려놓으며) 쉬림프 피자? 응?

테이블 위에 놓인 피자 박스를 보며 의아한 범수.
박스에 손을 가져다 대본다.

범수 먹은 지 얼마 안 된 피잔데…?

미영 그.. 씬 피자였어요.. 얇아가지구..

진주 (여유 있는) 이번엔 쉬림프가 먹고 싶다네요. 불고기였거든요.

범수 음.. 그럴 수 있지. 다녀올게요.

진주 아니에요~ 오셨는데. 배달시키면 돼요.

범수 (나가며) 가면서 주문하고 찾아오는 게 훨씬 빨라요.
먹는데 흐름 끊기면 안 되지. 그거 먹으면서 기다려요.

멍하니 나가는 범수를 보는 수희, 미영, 사랑.
흡족한 마음을 모두 드러내지 않는

진주 먹어들 봐.. 장어래.

가만히 넋 놓고 있던 셋.
누가 먼저랄 것 없이 천천히 일어나 포장을 벗긴다.

사랑 언니.. 세계는 객관적으로 존재한다매?

미영 뜯기나 해.. 국물이잖아 그거! 싱크대 가서 해!

사랑 아 왜 짜증을 내?!

42. 헤어숍 / 밤.

헤어케어를 받고 있는 소민. 헌데 표정이 뭔가 불편하다.
뒤를 보면 동구가 어울리지도 않게 경호원처럼 서있다.

소민 그…. 여기..
동구 (딴 생각하다가) 아. 넵!
소민 그렇게.. 서있지 않아도 되는데..

동구, 생각이 많아진다. 진지하다. 그대로 슬며시 앉는다.

소민 (허망하다..) 그.. 그러니까.. 후…. 뒤에 있지 마..

긁적긁적하며 일어서는 동구. 그냥 간다.
잠시 후.. 소민의 해탈. 그럴 수 있다 여기기로 한다..
소민의 앞을 보면.. 거울 뒤편에 동구가 서있다.
뭐가 잘못된 건지는 모르는 동구.

43. 소민의 집 / 밤.

텅 빈 집에 힘없이 들어오는 소민.
가만히 어두운 집을 보다가 주방으로 가 냉장고 문을 연다.

소주가 한 병 보인다. 그냥 닫는다.

소파에 눕는 소민. 잠시 고민하다가 전화를 건다. 민준에게.

'전화기가 꺼져 있어…'

한숨을 쉬며 신경질적으로 일어서는 소민.

다시 주방으로 가 냉장고 문을 연다.

44. 한주의 방 / 밤.

등 돌리고 잠든 듯 보이는 인국.

이불을 덮어주는 한주.

한주 오늘 일찍 자네‥? 착한 어린이.

인국 (눈 감은 채) 엄마‥

한주 응?

인국 나 아무래도… 소영이랑 못 헤어지겠어.

한주 (웃음을 참는) 안 헤어지면 되지. 소영이가 많이 좋아? (장난스레 웃으며) 나보다 더 좋아?

인국 응.

한주의 웃음기 순삭.

45. 은정의 집 / 밤.

드라마를 보며 맥주를 마시고 있는 진주와 효봉.

빼친 얼굴의 한주가 맥주 한 캔을 들고 와 풀썩 앉는다.

한주 인국이 그냥 홈스쿨링 할까? 학교 꼭 다녀야 돼?

진주 왜? 인국이가 소영이랑 결혼한대?

한주 어떻게 알았어?

진주 저 당돌한 꼬마 녀석한테 지지 않기 위해
난 생각보다 많은 노력과 관심을 기울이고 있지.

그때 은정이 들어와 말없이 자신의 방으로 향한다.

진주 어이 지나가는 멋진 여성. 일루 와 맥주 한 캔 하지?
우리 요즘 대화가 너무 부족해. 옳지 않아.

말없이 방으로 들어가는 은정.
뭔가 심상찮은 분위기에 서로 눈치 보는 진주, 한주, 효봉.

46. 은정의 방 / 밤.

책상에 조명을 켜고 앉는 은정. 호흡이 쉽지 않다.
다시 조명을 끈다. 후… 긴 숨을 내쉬는 은정. 답답한 호흡…
그때 뒤에서 목소리가 들린다.

홍대 (소리) 오늘 어땠어?

침대에 걸터앉은 홍대가 자상하게 웃고 있다.

홍대 피곤해 보이네.

다시 조명을 켜고 서랍을 열어 작은 박스를 열어본다.
그 안엔 홍대와 찍은 폴라로이드 사진이 한가득.
몇 장 집어 사진을 넘겨보는 은정. 모두 행복한 모습들··
사진을 책상 위에 내려놓고 가만히 앞을 보는

은정 (불편한 호흡을 가다듬고) 나 알아·· 니가 없다는 거··

방 안엔 은정 혼자뿐이다.

47. 은정의 집 / 밤.

은정이 거실 한가운데 우두커니 서서 친구들을 보고 있다.
소파에 나란히도 앉은 진주와 한주, 효봉, 약간 긴장한 채 은정을 주시하고 있다.

은정 ······· 나 힘들어. 안아 줘.

진주와 한주, 효봉, 서로의 눈치를 보고 은정의 모습을 살피고 긴장도 되고··

은정 너네한테 한 말이야. 나·· 힘들어··

그제야 울먹이는 진주와 한주.
은정에게 달려가 꼭 안아준다.
한시름 놓이지만 역시 눈시울이 붉어지는 효봉,
천천히 다가가 누나를 안아준다.

한주 고마워···
진주 고마워··
효봉 고마워·· 누나··

진주 (V.O) 2년 넘게 기다린 말이야·· 힘들다고 말해줘서··
너무 고마워··

불편했던 숨이 편안해지는 은정.
페이드아웃.

48. 재훈의 집 동네 전경 / 낮.

49. 재훈의 집 / 낮.

소파에 가만히 앉아 무릎에 턱을 괴고 있는 하윤.
머리에 물기를 말리며 욕실에서 나오는 재훈.

그런 하윤을 보다가 주방으로 가 뭐 먹을까.. 선반 등을 열어보는 재훈. 그런 재훈을 가만히 바라보다

하윤 … 파스타 해 먹을래?

재훈 …?

하윤 내가 해주는 거 먹고 싶다며.

재훈 .. 재료 없는데.

하윤 사러 가자.

재훈 …그래. 머리 좀 말리고..

50. **재훈의 집 욕실 앞 / 낮.**

드라이기로 머리를 말리고 있는 재훈.

외투를 챙겨 입고 욕실 문틀에 기대서서 가만히 재훈을 보고 있는 하윤.

51. **플래시백 / 과거.**

욕실 변기 커버를 닫고 앉은 재훈의 머리를 드라이기로 말려주는 하윤. 행복했던 두 사람의 모습.

52. **동네 마트 / 낮.**

작은 카트를 끌고 있는 재훈.

생크림을 집어 카트에 넣는 하윤.

재훈　　오일 좋아하잖아?

하윤　　크림 좋아하잖아?

상대방 취향을 생각하지만 건조한 두 사람의 말투.

다시 말없이 카트를 끌고 가는 재훈.

53.　　재훈의 집 동네 어귀 / 낮.

장바구니를 들고 걷는 재훈.

한 발자국 떨어져 걷는 하윤.

54.　　재훈의 집 / 낮.

마주 앉아 크림 파스타를 먹고 있는 재훈과 하윤.

말 없는 재훈을 표정 없이 바라보는

하윤　　맛있어?

재훈　　응.

하윤　　(맛을 보고) 좀 짜네.

재훈　　난 괜찮은데.

하윤　　…. 짜게 먹지 마.

재훈　　……

하윤 (혼잣말하듯) 짜게 해놓고 짜게 먹지 말라네..
내가 또 이러네..

먹던 것을 멈추고 잠시 하윤을 바라보는 재훈.
일어서 냉장고 문을 여는

재훈 맥주 할래?
하윤 .... 응.

캔 맥주와 잔을 가져와 앉는 재훈. 나누어 잔을 채우고 한 모금 마신다. 맥주 한 모금. 그리고 다시 표정 없는 하윤.
서서히 눈시울이 붉어진다.

55. 플래시백.

둘의 과거 모습들.
수많은 사람들이 모인 술자리에서 눈빛을 교환하던..
하수구에 대고 고백하던..

인서트

선서하던.. 꽃 사주던..

침대 위 등 돌린 재훈에게 안기는 하윤..
그런 하윤을 안아주는 재훈..

56. 재훈의 집 / 낮.

맥주를 마시는 하윤. 결국 참고 있던 눈물이 흐른다.

고개를 들지 못하는 재훈.

마주 앉은 거리가 멀게 느껴지는 두 사람의 모습에서.

"진주… 좋아하세요?"

"작가님 아니고… 진주?"

"네, 진주."

"……응."

"……"

"자꾸 사람 웃게 해.
사람 자꾸… 착해지게 만들어."

_환동과 범수의 말 중

· 10부 ·

10

1. 현재 / 진주의 작업실 / 낮.

글이 좀 풀리는지 썩 좋은 표정으로 글을 써 내려가고 있는 진주. 핸드폰이 울린다. 발신자 **대표님.

진주 (친절한) 네 대표님~

대표 (F) 계약했다고? 소문 들었어요. 축하해~

진주 아이고 덕분입니다.

대표 (F) 그래서 말인데 더 바빠지기 전에 나 짧은 거 하나만 써 주면 안 될까? 진짜 짧아 웹드라마 4부작.

진주 (친절한) 이렇게 제안해 주신 것도 너무 감사하지만.. 곧 편성 날짜 나오는데 대본 작업이 좀 더뎌서요. 좋은 기회 주셨는데 상황이 안 되네요.. 죄송합니다, 대표님.

대표 (F) 음.. 그래.. 뭐.. 작가님이 죄송한 문제는 아니지.. 근데 작가님 좀.. 건방져졌다..

진주 ....(뭔가 굉장히 부적절한 기분... 회상해 본다)

진주 (V.O) 전에 없던 예의를 갖췄건만..

2. 과거 / 진주의 방 / 낮.

커튼으로 새어 들어오는 빛을 차단하고 침대에 엎어져있는 진주. 머리를 쥐어뜯다 잠든 모양. 요란하게도 울리는 핸드폰. 발신자 **대표님.

진주 (손만 뻗어 전화를 받는) 네.

대표 (F) 잤어요? 그냥 듣기만 해 그럼. 나 웹드라마 하나 들어가는데 급하게 좀 글을 뽑아야 돼서. 짧은 거야. 알바 좀 해요.

진주 (버럭) 아 계약 한번 해보겠다고 쩔쩔매고 있구만
내 상황 알면서 뭔 알바에요? 계약 안 될 거라는 말이죠, 이거?

대표 (F) 에이 그건 아니지.. 혹시나 했어. 역시 프로야. 응?
알겠어요, 힘내시고. 더 자요~ 파이팅!

3. 현재 / 진주의 작업실 / 낮.

회상 중..

진주 (V.O) 지질이 궁상떨 땐 그렇게 건방을 떨어도 불쌍하게 보더니.

4. 카페 / 낮.

노트북을 펼쳐놓고 타이핑 중인 여기자와 인터뷰 중인 범수.

기자 최근 작품에선 우회적이지만 난민 문제를 다루기도 하셨는데요. 난민은 나쁘다, 라고 말하는 사람들에 대해서 어떻게 생각하세요?

범수 난민은 나쁘다? 세상에 그런 말이 어디 있어요. 나쁜 행동을 하는 사람이 나쁜 거지.

생각은 다 다를 수 있어요. 다름을 비판할 순 없지만 그 대상에 윤리적인 내용도 포함되어 있는 경우에 더 신중해야 하는 건··

5. 현재 / 제이비씨 드라마국 / 낮.

부들부들 떨리는 범수의 손에 들린 컬쳐 매거진.

펼쳐진 페이지에 웃고 있는 범수의 사진. 그리고 그 아래 버젓이 쓰인 메인 카피. '난민은 나쁘다!'

Cut To

뿔난 범수의 기자와의 통화.

범수 이것 보세요! 아니 어떻게 물음표가 느낌표가 됩니까!

내가 언제 '나쁘다!'라고 했어요?! '나쁘다?'라고 했지! 물음표!

기자　(F) 아니 저는 느낌표로 들렸어요. 억양이.
녹음된 거 있는데 보내드릴까요? 느낌표였는데?

범수　(이 개새끼…. 이 씨발….)

머리를 쥐어짜는 범수의 모습에서.

진주　(V.O) 의도적인 왜곡인지 상황에 따른 인지 감각의 오류인지 정확히 알 길이 없어 더 답답하기도 하고..

6.　아랑의 프로덕션 / 낮.

투자사와 회의 중인 아랑, 은정, 병삼, 투자 직원 1, 2.

은정　극장 수입을 기대하고 다큐를 제작할 순 없는 게 현실이지만 매체나 플랫폼이 늘어난 만큼 어쨌든 우리가 의도한 만큼의 어필이 가능하도록 할 수 있는 데까지 해 봐야죠.

투자1　오.. 역시 한 번 대박을 쳤던 분이니까 매체가 줄을 섰다?

은정　아니요. 말이 전혀 다른데요.

투자 1, 2, 그렇게 말 안 해도 된다는 듯 장난스러운 표정.
호의에 가깝지만 굉장히 불편한

은정　아니라니까요. 말이 달라요, 전혀. 전 수익이 어렵다는 얘기를..

아랑 (은정의 손을 잡고 막으며) 뭐가 중요해? 좋은 뜻으로 투자 협의하는데.

은정의 한숨‥

7. 제이비씨 드라마 국장실 / 낮.

뭔가 단단히 환난 얼굴의 인종, 통화 중.

인종 야! 내가 편성이 봄이라고 그랬지 언제 4월이라고 그랬어?! 4월이 봄이야?! 현장 나가 봐! 4월에도 패딩 입어!! 아니 왜 말을 곧이곧대로 안 들어? 해석 좀 하지 마! 그냥 말한 대로 들으면 되는 내용이잖아!

8. 홍미유발 엔터 회의실 / 낮.

협찬사 직원들과 회의 중인 한주, 소진, 재훈.

한주 아니 저는 분명히‥ 여기 회의록 보세요.
주인공이 벤츠 E클래스 이상 타야 된다고‥

협찬 그때 실장님 표정이 별로 안 좋으시길래 저희는 생각해서 이걸로‥

한주 왜 제 표정을 보고 결정하세요?
제 입에서 나오고 기록된 게 버젓이 있는데!

한주 화내는 걸 처음 보는 재훈과 소진.

진주 (V.O) 우린 거의 매일 그런 상황에 직면하게 되고.
종종 다른 사람으로 변신하게 되는 고통을 겪어야 한다.

9. 제이비씨 구내식당 / 낮.

주문서와 다른 배송 야채들을 보고 좌절하고 있는 다미의 모습.

10. 혜정의 작업실 / 낮.

보조 작가들이 넘긴 대본을 보고 좌절하는 환동의 모습.
애써 감정을 누르고 다시 설명을 하는 환동.

환동 뻔한 장소에서만 대화를 나누니까 다르게 한번 생각해보자. 그러니까 예를 들어서 뭐 수영장에도 갈 수 있고 사우나에도 갈 수 있는 거 아니냐. 진짜 가라는 게 아니라 예를 든 건데. 진짜 사우나랑 수영장을 가면 어떡합니까? 동선에 앞뒤가 없지 않습니까. 그러니까.. 우리 상황에 맞는 아이디어를 내보자 한 건데……

열심히 떠드는 환동.
어찌 됐든 집중해서 다시 기록하는 보조 작가들.

답답한 인물들의 얼굴이 분할화면으로 보이고.

진주 (V.O) 이 모든 광경을 내려다보고 있는 조물주의 표정은 어떤 것일까? 한 수를 놓게 된 바둑 기사의 표정일까?
어려운 문제를 풀어낸 수학자의 표정일까?
작전에 성공한 타짜의 표정일까?
실수일까 계산일까 덫일까?

11. 은정의 집 / 밤.

극도로 집중하고 있는 한주의 얼굴 클로즈업.
그녀가 손에든 무언가를 높게 치켜들더니 바닥에 내던진다.
바닥을 보면 고스톱 판. 똥쌍피를 먹은 한주!
긴장하기 시작하는 진주와 은정.
광 팔고 여유 있는 효봉. 한주, 거칠 것 없이 한 장의 패를 뽑아들어 내려치는데… 쌌다. 세상을 잃은 표정의 한주.

한주 ….덫.. 덫이었어..

은정 (너그럽게 진주를 바라보며 패를 꺼내 똥을 먹는다)
계산일 수도 있고..

좌절 한주. 다시 판이 한 바퀴 돈다.
은정 앞에 많은 패들이 쌓인다.
효봉, 핸드폰 보며 딴짓하다 엉덩이를 들어 방귀를 뿡— 끼는 효봉 아, 미안. 냄새 안 나.

다시 판이 돌고… 패색이 짙은 한주의 고민… 그때,

진주 잠깐‥ 실수 같은데? (남은 패의 수를 맞춰보며) 파토야.

은정 !!!!! (손에 쥔 패를 떨어트리는, 떨어진 곳엔 엄청난 패들이‥)

한주 (은근 미소 지으며 파토판을 쓰는데)

진주 스탑. 동작 그만. 이효봉 양손 거수.

효봉 (순간 긴장이 스치며 천천히 양손을 드는)

진주 (위협적인) 궁뎅이 밀착고정!! 누굴 빙다리 핫바지로 보나‥ 광팔이가 화투판에서 궁뎅짝을 들고 방구를 낀다?

효봉 !!!!

진주 방뎅이 올라갔을 때‥
(한주를 가리키며) 밑으로 패 한 장 날렸겄지.

한주 (여유 있는 척 와인을 비우지만 식은땀 한 줄) 증거 있어?

진주 증거? 저 새끼 방뎅짝과 강화마루 사이에 싸래기 한 장 깔렸다에 내 오른쪽 손목과 전 재산을 건다. 넌 뭐슬 걸겄냐? 손모가지 준비허시고‥

긴장감이 감도는…

진주 이효봉이… 양손 위로. 뒤로 굴러.

한주 (고개가 떨어지는…)

효봉, 하는 수 없이 그 자세 그대로 뒤로 구른다.
효봉의 엉덩이 밑에 싸래기 패 한 장.

진주 순진한 척 쪼개면서 이딴 짓거리하지 말라고 내 몇 번 말하냐.. (효봉에게) 뭐더냐.. 오함마 가져와.

효봉, 표정 없이 일어나 거실 테이블에 뿅망치를 질질 끌고 온다. 진주, 넋 빠진 한주의 손목을 화투판 위에 올린다.

진주 뭐더냐 안 내리치고.. 내리쳐!!
효봉 미안해..

번쩍 뿅망치를 들어 올릴 때 눈 부비며 방에서 나오는 인국. 주방으로 가는 녀석을 보며 잠시 정지 상태가 된 세 여자와 한 남자.

인국 나쁜 건 다하고 있네.. 애 키우는 집에서..
효봉 (여유를 잃지 않고 선생님처럼) 너 우리 누나 좋아하지? 누나가 술 말고 다른 취미를 가져보자 제안했는데, 우리 모두 격하게 공감을 했지 뭐니.

인국, 물 따라 마시며 판을 보면, 맥주 한 캔씩 놓여있는.. 정지 상태를 풀 수 없는 세 여자와 한 남자.

인국　그래서 도박…

진주　(효봉과 비슷한 투로) 이건 보드게임이야.

너네가 하는 할리칼리 같은 거. 이건 고스톱, 우리말로 갈까 말까. 할리 칼리, 갈까 말까, 비슷하지? 도박은 돈을 걸고 하는 거지.

인국, 방으로 향하며 판을 보면, 천 원짜리 백 원짜리 듬뿍. 정지 상태를 풀 수 없는 세 여자와 한 남자.

은정　사랑해.

한주　오줌 싸고 자.

그냥 들어가는 인국.

Cut To

효봉의 은은한 아르페지오··

거실 바닥에 드러누워 천장을 보고 있는 은정의 얼굴.

은정　아·· 이것도 재미없다·· (무엇이 있는지 아래를 내려다보곤)

나 좀 편하게 우울하고 싶은데··

이제 그만 떨어져 주면 안 될까?

화면 넓어지면,

은정에게 안겨있는 한주와 은정의 다리 한쪽을 안고 있는 진주. 코알라 같은.

한주	같이 잘까?
은정	싫어.
한주	그래, 같이 자자.
은정	·······
진주	젖 줄까?
은정	아·· 씨··· 미친년 진짜·· (효봉을 보며) 넌 왜 자꾸 밤에 그러니?
효봉	마음을 안정시켜주는 곡이야··
은정	후·· 내가 너무 갖추고 산다·· 인간 주크박스도 있고·· 같이 잘 사람도 있고·· 젖 줄 사람도 있고··

넓은 화면에서 암전.

12. 재훈의 집 / 아침.

핸드폰 알람 소리.

습관처럼 재빠르게 알람을 끄며 일어나는 재훈.

침대 한쪽 끝에 누워있던 재훈 옆을 보면 아무도 없다.

주방. 나란히 엎어져 있는 두 개의 그릇.

하나를 집는 재훈의 손.

수저통. 두벌의 수저와 젓가락. 수저 한 개를 뽑는 재훈.

식탁. 홀로 앉아 우유와 시리얼을 먹는 재훈.

욕실. 칫솔 컵에 꽂혀있는 두 개의 칫솔.
하나의 칫솔을 꺼내 치약을 묻히는 재훈.
남은 하나의 칫솔을 쓰레기통에 버리려다 다시 꽂아놓는다.

샤워하는 재훈. 샴푸를 하다 발밑을 보면 배수되지 않는 물.
물에 잠긴 하수관 뚜껑을 열어 손을 넣어 휘젓는 재훈.
긴 머리카락 뭉텅이가 손에 잡혀 올라온다.
물을 맞으며 가만히 내려다보는 재훈의 뒷모습.

13. 홍미유발 엔터 / 낮.

책상에 앉아 웹툰을 보고 있는 재훈.
한주가 커피를 건네며 모니터와 눈높이를 맞춘다.

한주 기획팀 업무 보니까 근무 시간에 웹툰도 보고 좋죠?
재훈 (천진) 네. 연봉을 좀 깎아도 되겠어요.
한주 올려야 될 거예요. 웹툰에 소설에 수백 개 봐야 그중에 한 편 드라마화되는 거고. 기획안에 대본에.. 오타 체크까지 하며 읽고 또 읽고. 각종 문서 작성까지. 눈 침침한 거북목이 돼서 열심히 번 돈 병원에 다 갖다 바친다고..
재훈 (당황) …누가..
한주 에스디에 보미 피디님 알죠? 서른둘 꽃다운 나이에.. 고관절로 고생하다 지난달에 퇴사했어요.
재훈 … 아.. 잘 해드릴걸..

한주 20분에 한 번씩 일어나 스트레칭하세요. 그게 우리가 살 길이야. (웹툰 가리키며) 웹툰은 어때요?

재훈 네? 아·· 너무 재밌어요. 판권 팔리지 않았을까요?

한주 아직. 내가 매일 체크하고 있지. 더 바빠지기 전에 판권 구입해서 기획안 스타트 하나 해놓자고요. 월요일 회의 안건으로 준비해주세요.

재훈 네, 대표님도 좋아할 듯··

한주 그리고·· (티켓 두 장을 건네며) 이거.

재훈 (받아 보곤) ··?

한주 초대권이 들어왔네. 그때 하윤 씨가 뮤지컬 좋아한다, 그래서. 같이 봐요.

재훈 아… 아… 고맙습니다. 하하··

가만히 티켓을 내려다보는 재훈.

14. 광고 스튜디오 주차장 / 낮.

소민의 승합차가 주차된다. 기다리고 있던 병삼이 카메라를 들고, 옆에 세워진 승용차에서 내리는 은정의 얼굴이 우울하다.

이내 승합차 문이 열리고 내리는 소민의 얼굴이 우울하다.

소민의 뒤를 졸졸 따르는 동구.

그 뒤를 졸졸 따르는 병삼의 카메라.

대충 손으로 인사하고 나란히 걷는 은정과 소민.

병삼이 재빠르게 앞으로 걸어가 은정과 소민의 투샷을 잡는다. 우울한 두 사람의 닮은 모습에 신경 쓰이는 병삼.

은정　(우울한 소민의 얼굴 보고) CF 찍으면 기분 좋은 거 아닌가‥?

소민　…나 좋은데? 너가 더 안 좋아 보여.

은정　…나 좋은데?

병삼　둘 다 안 좋으세요.

은정　근데 여기 촬영 허가 받았어?

병삼　응. 체크해달라고 했는데. (동구에게) 괜찮은 거죠?

동구　아‥ 네‥ (모름) 아무래도…. (소민에게) 괜찮나요?

소민　(멈칫 서서 고개 숙이고 한숨) 후…. 그걸 나한테 물으면 어떡해‥

동구　(잽싸게 폰 꺼내며) 확인하겠습니다!

소민　됐어. (다시 걸으며 은정에게) 얘기해놨어. 괜찮아.

15. 광고 스튜디오 / 낮.

소민　(아랫배를 톡톡- 두드리고) 변비~~~ 잘 가요~~~

두 팔 뻗어 시원하게 웃는데 우울감이 묻어있는.
감독의 신경질 잔뜩 섞인 컷 소리. 컷!!!!!
분장팀, 소민에게 몰려들고. 기분이 영 좋아지지 않는 소민.
그런 소민을 표정 없이 노려보던 CF 감독 상수(30대 중반 남).
분주한 스태프들 사이 신경질적으로 소민을 노려보며 걸

어가는

상수 안 좋은 일 있는 거야? 연기를 못하는 거야?

소민 ……

상수 둘 다 안 되는 거 아니야?!

배우가 어디 카메라 앞에서 지 기분을 드러내?!

배우가 어디 카메라 앞에서 연기를 못해?!!

자기 컨디션 맞춰서 일하고 싶으면 가서 개인방송을 하든가! 여기서 일할 거면 웃어!

시원해서 좋아 죽겠다 하고 웃어!!

소민 (별 표정 변화 없이 고개만 끄덕이는)

상수, 그나마 참으며 돌아서는데 병삼의 카메라를 보곤 폭발

상수 으아아악!! 야 이 새끼야!! 나 찍지 말라고!!

병삼 아·· 죄·· 송합니다.

반대쪽에서 카메라를 들고 있던 은정,

가만히 그 광경을 지켜본다.

상수 (자리로 가며) 시발 어디 촬영장에 남에 카메라가 들어오게 해?! 일 드럽게 하네, 진짜·· 빨리 준비해!

은정, 그저 가만히 상수를 지켜보다가·· 소민을 보면,

여전히 우울한.

16. **오토바이숍 / 낮.**

바이크에 올라 바람을 가르고 있는 민준.

헬멧도 쓰지 않은 채··

두 손을 놓고 바람을 맞으며··· 이내 바람이 멎고.

정비 크레인에 올려놓은 바이크 위에서 두 팔 벌린 민준.

앞을 보면 대형 선풍기를 끈 민준의 친구(8부 46씬의 불량).

불량 명색이 일진 출신이 바이크도 못타고·· 그래서 언제까지 쉬는데?

민준 몰라. 꿈이 사라졌다. 다시 일진이나 할까?

불량 ··내가 초중고 도합 12년을 일진했잖아.

정말 열심히 했는데·· 그 미친 짓을 왜 열심히 씩이나 했을까·· 하·· 그땐 평생 빼어 먹고 살 수 있다고 생각했는데··

민준 ······하루에 한 번씩 대가리 박고 반성하자. 박어.

대가리 박는 둘.

17. **제이비씨 구내식당 / 낮.**

범수, 인종, 동기, 모여 앉아 식사 중.

식판을 들고 테이블에 합류하는 환동.

환동 맛있게 드십시오.

범수 (자상한 미소 안에 숨겨진 찝찝함)

동기 많이 머거 감독님~

환동 저희 4부 대본 나왔습니다. 부장님 메일로 보내놨습니다.

인종 벌써? 오우.. 환동이 붙으니까 대본 속도가 붙네.
(범수에게) 너넨?

범수 6부 넘긴 지 얼마 됐다고. 속도로 치면 우리가 빠르죠. 더 늦게 시작했는데.

인종 (끄덕끄덕)

환동 임 작가님 거는 공모전 작품이라 2부까지 나와 있었고, 저희는 자료 조사할 것도 많아서 뭐 속도는 비슷합니다. 하하.

범수 (살짝 발끈) 야 우린 뭐 자료 조사할 거 없어?

환동 아니.. 그.. 비교적?

범수 (자상한 미소 안에 숨겨진 찝찝함)

인종 (별로 관심 없고 아까부터 동기만 쳐다보고 있는) 근데… 다미 씨가 안 보인다..?

동기 그걸 왜 날 보면서 궁금해해요?

인종 너 다미 씨랑 영화 봤다매? 소문났더라.

순간 동기에게 관심이 집중되는

동기 (동요하지 않음. 태연함) 공짜표 있다길래. 내가 또 공짜 안 놓치잖아.

인종 다미 씨 원래 범수 좋아하지 않았나?

환동 (슬쩍 범수 눈치 보는)

범수 (내심 뿌듯) 세상엔 두 부류의 여자가 있어. 날 좋아한다고 말하는 여자와 날 좋아하지만 말 못 하는 여자. 거 뭐 신경 쓸 거 아니야.

인종 난 너 그렇게 말할 때마다 불쌍해 보이더라.

범수 (병신같이 웃는)

그때 주방에서 나온 다미가 다가온다. 작은 접시 하나를 들고 있다. 그녀를 보고 대화를 멈추는 네 남자.
다미 신경 쓰지 않는 척 지나가는 듯 보였으나, 동기의 밥 위에 달걀 프라이 하나를 툭 던져놓고는

다미 아이고 떨어졌네. (대수롭지 않게 사무실로 돌아가는)

잠시 정적의 순간…

인종 …이걸 떨어트리려고 굳이 여기까지 왔다가?

범수 (자상한 미소 안에 숨겨진 찝찝함)

18. 제이비씨 드라마 국장실 / 낮.

마우스를 움직이며 모니터로 대본을 읽고 있는 인종.
그러다 문득 어떤 생각이 스치고 기억을 더듬다 미간에 주름.
일어나 소파 테이블 쪽에 놓인 대본 더미 위

'서른 되면 괜찮아져요' 대본을 가져와 펼쳐본다.

19. 혜정의 작업실 / 낮

혜정의 방 살짝 열린 방문 사이로 의자에 앉아 잠든 혜정이 보인다. 거실. 말없이 작업 중이던 미영이 슬쩍 수희와 사랑의 눈치를 본다. 수희도 사랑도 뭔가 할 말이 있어 보인다.

미영 (혜정의 방 슬쩍 눈치 보고) 너네·· 진주 언니 대본 봤지?

사랑 (기다렸다는 듯) 봤어. 봤지?

수희 (기다렸다는 듯) 응.

보조 작가 셋. 동시에 혜정 쪽으로 시선을 옮긴다.
기지개를 켜는 혜정.
셋, 다시 모니터로 시선을 옮긴다.

20. 진주의 작업실 / 낮.

폭풍 글쓰기를 하고 있는 진주. 이전에 본 적 없는 불꽃 타이핑. 내가 나인가 믿기지 않는 표정. 새로운 세계를 만난, 멈출 수 없는

진주 (V.O) 뭐지? 뭐지? 왜 이렇게 막 써지지? 엄청나! 마구 써

져! 쏟아져 나와!! 이런 적 없잖아? 왜 이렇게 잘 써지는 건데에에~

그러다 급 무감각한 표정으로 돌아온 진주,
Backspace 키를 길게 누르며

진주 쓰레기니까.

타이핑한 속도보다 더 빨리 지워지고 있는 쓰레기들‥
머리를 쥐어짤 때 핸드폰이 울린다. 발신자 '미영'

진주 응. 뭐? …. 왜? …. 대본? (한참 얘기를 듣다가… 미간에 주름이‥)
뭔 소리야… 대본 보내 봐. 당장.

21. 제이비씨 드라마국 / 낮.

각자 자리에 앉아 한가하게 잡담 중인 범수와 동기.

동기 요즘 같이 술을 자주 먹었는데, 전 같지 않아‥
범수 뭐가?
동기 자꾸 내 유머에 반응을 해. 막 웃지는 않아. 안 웃었어.
근데 자꾸 인정을 해준다. 꾸준하다고. 집념이 있다고.

＊플래시백 – 8부 9씬.

동기 으하하하하하하… 으아… 응애에요~

다미 여봐. 여봐. 여기서 어떻게 김흥국 성대모사가 나와?
와‥ 확실히 집념이 있어.

22. 과거 / 이자카야 앞 거리 / 밤.

술에 취해 걷는 동기와 환동, 다미.

동기 3차 가자. 3차는 환동이가 쏠게.

환동 저 방금 쐈습니다.

동기 그래? 아‥ 그럼 들어가야겠네‥

다미 나도 졸려. 갈래.

동기 다미 씨 집이 어디야?

다미 사당.

동기 사당이면‥ 국회가 관리를 잘해주겠네.

다미 국회가‥ 왜?

동기 국회 거니까‥

다미 …. 응?

동기 국회의사당. (병신같이 웃는)

다미 여봐‥ 여봐‥ 와아‥ 이번 건 심지어 웃을 뻔했어.
이거 적응하면 내가 아주 크게 웃는 날이 오겠어!

23. 제이비씨 드라마 센터 / 낮.

동기 응? 그렇게 내 가능성에 관심 가져주고.

범수 스읍.. 그게.. 니가 언젠가 웃기겠지가 아니라.. 넌 꾸준히 별로일 건데 내가 바뀔 수도 있겠다. 그 가능성을 생각한 거 같은데?

동기 그것도 내 꾸준함에 대한 존중이지.

범수 아… 그러네.. 좋겠다, 꾸준해서.

동기 그래서 이렇게 예쁜 결론을 얻었잖아.

범수 음… 그러네..

그들을 지나쳐 가 자리에 앉는 환동.
책상 위에 '서른 되면 괜찮아져요' 대본이 놓여있다.
뭐지? 하고 범수를 돌아보면,
생각 없이 수다 중인 범수의 모습.
그때 인종의 문자가 오고. 확인.
'범수네 대본 읽어 봐. 그냥 읽어 봐'
갸우뚱? 무슨 일이지?

24. 혜정의 작업실 / 낮.

멍하니 무료한 시간을 때우고 있는 인종과 혜정.
각자 스트레스에 스며든 미세한 두통을 고요히 견뎌내는 중.
먼 창밖을 바라보던 인종이 가까운 허공을 바라보고 있는

혜정에게

인종 나랑 절 보러 가지 않을래?

혜정 …… 별도 아니고‥ 절?

인종 응… 절‥

음악 '나랑 별 보러 가지 않을래?' 흐르고.

25. 산길 / 낮.

낮은 산길을 걸어 오르는 인종과 혜정.

산 공기를 깊게 들이마시는 혜정, 나쁘지 않다.

멀리 새들이 날아오른다. 멀어지는 새들을 바라보며

인종 아‥ 날아가는 새들 보면 참 부럽단 생각 안 들어? 새들은 대소변이 한 번에 나와‥ 그래서 새똥이 하얗지‥

혜정 자유롭게 날고 싶은 게 아니라‥ 대소변을 한 번에 배출하는 게 부러운 거야?

인종 바쁜 세상이잖아‥ 작은 것도 특별하게 보고 넘기려고.

혜정 그건 드러운 걸 특별하게 본 거지.

인종 …….

26. 불상 앞 / 낮.

절을 올리고 있는 인종.

익숙하지 않지만 인종을 따라 절을 해보는 혜정.

27. 사찰 앞 / 낮.

평상에 나란히 앉아 경치를 바라보는 인종과 혜정.

생각이 많아 보이는 인종을 살피는

혜정 뭔 일 있나?

인종 나이 먹을수록 사람들이랑 소통하는 게 힘들어.

혜정 사람 만나는 게 일인 사람이 그게 쉽길 바래?

인종 사람과 사람 사이엔 무조건 문제가 발생하잖아, 크든 작든.

혜정 당연한 걸 뭐. 혼자 있어도 문제가 생기는 나이에.

인종 젊었을 땐 사람들 전부 성격장애가 있다고도 생각해봤어. 근데, 전부 그렇다는 건 장애가 아니라 그냥 다 다른 것뿐이더라고. 달라서 생기는 문제라면 결국 그 문제의 반은 내 몫인 건데, 안 그래야지~ 하면서 나도 모르게 내 생각을 강요하고 있더라.

혜정 안다고 되면 다 부처게?

인종 상대방이 한 말은 맘대로 재단하고 곡해하고. 강욘지 강압인지. 암튼, 높은 위치에 오를수록 그 강요가 자꾸 이긴다? 그게 이긴 게 아닌 건데. 정말 그러지 말아야지~ 하고 입을 닫아봤자, 표정으로, 기운으로 기어코 내 주장을 드러내고.. 그렇게 난 멋없게 늙어가.

혜정 … 멋없게 늙어가는 건 걱정 안 해도 돼.

인종 ?

혜정 젊었을 때도 멋없었으니까.

인종 와.. 걱정 하나 덜었다.

혜정 그게 오늘치 걱정이야?

인종 작가님 대본 말이야..

혜정 ?

인종 임진주 작가 대본이랑 비슷한 에피가 몇 개 있더라고. 심지어 대사까지 뉘앙스가 비슷한 게..

혜정 … (응? 생각이 많아지는) 걔가 내 거 표절했다는 거야?

인종 임 작가가 정 작가를? 에이..

혜정 ….. (생각… 하다 빡치는. 벌떡 일어나) 야!!

지나가던 스님이 돌아본다. 합장하고 목소리를 낮추는

혜정 (흥분은 높게 소리는 낮게) 내가 내 새끼로 있던 애 글을 표절했다? 그렇게 난 멋없게 늙어가는 인간이다?

인종 아 솔직히 우리가 나쁜 놈 캐릭터 하기 딱 좋은 포지션이잖아.

혜정 나 소리 못 지르게 하려고 여기로 데려왔지?

인종 겸사겸사.

혜정 아오..

씩씩대며 돌아서 가는 혜정.

인종 (쫄래쫄래 따라가며) 쫌만 더 놀다 가자.

28. 제이비씨 드라마국 / 낮.

대본을 다 읽고 덮는 환동. 생각이 많아진다. 짧은 한숨.

수다 떨고 낮잠 자는 동기.

스태프 리스트를 체크하고 있는 범수.

조심스레 범수에게 다가와 서는

환동 저… 감독님.

범수 ‥?

29. 진주의 작업실 / 낮.

현관. 마른 미역을 들고 들어오는 범수.

거실로 들어선 순간 동공이 지진하며 미역을 떨어트린다.

시선으로 보면 거실 바닥에 엎어진 채 미동이 없는 진주.

범수 작가님!!!!!

달려가 진주를 끌어안아 일으켜는 범수.

순간 멀쩡하게 껌뻑이는 진주의 눈을 맞닥뜨리곤 어헉—

기겁하며 던지는

범수 아.. 씨...

Cut To

범수 요리 중. 달궈진 냄비에 참기름을 두르고 국거리 고기를 넣어 볶는다. 진주는 엎어진 자세 그대로.

진주 내가 만든 덫에 내가 걸려들었어.. 그 덫을.. 내가 7년 동안 애써서 만든 거야..

범수 그래도 그땐 좋았을 텐데 덫이라고 하면 추억이 섭섭하겠다.

진주 아니 어떻게 우리 기억을 남한테 팔아먹을 수가 있는 거죠..?

범수 에이.. 감독은 크리에이터 아닌가? 듣는 감독 섭하게. 자기가 겪은 일, 자기 작품에 투영하는 게 어떻게 팔아먹은 게 돼?

진주 아니 왜 나랑 있었던 일을 드라마에 맘대로 쓰냐고!

범수 자기는 안 썼나?

획— 범수를 째려보는 진주.

이게 아니구나 바로 느끼는 범수.

불리고 씻은 미역을 냄비에 넣어 볶기 시작하는

범수 자, 이렇게 생각합시다. 우리는 지금 요리하는 과정 중에 있는 거예요. 이거 막 이렇게 연기나고 이 미세먼지 이거 어떡해?

뭘 어떡해? 사 먹든가. 아님 별 수 없지. 자, 국간장을..

(국간장 세 큰 술을 넣는데..) 아이고. 네 큰 술 넣으려고 했는데 좀 쏟았어. 이거 어떡해?

뭘 어떡해? 좀 짜게 되는 거지. 육수도 없었고 다진 마늘도 없었어. 이거 어떡해? 이러면 깊이가 없잖아. 자꾸 생각처럼 안 돼. (연두 꺼내며) 뭐? 어떡해? 수정해야지. 요리에센스. 한 큰 술. 좋아. 다 돼가. 자, 짤 거라고 생각하지만 아직 안 끝났어. 아름다운 결과물을 얻기 위한 과정이 투박하다고 투정하면 안 돼.

(보글보글 끓는 미역국에 라면 사리를 투하하는) 라면은 짠맛이지.

Cut To

라면 용기에 담긴 미역국 라면. 김이 모락모락.

앞에 두고 마주 앉은 범수와 진주.

범수 짠. 아름다운 결과.

진주 (말없이 먹는.. 후루룩- 후루룩-)

범수 사람은 해조류를 먹어야 돼. 어때요?

진주 (뭐가 재밌는지 갑자기 웃는) .... 별로예요.

범수 (비슷한 느낌으로 웃는) 매번 아름다울 순 없어..

커피는 나가서 마십시다.

30. 혜정의 작업실 / 낮.

살짝 열린 혜정의 방 문 사이로 마주 앉아 대화를 나누는 혜정과 환동의 모습. 그 모습을 슬쩍 훔기고 잽싸게 자리로 가 앉는 미영. 마주 앉은 수희와 사랑은 작업 중.

잽싸게 카톡 창을 열어 불꽃 타이핑을 하는 미영.

말풍선과 함께.

미영　(V.O) 야야 그러니까 범수 감독이 우리 작가님이랑 틀어지고 나가서 보조로 있던 진주 언니 픽업하고. 우리 작가님은 범수 감독 조감독으로 있던 환동 감독 픽업하고.

근데 진주 언니랑 환동 감독이랑 엑스라는 거 아니야?!!!

이거 사각관계 아니야? 대박 스토리!!!

이거 드라마로 쓰라고 해도 못쓰겠다!!

사랑　안 쓰지.

재미와 흥분을 감추지 못하고 폭풍 타이핑하던 미영이 고개를 든다. 벙찐 얼굴로 미영을 보고 있는 수희와 사랑.

미영　(여전히 재밌는 표정으로 속삭이듯) … 왜?

사랑　거기다간 안 쓰지.. 거기 보작 단톡방이야…

미영　응?

사랑　우리 톡방 아니라고..

미영, 뭔 소리야? 하고 보면.. '대한민국 보조 작가 단톡방'

인원 126명. 기겁하며 물러서는 미영. 순간 쏟아져 나오는 톡…

'이것 봐 내가 그럴 줄 알았어'

'스토리 찰지네'

'범수 감독이 진주 작가님 좋아한다는데'

'진주가 쫓겨나고 가서 범수 꼬신 거지'

'그것도 능력이네'

'환동 감독 빡쳐서 나간 거네'

'빡치지 엑스가 사수랑 붙어먹는데'

'그 밑에서 일하고 싶겠어?'

'미영아 너네 작가님 환동 감독이 꼬신 거 아니야?'

'막장이네'

'사수의 유혹'

'손감독이랑 임작가님 사귀는 거 맞죠?'

'맞다니까'

⋮

세상을 잃은 미영… 머리를 싸매고 주저앉는 수희, 사랑.

31. 공원 / 낮.

벤치에 나란히 앉아 커피를 마시는 진주와 범수.

범수　어차피 저쪽에서 수정할 거예요. 우린 수정해도 되고 안 해도 돼요. 작가님 편한 대로.

진주　(말 없는……)

범수　(눈치 보는) 그래. 딴 얘기 할까요? 캐스팅 얘기할까? 캐스팅 얘기할 때가 젤 재밌잖아. 안 되면 젤 재미없지만‥

진주　(휙— 고개를 돌려 범수를 쳐다보는) 왜 이렇게 착해졌지? 안 그랬잖아요?

범수　(뭔가‥ 뜨끔하기도 한…)

진주　난 좀 나쁜 남자 스타일이 좋던데‥

범수, 어설프게도 나쁜 남자라 여겨지는 포즈를 잡아본다‥
갑자기 일회용 컵을 손으로 구겨 던져버린다‥
찍— 이 사이로 침을 뱉어본다‥

진주　(가만히 보다가) 건 양아치고‥ 주워요.

범수, 멀거니 있다가 일어나 컵을 도로 줍는다‥ 침을 발로 비벼본다‥ 그때 울리는 진주의 핸드폰. 발신자 '김환동'

32. 홍미유발 엔터 / 밤.

캐스팅 리스트 문서를 작성하고 있는 재훈.
문서를 저장하고. 기지개를 켜고 일어나 스트레칭을 한다.
책상에 앉아 업무 중인 한주와 눈이 마주치고.

싱긋 웃는 한주를 보며

재훈　　오래 일해야지·· 스트레칭하세요.

한주, 일어나 스트레칭을 한다.
마케팅팀 직원 세 명, 그들을 재밌게 보더니 일어나 스트레칭한다. 사무실에서 피곤한 얼굴로 나온 소진.
스트레칭 광경을 보고·· 스트레칭한다.

Cut To
자리에 앉은 재훈 새로운 파일을 열다가·· 뮤지컬 티켓이 눈에 들어온다. 어떡할까··· 한주와 보고 싶다는 생각이 든다. 파티션 너머 한주를 슬쩍 보다가 슬그머니 일어나 한주에게 간다.

재훈　　저··

한주, 응? 무슨 일이냐는 듯 올려다보면,

재훈　　그·· 부탁이 하나 있는데요·· 음··
한주　　응. 해요.
재훈　　네·· 저·· 같이·· 그 뮤지커··

그때 한주의 핸드폰이 울리고. 발신자 보면, 시어머니.

한주 아 미안 잠시만요.

재훈 아, 네네.

한주, 창가로 가 전화를 받는.

재훈 그녀의 뒷모습을 바라보는.

한주 네 어머니. 안녕하셨어요?

시어머니 (F) 안녕하겠니? 손주도 못 보고 사는데.

한주 죄송합니다··

시어머니 (F) 생전 가야 찾아오겠다고 빈말 한 번 안 하는 거 뭐.

한주 죄송합니다··

시어머니 (F) 죄송은 됐고. 내일 인국이랑 저녁이나 하자. 비워 놔.

한주 무슨 일 있으세요?

시어머니 (F) 손주 못 보고 사는 게 일이라고! 내일 봐.

한주 아·· 네·· 내일 뵐게요··

툭— 전화를 끊는 시어머니. 다시 자리로 돌아오는

한주 아·· 재훈 씨 뭐라고 했죠? 부탁.

재훈 아··· 그러니까·· 음··· 내일····

한주 ?

재훈 건강하세요.

한주 ····??

재훈 ······ (끔뻑거리다 스트레칭이나 하는.)

33. 이자카야 / 밤.

뜨끈한 국물과 정종을 놓고 마주 앉은 환동과 진주.

환동 미안해.

진주 싫어.

환동 응?

진주 사과 싫다고. 그럼 나도 해야 되는 거잖아.

환동 음… 그런가‥

진주 서로 미안해하지 않아도 되는 걸로 하자. 그냥 일기장에 있는 거 몇 글자 꺼내다 쓴 거야. 이제는 그래도 될 만큼 서로 별거 아닌 일이 된 거잖아.

환동 (조금은 씁쓸한) 그럼‥ 고마워.

진주 싫어. 고마워하기도.

환동 나만 고마울게 그럼.

진주 나만 나쁜년 하라는 거 같다?

환동 말로는 정말 못 당하겠습니다.

진주 뭐로는 날 당하겠습니까.

환동 (웃는)

진주 기분 나쁘라고 한 말이야. 웃기는‥
자, 이렇게 퉁치는 걸로 용건은 끝난 건가?

환동 수정하지 말고 그대로 해줘. 대본 너무 재밌더라.
말은 밉게 해도 너 따뜻해. 글 보니까 여전히 그래.

진주 따뜻한 말씀 감사합니다.

환동 ‥ 참‥ 묘하네‥

진주 ?

환동 내 욕심 위해서 무언가 바라지 말자 바라지 말자 다짐하다 간.. 그러지 못해 헤어진 주제에.. 이렇게 마주 보고 있으니까.. 너한테 또.. 뭔가 바라는 게 생겨.. 이를테면.. 언젠가 니가 써준 글로.. 내가..

진지하게 말을 이어나가는 와중 진주의 얼굴을 보니 별로 듣고 있지 않는 듯.

진주 내가.. 뒤를 밟혔네..

응? 하고 진주의 시선을 따라가 보면,
술집 밖 창문에 붙어 두 사람을 보며 기이하게 웃고 있는 범수.

Cut To

정종을 입에 털어 넣는

범수 야. 스태프 배우 다 뺏어간 놈이. 이제 작가까지 노려?

환동 아… 그게… 저기.. 하..

진주 아.. 나.. 감독 좀 갈아탈라 했더니 걸렸네.

범수 못 뺏겨.. 지키고 서있을 거야.

진주 어쩜 이렇게 질척거려?

병신같이 웃는 범수와 장난스럽게 받아치는 진주의 모습이 슬쩍 걸리는 환동.

진주 어머~ 웃는 거 봐·· 딱 질색이네 증말·· (일어서는)

범수 (따라 일어서는)

진주 아 화장실도 따라오게?

범수 못 뺏겨. 지키고 서있을 거야.

진주 신고한다.

범수 화장실에 다른 감독 숨겨 놓은 거 아니야?

진주 아 씨·· 또 걸렸네. (타이르듯) 일만 보고 올게. 앉아계셔.

범수 믿어요~

화장실로 가는 진주. 다시 앉은 범수.
새 잔을 건네고 술을 따라주는

환동 죄송합니다. 열심히 한다는 게 감독님한테 상의도 안 하고··

범수 이 새끼 또 농담을 진지하게 받고. 야, 첫 작품에 스태프 구성 진짜 중요해. 알잖아? 잘했어. 잘 할 거야.

환동 고맙습니다.

범수 나야 뭐 다른 스태프들 없는 것도 아니고··
다행히 오늘 작가는 지켰고··

환동 두 분이 참·· 재밌게 작업하시는 것 같습니다.

범수 응. 재밌어.

환동 ···· (화장실 쪽을 보고 웃는 범수를 가만히 보다가····) 대본··

수정하기로 하셨나요?

범수　　몰라. 작가님 뜻대로. 난 수정했으면 좋겠지만··

환동　　····

범수　　뭐랄까·· 너하고 작가님 추억을 내가 찍고 있자면··
질투 난달까··

환동　　······· 감독님.

범수　　응?

34.　은정의 방 / 밤.

불을 끄고 침대에 누운 은정.
숨이 답답한 듯 길게 심호흡해 본다.
눈을 감고 숨을 마시고·· 숨을 내쉬고··
인내하려는 듯·· 몸을 웅크린다.

35.　광고 스튜디오 전경 / 낮.

36.　광고 스튜디오 / 낮.

분주한 스태프들. 분장 마무리하고 있는 소민.
카메라로 소민을 담고 있는 은정.
두 여자의 가라앉은 기운. 서로 눈이 마주치면 거울을 보고 있는 듯. 감흥도 없는.

Cut To

상수　컷.

콘티를 내던지고 헤드폰을 내던지는

상수　야 이소민.. 너 여기 사람들 무시하는 거야?
소민　죄송합니다. 다시 할게요.
상수　다시 해야게끔 하지 말란 말이야!! 그게 니가 할 일이야!! 넌 그럭저럭한 거 같지? 카메라가 거짓말해? 다 드러나! 난 니 기분 관심도 없고 여기 씨발 사정없는 사람 있어? 그래도 자기 일은 다 해! 이기적인 새끼.. 니 할 일 똑바로 해내.
소민　.. 네.
상수　아이 씨..

욕하는 타이밍에 하필 병삼의 카메라와 눈이 마주친다.

상수　야 이 새끼야!!! 너 내가 몇 번 말해! 너 일루 와 봐.
병삼　카메라 꺼진 상탭니다.
상수　걸리적거리지 말라고 했지?!! 부셔버릴까?!
병삼　카메라 꺼진 상탭니다.
상수　확인할게, 가져와 봐.. 가져오라고 개새끼야!!
은정　(소리) 적당히 해라..

미간이 잔뜩 구겨진 상수, 돌아보면 피곤한 눈초리의 은정이 마주 서있다.

은정 시끄럽잖아.

상수 아.. 나.. 여러 가지 있네, 여기.. 나한테 그런 거야?

은정 여기 시끄러운 새끼 너밖에 더 있냐?

상수 … 아.. 그러네.. 그렇구나.. 넌 뭐야 이 미친년아!

은정 아는구만 뭘 물어봐.. 나 미친년이다 이 개새끼야!

사람들 달려와 두 사람을 말리고.

상수 개… 개새끼?!!

은정 너 (병삼) 저분한테 개새끼라며? 같은 종 아니야? 넌 달라? 넌 뭐 개 쓰레기 새끼냐! 여기 우리가 몰래 들어왔니? 허가 받고 정당하게 일하고 있는 거야! 니가 걸리적거린 거라고! 어따 대고 남에 귀한 자식한테 욕지거리야! 어따 대고 사람을 개로 만들어!! 사람이야! 귀한 사람이야!! 니가 뭔데 지랄이야!!!

상수 이 씨ㅂ..

은정 이 씨발 뭐?!!! 씨발 뭐?!!

상수 ……(움찔한 거 아닌 척. 참는 척)… 아.. 아.. 나…

지랄을 쏟아부은 은정, 상황과는 달리 먹먹한 얼굴.. 소민을 보면, 역시 먹먹한 얼굴.. 서로 바라본다.

지금의 상황이 별로 중요하지도 않은… 먹먹함…
그 둘을 번갈아보곤 헛웃음이 나오는 상수,
상대하지 않겠다는 듯 스태프들을 뿌리치고 나가버린다.
넌 왜 그래? 하는 표정으로 멀거니 서로를 바라보는 소민과 은정.

37. 진주의 작업실 / 낮.

미영, 수희, 사랑, 교무실 끌려온 학생처럼 진주 앞에 앉아 있다.

미영 근데 진주 언니랑 환동 감독이랑 엑스라는 거 아니야.
이거 사각관계 아니야… 대박 스토리… 여기까지가 내가 단톡방에 써버린 내용이야…

수희 보조 작가 단톡방이니만큼 다양한 장르의 드라마가 생산될 거야.

사랑 멜로로 퍼지면 언니가 범수 감독의 아이를 가졌다.

진주 그게 멜로야?

수희 코미디로 퍼지면 언니가 감독들 후려쳐서 팔자 고치는 꽃뱀 작가다.

진주 그게 코미디야?

미영 언니… 이제 나 어떡하지…?

진주 그 대사가 왜 니 입에서 나오냐?

미영 (멍…) 나 이제 언니한테 욕 처먹고 싸대기 맞을 거잖아…

나 정말 자신이 없어‥

멍거니 창밖을 바라보다 털레털레 거실 한가운데로 가 엎어지는 진주. 기절한 듯‥

미영 언니‥ 그게 더 무서워‥ 그냥 몽둥이로 쳐…

진주 총알이 날아오잖아…

엎어진 진주의 머리 위로 수 백 발의 총알이 날아간다.

진주 날아오는데‥ 내가 뭘 할 수 있겠니‥ 엎드려야지‥

미영 가자‥ 저러다 살아남으면 날 죽일 거야‥

조용히 일어서는 세 보조 작가.

엎어진 채로 하루를 다 보내는 진주‥ 날이 저물어간다.

시간의 흐름‥

그대로 엎어져있는 진주 옆으로‥

누군가 접시에 담긴 조각 케이크와 따뜻한 커피를 놓아준다. 범수다. 가만히 옆에 앉아 미소로 진주를 내려다보고 있는 범수 뒤로 총알이 빗발친다. 벌집이 되어가는 범수의 등판.

범수 내가 다 막아 줄게…

진주 머리 바로 앞으로 노트북을 펼쳐 내려놓는다.

범수 엎드려서 써요. 일은 해야지.

진주 (표정 변화 없음…) 참.. 따뜻하게 잔인하다..

따뜻하고 잔인하게 진주를 내려다보고 미소 짓는 범수.

38. 한정식집 / 밤.

공룡메카드를 조립하고 있는 인국.

앞에 할아버지가 생선을 발라 수저 위 밥에 올려 인국에게 건네면, 손으로 받아 밥을 입에 넣곤 다시 장난감을 조립하는 인국. 옆으로 할머니와 한주가 어색하게 마주 앉아 식사 중.

할머니 자라는 게 좀 더딘 거 아니니?

한주 중간은 넘어요.

할머니 사내가 중간만 넘어서 돼? 나서서 먹지 않는 게.. 습관이 잘못된 거야.

한주 평소에 잘 먹어서 그래요.

할머니 힘든 거 숨기고 그러지 마. 애 아빠도 애한텐 애정 없는 거 아니야. 꼬박꼬박 양육비 주는 거 보면 몰라? 우리도 아직 젊으니까 얼마든지 인국이 키울 수 있..

한주 그런 말씀 하지 마세요, 어머니.

할머니 ....(심기가 불편해지는) 왜? 내가 왜 이런 말 못 하니? 인국이니 성 따른다고 피가 바뀌니? 애 아빠가 친권 포기하면 친아빠가 아닌 거야? 우리 손주야. 내가 왜 그런 말을 못 해? 쯧.. 걱정돼서 말하면 꼭 이렇게 정색을 하고.. 이러니..

한주 (그저 밥이나 꾸역꾸역...)

할머니 너 애 아빠가 합치자는 거 싫다고 했다며?

한주 (멈칫...) 오빠가 그렇게 말해요?

할머니 이것저것 요구사항 들이댈 게 뭐 있어? 애 생각하면 넙죽 고맙다 하는 거지.

한주 자기 여자친구 없을 때 가끔 애 만나러 오면.. 저한테 농담처럼 던지는 말이에요. 싸우기 싫어서 그게 순서는 아니라고 넘긴 적은 있네요.

할머니 어머.. 얘 또 말 꾸미네..

한주 어머니..

할머니 됐다, 밥이나 먹자. 이러니.. 이렇게 어려우니..

삭이고 밥을 먹는 한주.

39. 소민의 차 안 / 밤.

뒷좌석. 나란히 앉은 은정과 소민. 별 표정이 없다.

소민 지랄해줘서 고마워. 내가 원래 가만있는 타입은 아니다만.. 그래도 나 잘 써주는 감독님이라..

은정 그래? 진작 말하지 한 번 정도 더 참았을 텐데.

소민 아니야. 그 감독님 일할 때만 그러거든, 얼굴이 두 개라 일명 야누스이기도 하고, 현장에서 하도 야! 야! 소리쳐서 다들 야감독이라고 불러. 근데 오늘은 뭐‥ 야감독 말이 틀린 건 아니니까‥ 내가 잘못했지.

은정 욕 들어도 쌀만큼은 아니야. 욕은 안 돼.

소민 ‥‥스트레스 풀러 갈래?

은정 응?

소민 카메라 끄고.

40. 피부 관리숍 / 밤

마스크 팩을 붙이고 나란히 누워있는 은정과 소민.

길을 찾지 못하는 눈빛‥ 소민의 깊은 한숨‥

은정 옆 사람이 해주는 솔루션‥ 필요해?

소민 응?

은정 쓸데없는 말이라도 듣고 싶을 때잖아. 난 맘대로 생각하고 쉽게 말할 수 있는 옆 사람이고.

소민 해봐. 옆 사람의 입장으로.

은정 왜 그렇게 힘들려고 애쓰니‥ 그만해. 사랑하는 사람이랑 떨어져 있는 거.

소민 ‥‥‥

은정 스타니 매니저니 그만 생각하지 마, 세상에 대단한 사람

따로 없고, 모자란 사람 따로 없어. 심지어 내 눈엔 민준 씨가 더 대단해 보여. 멋지고 위트 있고 늠름해.

소민 ……

은정 그 마음이 하루 갈지 천년 갈지 그것도 생각하지 마. 마음이 천년 갈 준비가 돼있어도 몸이 못 따라주는 게 인간이야. 시간 아깝다 야.

소민 (마스크 팩을 떼고 일어나 은정을 보는. 눈물 맺힌)… 아우 속 시원해! 역시 이런 옆 사람이 있어야 돼. 나 먼저 갈게.

은정 응.

털고 일어나 바삐 문을 열고 나가려다

소민 은정아. 난 니가 오늘 한 말 중에 민준이가 대단해 보인다는 말이 젤 좋았어.

은정 빨리 가.

소민 응.

소민이 나가고 쓸쓸하게 홀로 남은 은정.

41. 피부 관리숍 로비 / 밤.

TV를 보며 과자나 먹고 있는 동구.

대충 닦아낸 얼굴에 마스크를 쓰며 나오는

바쁜 걸음의 소민.

소민 동구야, 출발.

동구 (깜짝 놀라 얼떨결에 차 키 주며) 네? 네..

휙— 나가버리는 소민.

42. 피부 관리숍 주차장 / 밤.

뛰다시피 걷는 소민을 추월해 뛰어가는 동구.

승합차에 올라타 바삐 시동을 건다.

뛰어가 문이 열리는 승합차 뒷좌석에 올라타는 소민.

급출발하는 차.

43. 꽉 막힌 도로 / 밤.

꽉 막힌 도로. 답답한 소민.

안절부절못하다가 차에서 내린다.

동구 누나.. 누나!!

44. 거리 / 밤.

퇴근시간 혼잡한 길. 사람들 사이를 헤집고 뛰어가는 소민.

45. 민준의 집 앞 / 밤.

지체 없이 뛰어올라가는 소민.

46. 민준의 집 앞 복도 / 밤.

복도식 오피스텔. 민준의 집으로 달려가는 소민의 모습.

여긴가? 아닌가? 호수 표지판을 확인하고 반대로 달려가는 소민.

47. 민준의 집 앞 / 밤.

현관문 앞에 도착해 호수를 확인하는 소민.

벨을 누른다. 문을 두드린다. 반응 없다. 짜증 난다.

현관문 번호 키를 눌러본다. 이것.. 저것.. 열리지 않는다.

그때,

민준 (소리) 뭐? 도둑질하게?

소민, 돌아보면 민준이 서있다.

소민 (짜증.. 참으려다 말고) … 핸드폰 왜 꺼놓고 지랄이야!!!

민준 ..원래 잠수 타면 끄는 거야 핸드폰은.

소민 …. 거기서 들어, 할 말 있어.

민준 ….

소민　····니가 나 좋아하는 거 알아.

민준　뭔 개똥 같은 소리···

소민　(버럭) 알아! 다 안다구!!

민준　········

소민　알아!!

민준　·······

소민　니가 자신이 없든 있든 그거 나 몰라. 그거 신경 안 써. 당장 내가 죽겠거든. 니가 보고 싶어 죽겠고 어디서 굴러먹고 있는지 딴 여자 만나는 거 아닌지 내 생각은 하는지 안 하면 죽여 버려야지, 별별 생각 다하는데 결국 니가 좋아 죽겠어. 이 마음이 하루 갈지, 천년 갈지 나 그것도 몰라. 근데 어떤 사람은 그거 알고 시작한대?

민준　····

소민　아무 말이나 한 마디 해. 나머진 내가 알아서 할게.

민준　·····일루 와 봐.

투정 가득한 눈초리로 쏘아보던 소민·· 달려가 민준에게 안긴다. 체념 섞인 민준의 한숨이 기분 좋게 느껴진다.
마주 보는 두 사람. 마스크를 낀 채 민준에게 키스하는 소민.
두 사람 눈을 감고·· 민준, 소민의 마스크를 천천히 내린다.
두 사람의 입술이 드디어 맞닿는다···
점차 뜨거워지는 그··· 순간. 눈을 부릅뜨는 소민.
휙— 날쌔게 뒤돌아 마스크 올리고 잰걸음으로 도망간다.

민준　　(당황) ……뭐야… 뭐.. 뭐 이런 걸 하다가 말어?!

소민　　(얼굴 가리고 도망가며) 쌩얼이야!!

민준　　아이 씨…

달려가 소민을 돌려세우는 민준, 얼굴을 가리고 있는 소민의 마스크를 내리고.

민준　　이거.. 이제 나만 보자.

소민　　……예뻐?

민준　　존나 예뻐.

그대로 소민에게 키스하는 민준.

페이드아웃.

48. 진주의 작업실 앞 / 밤.

범수와 함께 나오는 진주의 발걸음이 조금 빨라진다.

범수　　데려다줄게요.

진주　　아니요.

범수　　같이 가요.

진주　　괜찮아요. (범수가 뭐라 말하려 하자 끊고) 괜찮다니까 정말.

범수, 아무 말 하지 못하고.

진주, 꾸벅 인사하고 멀어진다.

한참.. 진주의 뒷모습을 바라보는 범수.

49. 은정의 집 / 밤.

인국이 앞서 걷고. 한주가 따라 걷는 모양새.

인국의 속도에 맞춰 기분과 다르게 빨리 걷게 되는 한주.

물끄러미 인국의 뒷모습을 바라보며 걷는 한주의 모습.

50. 거리 / 밤.

취한 사람들이 종종 보이는 시간의 거리.

복잡한 풍경 속 표정 없는 은정의 모습.

이곳저곳을, 괜한 곳을 둘러보기도.. 그저 그런 풍경들..

사람들.. 별 의미 없는 평범함들..

술에 취해 쓰러진 듯한 노숙자 아줌마가 보인다.

아무도 신경 써주지 않는.

은정, 모두들처럼 지나치려 하지만 신경이 쓰인다.

51. 은정의 집 / 밤.

나란히 소파에 기대앉아 캔 맥주에 드라마를 보고 있는 진주와 한주. 말이 없는, 의지도 없는, 초점도 없는..

그때 현관문 열리는 소리가 들리고 은정이 들어온다.

쓰읏― 은정을 보곤 씨익― 애써 웃어 보이는 닮은 느낌의 진주, 한주. 하드 막대기를 입에 물고 들어온 은정이 하드가 담긴 봉지를 내밀며

은정　　하드 먹을래?

Cut To

나란히 소파에 기대어 앉아 하드를 빨고 있는 세 친구.

한주　　남이 만든 말 신경 쓸 거 있나… 사실이 아닌 말에 무슨 힘이 있다고.

진주　　그 말들이 모이면 덩치 큰 멍청이가 되지. 멍청이가 힘자랑하면 사람이 다쳐요. 그러다 죽기도 하고.

은정　　인국이 할머니랑 밥 먹었다며? 이제 따로 만나라 그래, 인국이 다 컸는데.

한주　　오랜만에 외식하시는데 괴롭힐 사람 있어야 재미도 있지. 할 말 있다고 불러서 하는 말이 매번 똑같아.

진주　　니가 알겠습니다 할 때까지 계속할 거야. 이제 그만 거부해. 할 만큼 해줬어.

한주　　근데 웬 하드야 갑자기?

은정　　어쨌든 살아가는 하루의 엔딩 점에 뜻하지 않게 단 맛을 봤어. 아니 집에 오는 길에…

52. 거리 / 밤.

50씬.

쓰러진 아줌마를 조심스레 흔들어 깨우는

은정 저기… 아주머니·· 날이 아직·· 추운데·· 저기·· 일어나세요.

아줌마, 비몽사몽 일어난다. 빈 막걸리 통을 보고 그냥 버리곤·· 괜찮다는 듯 고맙다고 인사하는 아줌마.

조금 무섭기도 하고 가볍게 목 인사 후 다시 걸어가는 은정.

53. 횡단보도 앞 / 밤.

신호를 기다리고 서있는 은정.

그때 옆에서 누군가 툭- 친다. 멀거니 앞만 보고 있는 아줌마다. 살짝 놀랐는데·· 하드 하나 빨아먹고 있는 아줌마가 하드 하나를 건넨다. 괜찮은데·· 하며 망설이다가 슬쩍 고맙기도 하고·· 하드를 받는

은정 아·· 고맙습니다··

여기서 먹어야 하나·· 고민이 들 때,

뒤에서 다급히 아줌마를 부르는 누군가. "아줌마!"

달려오는 도로 매점의 아저씨. 상태를 보아하니 돈 받긴

글렀다 싶은데.. 하드를 들고 있는 은정과 눈이 마주친다.

아저씨 돈 내요.

은정 아… 네… (얼떨결에 지갑을 꺼내는) 얼마..?

아저씨 2천 원.

은정 네… (얼떨결에 돈을 꺼내 건네는)

돈을 받고 돌아가는 아저씨.

세상 아무것도 신경 안 쓰이는 아줌마. 그저 하드나 빨고.

신호가 바뀌자 무심히 길을 건넌다.

은정, 가만히 서서 아줌마의 멀어지는 뒷모습을 보다가..

손에 쥔 하드를 보다가.. 껍질을 벗기고.. 한 입 베어 문다.

은정 음…. (맛을 음미하다가) 음.. 달다.

54. 은정의 집 / 밤.

나란히 소파에 기대어 앉아 하드를 빨고 있는 세 친구.

한주 달다.

진주 다네..

페이드아웃.

55. 33씬 이자카야 / 밤.

환동 감독님.

범수 응?

환동 진주… 좋아하세요?

범수 작가님 아니고… 진주?

환동 네, 진주.

범수 ……(재밌다는 듯 웃다가… 환동을 바로 보곤) ……응.

환동 ……

범수 자꾸 사람 웃게 해. 사람 자꾸… 착해지게 만들어. 그래.

마주 보는,

정확히는 시선을 피하지 않는 두 남자의 모습에서…

"여기가 어디냐면… 보통의
고슴도치가 사는 곳이에요…
그곳에서 고슴도치는…
어쨌든 또 고슴도치를 만나야 돼요…
고양이를 만날 순 없잖아…
찔리지 않고… 다치지 않는 방법을…
찾게 될 거에요."

_ 한주의 말 중

· 11부 ·

11

1. 진주의 방 / 아침

커튼 사이로 새어 들어온 아침 햇살이 잠든 진주의 얼굴에 닿기 전. 거실 밖에서 울리는 알람 소리(?).

한주 (소리) 황인구우욱~~!!!! 아침에 슬라임 만지지 말라고!!

기다렸다는 듯 입꼬리가 올라가는 진주. 눈을 뜬다.

진주 (누운 채로 기지개 켜며) 으음…… 우리 집 알람 소리··

몸을 일으켜 앉은 채 아무 곳에 시선을 두고 멍…

＊플래시백 - 10부 37씬.

사랑 멜로로 퍼지면 언니가 범수 감독의 아이를 가졌다.

수희 코미디로 퍼지면 언니가 감독들 후려쳐서 팔자 고치는 꽃뱀 작가.

진주　(V.O) 왜 하루는… 어김없이 찾아오는가…
단 한 번의 오류도 허용하지 않는 견고한 시스템.
더 자자. 내일 아침까지 수면함으로써 오늘 하루는 거부한다.

다시 눕는 진주. 모로 누워 눈을 감는다. 그때, 문을 벌컥 열고 뛰어 들어오는 인국. 진주의 이불을 파헤치고 들어가 진주의 등짝을 끌어안고 숨는다.

한주　(소리) 나와라. 나 오늘은 진짜 때릴 거야.
인국　신고할 거야.
진주　(천천히 눈을 뜨는 / V.O) …… 거부를 거부하는군.

2. 은정의 집 거실 / 아침.

아침밥을 준비하는 한주. 옆에서 토스트를 굽는 효봉.
거실에 앉아 바닥에 눌어붙은 슬라임을 멀거니 쳐다보고 있는 은정. 인국을 업고 나오는 진주.

진주　야… 너 이제 무거워… 내가 성격이 쎄지 힘이 센 건 아니거든…

욕실 앞에 내려주면 자연스레 쪼르르 욕실로 들어가는 인국. 주방으로 향하는 진주, 식탁에 얼굴을 눕힌다. 그대로 진주의 시선에 거실 바닥을 보고 앉아있는 은정이 보인다.

한주　(찬을 놓으며) 밥? 빵? (은정에게) 일루와 뭐든 먹어.

아무런 반응을 보이지 않는 은정. 슬라임을 만지작만지작.. 그녀의 무반응에 옅은 불안감을 드러내는 진주, 한주, 효봉.

3. 카페 / 낮.

한가한 카페 한쪽 회의 룸에 모여 앉은
진주, 한주, 재훈, 아랑.

아랑　친구 중에 유명한 심리상담가가 있는데, 답답해서..
나라도 가서 얘기 좀 해봤지.

4. 심리 상담실 / 낮.

응접 소파. 상담사 친구 앞에 앉아 경청하는 아랑의 모습.
상담사의 얼굴은 보이지 않는 상태에서.

상담사　사랑하는 사람과 사별한 후..
애도, 환청, 환시, 그 상실감은 애도 과정에서 흔하게 있을 수 있는 일인데 정상적인 경우 2개월 이내에 감정의 정리가 끝나.

5. 거리 / 낮.

느리지도 빠르지도 않은 걸음의 은정. 표정이 별로 없다.

상담사 (V.O) 은정 씨의 경우도 충분히 있을 수 있지만… 학회에서도 연구 중인 사례라 내담자에게 정확한 진단을 내리지는 않고.

6. 카메라 렌탈숍 / 낮.

이런저런 카메라를 둘러보고 있는 은정.

카메라를 살펴보며 고민하다가 뒤를 돌아보면 홍대가 소파에 앉아있다. 숍 매니저가 다른 카메라를 들고 와 설명하자 다시 돌아보는 은정. 넓은 화면에 홍대는 보이지 않는다.

상담사 (V.O) 암묵적으로나마 '지속성 복합 애도장애'라고 진단해. 장애가 1년 이상 지속된 상태를 말하고 상실에 대처함이 이렇게까지 어려운 이유는 어린 시절 부모와의 유대관계. 흔히… 가족력에서 찾아.

7. 카페 / 낮.

시선이 바닥으로 향하는 효봉.

조심스레 효봉을 살피는 진주, 한주.

효봉 우리 집… 좋았어.. 내가 나를 고백하기 전까지.. 내가 한 몫 한 건가..

한주 너.. 하지 마.

효봉 엄마 아빠 외국 나가 사는 것도.. 사실 나 때문이고..

진주 야. 여행작가 엄마하고 사진작가 아빠가 아들딸 다 키워놓고 이 나라 저 나라 여행하시다가 노년을 보낼 좋은 장소를 찾고 행복하게 정착하신 거야. 감히 그 멋짐을 훼손하지 마.

한주 그래. 부모님은 다 이해해주셨어.

효봉 이해한 척을 한 거지. 그런 사람들이 초대 한 번을 안 해? 누난 나 때문에 엄마 아빠도 잃은 거야.

진주 야! 정신 안 차려? 너까지 왜 이래? 나 무서워. 나만 그래? 그 경험치가 나한테만 있는 거야?

한주 (눈물이 날 것 같은)

효봉 …. 알았어.. 미안해.

아랑 (효봉의 손을 잡아주며) 난 은정이가 내 친구를 만났으면 좋겠는데. 그 방법은 효봉이가 생각해줬음 좋겠다.

효봉 …네.

8. 플랜D 스튜디오 녹음실 밖 / 낮.

소파에 나란히 앉아 차를 마시는 효봉과 문수.

근심이 들어앉은 효봉의 얼굴.

효봉 ‥ 걱정되고‥ 미안해서‥ 피하고 싶네‥ 어떻게 말해야 돼?

문수 그냥 말하면 돼.

효봉 ….?

문수 은정 씨는 똑똑해. 게다가 너를 아주 사랑해. 우리 동생이 이 말을 하려고 얼마나 애썼을까? 알아줄 거야.

효봉 마음이 아픈 사람이‥ 또 마음 쓰는 거네‥

문수 많이 채우기 위해서 조금 비우는 거라고 생각하자.

효봉의 손을 잡아주는 문수.

9. 진주의 작업실 앞 / 낮.

심란한 표정의 진주. 털레털레 걸어온다.

먼발치 뒤에 장바구니를 들고 바삐 걷는 범수가 진주를 발견한다. 장난스러운 표정을 짓더니 전화를 건다. 진주에게. 울리는 핸드폰을 확인하는 진주. 잠시 망설인다. 뭔가 불편한

진주 여보세요.

범수 곤드레밥.

진주　에?

범수　오늘의 메뉴. 곤드레 나물 볶음밥. 어때요?

진주　밥 먹었어요. 방금.

범수　어.. 그럼 해놨다가 저녁에 먹죠. 나, 가고 있어요, 작업실.

진주　어.. 나 작업실에 없어요.

범수　?? 음.. 난 가고 있는데.

진주　저는.. 음.. 오늘 작업실 안 가요. (멈춰 서는) 약속 있어요.

범수　아… 그래요?

진주　네. 끊어요.

잠시 갈팡질팡하다가 돌아서 오던 길을 다시 가는 진주.
휙― 골목으로 몸을 피하는 범수.
진주가 다가오자 뒤돌아선다. 범수의 뒤로 바쁘게 지나쳐 가는 진주. 뭔가 떨떠름한 범수.

10. 진주의 본가 / 낮.

엄마가 해준 집밥을 맛있게 먹는 진주.
반찬 하나 더 내오고 마주 앉는

진주 모　그런 일이 있었구나.. 어머.. 그걸 왜 이제 말해?

진주　언제 말해 그럼?

진주 모　너가 살림을 안 해봐서 모르나 본데. 바쁜데 심심해.
그렇게 재밌는 얘기는 바로바로 해줘야지.

진주 엄마 난 꽤 심각해.

진주 모 야 그래도 잘됐다. 환동이도 잘 풀리고. 보고 싶네.
나 개 좋았는데.

진주 딸래미 심각하다니까.

진주 모 괜찮아. 안 심각해.

진주 나 괜찮은 걸 또 왜 엄마가 정해?

진주 모 내 새끼 입에 밥 들어가는 모양새 보면 알아.
너 지금 괜찮아. 잘 먹잖아.

진주 뭘 잘 먹어? 깨작대고 있구만.

진주 모 깨작거리고 싶으면 젓가락으로 하든가.
숟가락으로 퍼먹으면서 무슨.

진주 예리한데? 신경 썼더니 배고파.

진주 모 너 너보다 감독님 신경 쓰는 거 아니야?
너 감독님 좋아하냐?

진주 (주춤) …. 뭐래.

진주 모 (놀람) 어머… 진주야… 살면서 두 번째 본다.

진주 ?

진주 모 30년 전에 자연분만으로 내 뱃속에서 너가 나왔어.
그때 너 얼굴이 빨~ 개. 그리고 지금 빨~ 개.

진주 !!!

진주 모 (바쁘게 일어서며) 어머어머 아빠한테 말해야겠다.

진주 !!! 아니 이게 왜 아빠한테 달려가 말할 일이야?!

진주 모 너가 세탁소 안 해봐서 모르나 본데. 바쁜데 심심해.
말해줘야지~ 말해줘야지~

진주 　혀 깨물었어. 혀 깨물어서 빨개진 거야!!

진주 모 　그래 넌 감독님 좋아해. (잽싸게 나가는)

진주 　내 말을 들어!

11. 제이비씨 구내식당 / 낮.

유독 말없이 밥을 먹고 있는 환동, 인종, 동기.

한 사람이 신경 쓰이는 모양새. 보면, 동기 옆에 앉아있는 다미. 깊은 생각에 잠겨있다. 심각해 보이기도.

다미 　……손 감독님이랑 진주 작가님 결혼해요?

쏟을 뻔한 환동. 헛웃음이 나오는 인종과 동기.

다미 　아니지. 그래. 아니지. 이 동네 소문이 사실로 밝혀진 적이, 많아. 굉장히 많아. 많잖아. 그차나?

환동 　따로는 할 수 있겠죠.

다미 　그래. 아니지.. 음.. 임신했다는데?

쏟은 인종과 동기. 서로 '아이 씨… 아… 나..'

12. 제이비씨 구내식당 내 다미의 사무실 / 낮.

문서작업 중인 다미. 문에 기대어 가만히 다미를 보고 있는 동기. 의도를 읽기 힘든 무표정.

동기 왜 그렇게 신경 써?

다미 쓰이죠.

동기 너한테 범수란?

다미 갖지 못한 것 중에 가장 사랑하는 생명체.

동기 너한테 나란?

다미 가진 것 중에 가장 사랑하는 생명체.

동기 가진 것 중? 가진 것.. 중? 뭐 또 가진 거 있어?

다미 없어요. 너밖에.

동기 아… 뭐지.. 좋은데 꿉꿉해.. 뭐랄까.. 비온 뒤 날개인 오후에 기분 좋게 걷다가 물웅덩이를 밟았어. 신발 속 양말이 다 젖었는데 날은 참 맑아. 뭐 그런 기분? 이게 맞는 감정인 거지?

다미 그게 회사에서 따질 일인가?

동기 아니지. 갈게.

빼친 동기 휙— 돌아서 간다.

13. 제이비씨 로비 / 낮.

입이 댓 발 나온 동기, 씰룩거리며 엘리베이터로 향하는데, 건물로 들어선 범수를 발견한다. 생각이 많아 보인다. 주저 없이 발길을 돌려 범수 앞을 가로막고 서는 동기 지금 너 표정 왜 그런지 사람들 다 아니까 표정 바꿔.

범수 ....

동기 (팔짱을 끼고 어딘가로 데려가는) 얘기 좀 하자.

범수 아 배고파.

동기 커피 사줄게.

범수 (놀라는)

14. 제이비씨 옥상 휴게실 / 낮.

한가한 공간. 앉아서 아이스 아메리카노 빨대를 쪽쪽 빨고 있는 범수. 앞에 서서 설교 자세를 잡고 있는 동기.

범수 그래서.. 날 피해.. 작가가 감독을 피해..

동기 지금은 작가 감독의 문제가 아니지.

범수 아.. 이거 뭐 남녀공학 고등학교 다니는 거 같아.

동기 그래, 유치한 거야. 이 바닥 학교만큼 좁고. 다 그래. 이동민 선배랑 김은하 선배랑 학교 다닐 때 알아주는 씨씨였어. 근데 내 전 작품에 부부로 출연했어. 김은하 선배 남편이 제작사 대폰데, 자기 회사 다음 작품에 이동민 선배 캐스팅했어. 뭐 죽일라고 했겠냐?
하다못해 너도 드라마 음악 작업하다가 솔비 씨 사귀었지? 안 마주칠 거 같아? 마주쳐. 그게 뭐? 임 작가도 그렇고. 그건 이 바닥에서 오래 일했다는 거고, 그건 능력 있다는 거야.

범수 듣다 보니까 뭐 내가 임 작가랑 진짜 사귄다는 거 같다?

동기 못 할 거 뭐 있어. 소문에 그냥 너를 맞춰버려.

범수 사람을 소문에 맞춰서 만나?

동기 그냥 소문만은 아니잖아. 너 임 작가 좋아하잖아. 아니 뭐 그렇게 마음을 아껴? 왜 숨겨?

범수 그만. 입 다물어 이제.

동기 내가 볼 때 서로 좋아해. 어때? 그럼 사귀어. 막 결혼도 해. 백년해로해. 그러다 한 명이 먼저 죽어. 그때 장례식에 지금 막 찝찝하게 소문내고 다니던 사람들이 지팡이 짚고 와서 '아이고~ 드디어 찝찝한 관계 끝나셨네요~' 그러겠어? 그러고 떠들어대는 거 어차피 이 좁은 바닥에서 맴돌다가 수증기처럼 사라지는 거야.

범수 아 내가 그걸 몰라? 작가가 신인이잖아. 이렇게 입방아 대상이 되는 게 익숙하겠냐고.

동기 여봐. 여봐. 작가님 걱정하고 있어. 좋아해.

범수 너 같은 놈이 소문 튀기는 거야. 배려를 왜 꼭 멜로로 엮지 못해 안달이야?

동기 지가 언제부터 배려하는 성격이었다고. 됐어. 신경 끄고 해야 할 일을 해.

범수 아 일은 하지. 그것 땜에 작품을 엎겠어?

동기 아니 그 일 말고.

범수 ?

동기 좋아하는 사람한테 해야 할 일. 몰라? 다 큰 놈이 그걸 몰라?

범수　……너 근데… 왜 갑자기 이렇게 못 엮어서 안달이야?
보기 드문 열정을 뿜어내네?

동기　……

범수　다미 씨 땜에 그러지?

획- 그냥 가버리는 동기. 생각이 많아지는 범수.

15. 진주의 본가 / 낮.

소파 테이블에 펼친 노트북.
책상다리하고 앉아 집중해보려는 진주.

진주　(V.O) 근무 시간이다. (눈을 감고) 해야 할 일을 하자.

눈을 뜨고 써놨던 씬을 지우다 문득…

***플래시백 - 10부 33씬.**

환동　수정하지 말고 그대로 해줘. 대본 너무 재밌더라.

진주　(V.O) 내가 어쩌다… 의식도 없이 지난 일을 글로 썼을까…
정말 아무렇지 않은 일이 되어 버린 걸까…
너도 기억하냐고 물어보려 한 걸까…? 아, 몰라…
뭐 어느 쪽이든… 그래. 못 쓸 거 뭐 있어?

지우던 것을 멈추고 Ctrl+Z를 누르는 진주의 손.

16. 과거 / 명원대학교 복도 / 낮.

앞서 걷는 여자의 발. 바로 뒤에 붙어 따라가는 남자의 발.

화면 멀어지면 대학교 시절 진주와 환동.

진주의 눈을 자신의 양손으로 가리고 어딘가로 향하는 환동.

두 사람 입가엔 미소 한가득.

개인 사물함 앞에서 멈춰 서는 환동.

사물함 쪽으로 몸을 돌리고

환동 자.. 도착했습니다. 앞에 사물함을 열어보세요.

진주, 손을 더듬어 사물함 문을 연다.

아직 보이지 않는 사물함 내부.

진주 뭘까요~ 뭘까요~ 뭐기는 꽃다발이지.

환동 (굳는 표정으로 손을 내리는)

진주 (사물함에 놓인 꽃 한 다발을 꺼내들고) 아니 눈 가리고 이렇게 할 건데 향기 나는 거면 코도 막았어야지.

환동 (실망) 너무하네..? 비염도 없나..

하고 주먹으로 사물함을 쾅— 내리치는 환동.

그러자 사물함 천장에 붙여 놨던 목걸이가 툭— 하고 떨어진다. 매달린 목걸이를 보고 눈이 동그래지는 진주.
목걸이를 꺼내 진주의 목에 걸어 고리를 채워주는 환동.

진주　　…너… 이거 사려고 요새 그렇게 알바한 거야?
환동　　(그저 좋은)
진주　　후… 야, 꽃다발도 좋아! 충분히 행복해! 공부나 하라고! 아이고 두야…
환동　　(그저 좋은) 해라 잔소리·· 난 너무 좋다~
진주　　너 이거 얼마 줬어?
환동　　일단 있는 거 전부. 나 돈 많이 벌 거야. 너 다 줄 거야.
진주　　왜 이렇게 철이 없니?
환동　　능력은 있잖아. 사랑해.
진주　　후…. 너 쫌 혼나야 되는데… 그래도 할 건 하자.

환동의 양 볼을 부여잡고 입술을 가져오는 진주.
그 모습에서 정지.
영상 뒤로 돌아가며 화면 서서히 화이트 아웃 디졸브.

17.　　혜정의 작업실 / 낮.

책상에 앉아 Backspace를 길게 누르고 있는 혜정.

혜정　　어우… 유치해··
인종　　귀여운 거지.

화면 멀어지면 하릴없이 멍 때리고 앉아있는 인종.

혜정　유치한 거야.

인종　그런 유치한 거라도 해봤어?

혜정　이 낭반이 사람 계속 쓸쓸하게 몰아가네?

나도 한창 땐 이런 거 다~ 해봐…. (생각이 가물….)았지.

해봤는데 왜 기억이 잘 안 나냐..

인종　없는 거야 그럼. 기억이 남아있어야 있는 거라고 할 수 있지.

혜정　있었던 거 같은데.. 내 경험인지 내 글이었는지 내 꿈이었는지.. (생각하니 짜증) 그러는 부장님은? 해봤어? 기억 남아있어?

인종　해봤어. 너무 선명해. 기억을 하기 싫을 뿐이지.

혜정　왜? 귀엽다며?

인종　애 엄마랑 어렸을 때 만나서 정말 온갖 사랑타령 다해봤는데.. 이혼하면서 애 양육비 문제 외에 다른 말 섞지 않기로 했거든. 그런 사람이랑 옛날 기억 떠올리면.. 되게 이상해. 되게 씁쓸해.

뭔가 짠한.. 말 없는 두 사람의 풀샷.

혜정　그렇게 나와 봤자 난 술 안 먹어. 일할 거야.

인종　먹자. 범수네랑.

혜정　응?

18. 흥미유발 엔터 / 낮.

사무실로 들어서는 한주의 바쁜 걸음. 통화 중.

한주 네 대표님. 그럼 감독님하고 통화 후에 다시 전화드리겠습니다. 네네. 고맙습니다.

가만히 앉아 넋 놓고 있던 재훈에게

한주 재훈 씨, 섭외팀이랑 캐디 우리가 초이스해야 할 것 같아요. 감독님이랑 하던 팀이 다 같이 못 하게 돼서.

반응이 없는 재훈을 살피고 탕비실로 향하며 어딘가로 전화를 거는

한주 … 재훈 씨?

재훈 .. 네?

범수 (F) 네. 실장님.

한주 (재훈에게 잠시만 하며 손을 들어 보이고) 감독님, 통화 괜찮으세요?

19. 제이비씨 드라마국 / 낮.

범수 네. 말씀하세요.

건너편 자리에서 범수를 노려보고 있는 동기.
귀찮은 듯 의자를 돌려 앉는 범수.

20. **홍미유발 엔터 / 낮.**

음료수를 꺼내 들고 자리로 향하며

한주 정소연 쪽에서 연락 왔어요. 회사는 대본 너무 잘봐서, 바로 배우한테 대본 넘겼고, 지금 읽고 있다고. 근데요… 제가 알기론 정소연 7월에 영화 들어가거든요. 스케줄이 안 되는 걸로 아는데 소 대표님이 직접 연락 와서는 감독님 만나 뵙고 싶다고.

21. **제이비씨 드라마국 / 낮.**

범수 정소연 건으로 만나서 다른 배우 밀겠죠. 만날게요, 일단. 거기 배우 또 누구 있죠?

22. **홍미유발 엔터 / 낮.**

자리에 앉아 책상 위 구름엔터테인먼트 프로필을 찾는 한주. 그러다 다시 넋을 놓고 있는 재훈이 눈에 들어온다. 무슨 일 있나?

프로필을 찾아 정소연 페이지를 넘기자 드러나는 소민의 사진.

한주 (혼잣말처럼) 아… 소민이..

범수 (F) 네?

한주 아. 네. 이소민이요.

잠시 생각에 잠기는 한주.

23. 소민의 집 / 낮.

은정의 카메라에 정직하게 담긴 소민의 얼굴.

스읏— 대본을 올려 보인다. '서른 되면 괜찮아져요' 대본.

그리고 손가락으로 '극본 임진주'라는 이름을 가리킨다.

소민 내가 이 작가님이랑 대학 동긴데 나 휴학하고 한 번도 본 적이 없거든. 근데 이렇게 만난다.

소파에 앉은 소민을 바닥에 마주 앉은 은정이 카메라에 담고 있고. 그 두 사람의 모습을 사이드에서 병삼이 담고 있다.

은정 내가 너랑 대학 동긴데 너 휴학하고 한 번도 본 적이 없거든. 근데 이렇게 만났잖아.

소민 너가 밀었어? 혹시?

은정　전혀. 감독님을 우연히 보게 돼서 같이 일하고 있다곤 말했지만, 난 내 카메라에 담는 사람의 개인사에 개입하지 않아.

소민　그래서 민준이 스카웃된 거 흘렸어?

은정, 잠시 창밖 먼 곳으로 시선을 옮긴다.

소민　(생각…) 스읍… 대본은 재밌어.
근데 이거 주인공 나 줄 리가 없는데?

은정　왜?

소민　나 싫어할 거 아니야? 내가 뭐 이쁘다고?

은정　예뻐. 난 실제로 본 사람 얼굴 중에 니가 제일 예쁜 거 같아.

소민　왜 그래?

은정　사실을 말한 거야. 지금 너 기분 좋게 해 줄 타이밍 아니잖아.
이미 좋은 거 같은데.

소민　(기분 좋게 웃는)

은정　근데 말이야… 우리 잠깐이지만 꽤 친했던 거 같은데…
휴학하고 왜 연락 안 했어? 그냥 유명해져서 자연스럽게?

소민　너네 싫어서.

24.　과거 / 명원대학교 강의실 / 낮.

- 5부 1씬의 한 장면.

강의가 끝나고 가방을 정리하는 소민.

옆자리 누군가 일어나는 것을 보고 잽싸게 가방을 챙겨 들고 일어선다. 총총 달려가 진주에게 팔짱을 끼는

소민　밥 먹자.
진주　나 다이어트.

팔짱을 빼고 발 빠르게 강의실을 빠져나가는 진주를 벙찌게 바라보는 소민.

Cut To
창가에 서서 아래를 내려다보는 소민.
시선으로 보면 수줍게 마주 보고 얘기하는 진주와 환동의 모습.

25. 소민의 집 / 낮.

은정　……그게 다야?
소민　응. 근데 방금 용서했어. 대본 줬잖아.

26. 진주의 본가 / 낮.

한주의 전화를 받고 있는

진주 뭐? 이소민한테 대본 들어간 거 같다고?
아 나 싫은데.

27. 소민의 집 / 낮.

은정 ……한주는?

소민 나보다 예뻐서. 근데 방금 용서했어. 니가 방금
실제로 본 사람 중에 내가 제일 예쁘다고 했잖아.

28. 과거 / 은정의 집 / 밤.

둘러앉아 맥주를 먹는 은정, 진주, 한주.
헌데 한주가 삐친 듯 토라져 앉아있다.

은정 난 실제로 본 사람 얼굴 중에 니가 제일 예쁜 거 같아.

금세 풀려서는 환하게 웃으며 돌아앉는 한주.

29. 소민의 집 / 낮.

은정 음… 그럼 나는?

소민 걔들이 너만 좋아하니까.

은정 ·······

소민 근데 용서했어. 니가 민준이 대단하다고 했으니까.

은정 ······ (병삼의 카메라를 보며) 굉장히··· 명료하다.

병삼 (끄덕)

은정 그래서? 그 대단한 사람은 잘 있고?

30. 민준의 집 복도 / 밤.

엘리베이터 문이 열린다.

또각또각. 바쁘지도 느긋하지도 않은 굽 높은 힐의 걸음.

마스크와 선글라스, 스카프로 얼굴을 가린 의문의 여인이 복도를 걷는다. 지나는 사람이 시선을 줄 수밖에 없는.

자연스레 지나는 사람의 반대쪽으로 고개를 돌리는.

소민이다.

민준의 집을 한참 지나치고서야 지나던 사람이 사라진 것을 확인하고 다시 뒤돌아 민준의 집으로 향하는 걸음.

31. 민준의 집 안 / 밤.

현관문 번호 키 누르는 소리가 들린다.

이내 문이 열리고 소민이 들어온다.

소파에 앉아 TV를 보고 있던 민준의 시선이 가만히 소민에게 향한다. 식탁에 스카프, 선글라스, 마스크를 벗어 놓는 소민. 멀거니 그녀를 바라보던 민준.

민준　　그게 더 눈에 띄는 거 알면서 그러는 거지?
(일어서며) 밥 먹자. 해줄게.

소민　　앉아있어. 먼저 할 거 있어.

후다닥 뛰어와 민준의 위로 껑충 올라타는 소민,
어미 원숭이에 매달린 아기 원숭이 같은 모양새로 키스를 퍼붓는다. 닳아 없어질 만큼의 일을 마친 후 갈증 해소한 운동선수의 표정을 짓는 소민.

민준　　아… 젠장..

소민　　그게 방금 키스한 사람한테 할 소리야?

민준　　나 회사 그만둔다고 말했어.

소민　　그래. 이번 기회에 도망 못 가게 다리 하나 부러트려서 앉혀놓고 내가 먹여 살리면 되겠다.

민준　　안 도망가. 뭐 다리까지 없애? 해냄 엔터로 갈 거야. 나 이제부터 잘나가는 사람 한다. 대표까지 할 거니까, 5년만 기다려.

소민　　뭐야? 5년 동안 나 안 보겠다고? 부러트릴까 지금?

민준　　나 너 안 보고 못 살아. 그걸 여태 못 느꼈어?

소민　　느꼈어.

민준　　우리 떨어져서 일하고 바빠지더라도 서로 이해해주고.. 배려해주고.. 개뿔 그러지 말자. 매일 보는 거야. 싸우더라도 얼굴 보고, 시원하게 멱살 잡고, 아니 멱살은 아니고.

소민　　매일 보는 거야.

민준 매일.

행복한 표정으로 마주 보는 두 사람.

민준 후… 너무 오그라든다. 입을 막자 그냥.

소민에게 입을 맞추는 민준.

32. 은정의 집 욕실 / 밤.

양치와 세안을 마치고 수건으로 물기를 닦아내는 은정.

33. 은정의 집 거실 / 낮.

젖은 머리를 수건으로 감싸고 나오는 은정.

문득 서서 휑한 거실을 보는. 익숙지 않은 풍경을 보듯.

Cut To

진주의 방 문을 살짝 열어보는 은정.

마스크 팩을 붙이고 잠든 진주.

Cut To

한주의 방을 살짝 열어보는 은정.

인국이를 끌어안고 잠든 한주.

그러려니 하고 문을 닫는 은정.

Cut To

은정의 방 앞. 방 안쪽에서 들리는 드라이기 소리.

효봉, 천천히 프레임 인. 잠시 문틀에 기대선다.

34. 은정의 방 / 밤.

잘 준비를 마치고 침대에 눕는 은정. 잠이 안 올 것 같은··

협탁에 놓인 태블릿을 켜고 영화를 고르는··

그때 똑똑— 노크 소리. 문을 열고 고개를 내미는

효봉 들어가도 돼?

은정 (웬일?) 응.

효봉, 은정의 침대에 등을 기대고 바닥에 앉는다.

무슨 일인가 싶은, 누운 채로 효봉의 뒷모습을 보며 살피는

은정 흔히 볼 수 있는 그림이 아닌데?

효봉 (대뜸) 난 누나밖에 없어.

은정 (뭐지) ····· 문수 씨는?

효봉 문수랑 누나밖에 없어.

은정 엄마 아빠는?

효봉 엄마 아빠랑 문수랑 누나밖에 없어.

은정　　인국이 한주 진주··

효봉　　그만해.

은정　　···· 하고 싶은 말 해. 괜찮아.

효봉　　·· 아랑이 누나 친구 중에 유명한 심리상담가가 있대.
요즘 스트레스도 많고 해서 다녀왔는데, 좋더래.
우리한테도 추천하더라고.

무슨 말인지 알겠는, 가만히 동생의 뒷모습을 바라보다가
안아주는

은정　　응. 알겠어. 다녀올게.

누나의 손을 잡고 볼을 가져다 대는 효봉.

35.　카페 / 낮.

문을 열고 들어오는 범수. 누군가를 찾는다.
안쪽 자리에 앉아있던 소 대표가 먼저 범수를 찾고 반갑게
인사한다.

소 대표　　감독님 여깁니다! 하하하.

Cut To

소 대표 이야… 대본 정말 재밌던데요.

범수 작가님이 잘 써주셔서.

소 대표 소연이를 데리고 나왔어야 되는데, 얘가 얼마 전에 작품 끝내서 해외에 있거든. 나 쉬는 배우 절대 안 건드리는데 이거 대본이 너무 재미져서, 바로 메일 쐈잖아. 꼭 읽어야 된다고. 빨리 피드백 달라고.

범수 그럼 읽고 나서 만나도 되는데.

소 대표 얘가 읽는데 시간이 좀 걸려요. 난독증.

범수 7월에 영화 들어간다던데.

소 대표 확정은 아니고 검토 중. 사실 두 번째 역할이라 난 좀 그런데, 뭐 사이즈도 크고, 얘가 또 영화를 되게 하고 싶어 하긴 해.

범수 그럼 하겠네. 영화.

소 대표 난 이거 시키고 싶다니까.

범수 회사 말을 들어요? 정소연이?

소 대표 말은 듣지. 결정은 자기가 하고.

범수 그게 뭔 말이야…

소 대표 청력은 좋다는 거지. 하하. 어? 근데… 소민이는 어때요? 이소민.

범수 그치. 또 이렇게 들어오지.

소 대표 아니 그냥. 생각 못 하고 계셨을 수도 있으니까. 하하하. 연기는 소연이보다 소민이가 더 좋아.

범수 연기로 인정받은 적이 있나?

소 대표 있지.

범수　　어디서?

소 대표　　내부적으로.

범수　　아·· 회사 내부적으로?

소 대표　　아 또 생각해보니까 소민이랑 정말 잘 어울릴 거 같은데?

범수　　대표님 개인적으로?

소 대표　　에이·· 생각 좀 해 줘요. 오디션 볼게. 소민이가 오디션 급은 아니잖아. 근데 보라면 볼게. 걔 요즘 되게 열심히 해.

36.　카페 앞 거리 / 낮.

소 대표와 인사를 나누고 나오는 범수.

잠시 생각에 빠진 채 걷다가·· 전화를 건다.

범수　　…네 실장님. 우리 캐스팅 회의 좀 하죠.

··지금이요. 사무실로 갈게요.

··아 그리고·· 작가님도 불러주세요.

··네.

전화를 끊고 걸음이 빨라지는 범수.

37.　홍미유발 엔터 회의실 / 낮.

범수, 한주, 재훈, 캐스팅 리스트 놓고 모여 앉아있다.

범수　이소민 요즘 어때요? 시장에서.

한주　케이블에서 토크쇼 진행 하나 보고 있고요.

범수　드라마 전작이 뭐였지? 나 못 봤는데.

한주　주말극이 마지막이었고 시청률은 괜찮았는데, 남주 중심이었던 드라마였어서.. 오히려 그때부터 좀 꺾였어요.

범수　연기가 나쁜 쪽은 아닌 것 같은데.. 아니 소 대표가 정구 역할에 태민기 줄 것처럼 얘기하더라고.

한주　태민기 한참 라이징 해서 주인공 하려고 할 텐데?

범수　배우가 아직 원톱은 부담스러워한다고.. 근데 작가님은?

재훈　아, 오늘은 대본 수정하시겠다고 하셨습니다.

범수　아니 캐스팅 회의한다는데 작가가..

재훈　감독님 의견 따르시겠다고..

범수　(이 양반이 증말…)

한주　다른 쪽에도 한번 접촉해볼까요? 감독님이 여기서 조금 추려주시면..

범수　음… 일단… 이소민 드라마 좀 찾아볼게요..

그때 울리는 범수의 핸드폰. 인종이다.

38. 홍미유발 엔터 회의실 밖 / 낮.

전화를 받으며 나오는

범수　네.

인종 (F) 저녁에 뭐해? 놀자.

범수 아 외로워요? 동기랑 노셔요.

인종 (F) 아니. 환동이랑 정 작가랑 임 작가랑 다 같이 친친하게.

범수 응?

인종 (F) 좋잖아. 뭐 괜히 불편한 거 있는 사람들처럼 보이는 거보다.

범수 아니 불편한 건 맞지 무슨.. (생각..) 아니다, 좋네.
그럼 임 작가한테 전화 좀 해줘요.

인종 (F) 내가? 왜?

범수 아 쓸데없는 짓 한다고 잔소리해 나한텐.
나 지금 회의 중이라. 장소 문자 찍어요~

전화를 끊고 돌아서는 범수, 회의실 문 앞에 잠시 서서 생각하는 뒷모습.

범수 아.. 씨.. 하루 안 보는 게 뭐 이렇게 힘들고 그래..

39. 진주의 본가 / 낮.

미역국 라면을 먹고 있는 진주 모와 진주.

진주 모 애써 미역국 끓여놓고 면을 넣어버려?

진주 맛있더라고.

진주 모 애써 작업실 얻어놓고 여기로 출근하고.

진주　외롭더라고.

진주 모　배가 불러가지고.

진주　굶으면 허기가 오고. 채우면 외로움이 오고. 사는 게 그런 거지.

진주 모　제가 많이 배웁니다. 언니.

카톡— 알림음 울리는 진주의 핸드폰. 확인하면,
'정혜정 작가님' 응? 뭐지? 열어보면,
'오늘 저녁 7시 방송국 앞 이자카야로 나와. 밥술 먹게.'

진주　이건 또 뭘까‥?

진주 모　왜?

40. 흥미유발 엔터 / 밤.

한주, 퇴근 준비 중.
여전히 분위기가 다른 재훈이 슬쩍 신경 쓰이는

한주　재훈 씨, 뮤지컬 오늘 아니에요?

재훈　네? 아… 네. 그렇죠.

한주　빨리 가야겠다. 길 막히는데.

재훈　네, 퇴근 안 하세요?

한주　먼저 가요. 정리만 하고.

재훈　네‥ 그럼 들어가겠습니다.

대충 책상을 정리하고 일어서는 재훈.
꾸벅 인사하고 돌아선다.

한주 데이트 잘해요~

재훈 (멈칫) 아·· 네·· (다시 돌아서 가다가 다시 멈칫)

한주 ?

돌아서 한주를 물끄러미 보다가 웃는

재훈 헤어졌어요. 며칠 됐어요.

한주 ·········(슬쩍 당황) 음··

재훈 (뮤지컬 티켓 들어 보이며) 같이·· 봐주실래요?

한주 음··· 음·· 인국이 데리러 가야 되는데··· 음·· 잠시만요.

재훈 아니에요, 괜찮습니다.

한주 아니야. 잠시만요. (돌아서 전화를 거는) ····· 응 효봉아. 사랑해.

효봉 (F) 에이·· 진짜·· 알았어.

한주 으응~ 사랑해. (끊고. 돌아서 웃는) 가요.

재밌다는 듯 미소 짓는 재훈.

41. 거리 / 밤.

퇴근길. 많은 사람들 사이.

말없이 걷는 재훈을 바라보는 한주.
쓸쓸한 모습이 측은하기도, 되레 풋풋하게 느껴지기도.

42. 이자카야 / 밤

들어오는 진주. 두리번두리번.
한쪽 테이블에 자리 잡고 앉은 인종이 반갑게 손든다.

인종 작가님 여기요~

꾸벅 인사하며 테이블로 향하는 진주. 테이블에 가까워지면서 보이는 환동. 어색하게 눈인사를 나누고.
더 가까워지면 환동과 마주 앉아있는 범수가 보인다.
스윽— 진주를 돌아보는 범수의 장난스런 눈빛.
그 장난을 쌩까는 진주, 옆으로 이동해 자리를 내주는 범수를 지나쳐 환동의 옆으로 앉는다.
개삐친 범수. 두 사람을 살피는 환동.

인종 (이건 또 뭔 그림인가 싶지만 어색해지기 전에)
그래 맞아. 작가랑 감독은 마주 보고 앉는 게 좋아.
의중을 읽어야지. 마주 보면서. (딴 데 보는 진주와 범수)
그렇다고 계속 보는 건 좋지 않아. 필요할 때가 있어.
예를 들어.. 아 씨 모르겠다. (진주와 환동을 가리키며)
이 투샷이 좋네! 이야.. 대한민국 드라마의 미래~

(나도 모르게) 구 남친 구 여치.. 아씨.. 미안.

어색해지려는 순간.

혜정 (소리) 다 모였나?

소리에 돌아보면 자연스레 범수의 옆자리로 합류하는 혜정.
일어나 꾸벅 인사하는 진주.

환동 오셨습니까?
인종 작가님 어디 숨어있다 나왔지? 제일 늦게 오려고?
혜정 부장님 어디 좀 숨어있으면 안 돼? 계산할 때 부를게.
인종 놀아줘. 외로워.
혜정 멍멍이들이랑 놀아. (범수에게) 준비 잘 돼요?
범수 덕분에.
혜정 뭘~ 키스태프들 우리한테 다 떼이고.
환동 (당황) 떼인 건 아니고요. 저희가 스케줄이 더 빠르니까.
범수 어떻게 지금이라도 다시 떼어드려?
인종 야 스태프들이 뭐 런닝맨 이름표야? 뭘 자꾸 떼고 어쩌구..
혜정 (진주에게) 예뻐졌네?
진주 그대로세요.
혜정 뭐지? 이 밑지는 기분은?
진주 아 그런 뜻이 아니고..
인종 아 우리 나이엔 그대로라는 말이 예뻐졌다는 거야.

혜정 (버럭) 내 나이가 뭐?!

인종 (맞짱) 사십육!! 왜 소리를 지르고.

혜정 배고파. (메뉴판 펼치며) 내 맘대로 시킬래.

인종 응. (해맑게 혜정을 보며) 난 누가 메뉴 골라주면 좋더라.

혜정 (버럭) 나 먹을라고 시킨다고!

인종 (맞짱) 먹으라고! 사십육!

혜정 사십육이 왜 또 나와!!

인종 몰라! 반사적으로 나왔어 그냥!!

지나가던 사장이 조심스레··

사장 저기 너무 소리를 지르시면·· 다른 손님들이··

인종 아, 네네. 게임 같은 거였어요. 작게 할게. 하하하.

그 모습을 보며 피식 웃음이 나는 범수와 진주. 그러다 눈이 마주치면, 휙— 피해버리는 진주. 기분 나쁜 범수.
둘을 계속 살피는 환동.

43. 이자카야 밖 / 밤.

흡연구역 전자담배를 피우고 있는 인종, 범수, 환동.

인종 그래도 무리 없이 이렇게 한잔한다, 그치? 좋지?

범수 좋을 거까진 없죠.

인종 (환동에게) 좋을 거까진 없어?

환동 저는 좋습니다.

범수 (환동이 뭔가 맘에 안 드는 눈빛)

인종 잘 지내면 좋지. 환동이네 작품, 편성 금토로 옮겼어.

범수 (환동에게) 왜?

인종 너네 작품 바로 앞에 들어간다고.

범수 (환동에게) 그니까 왜?

인종 뭘 왜야? 끌어준다는 거지. 시청률 높았던 거 다음으로 붙으면 그게 얼마나 유리한 건데, 1, 2 프로 먹고 들어가는 거야.

범수 (환동에게) 니가 날 끌어준다는 거야?

환동 (손사래) 아니 그런‥

인종 정 작가가 임 작가 끌어주는 거지. 사실 정 작가 입장에선, 되게 부담스러워. 자기 새끼로 있던 작가가 뒤에 붙으면 바로 비교될 텐데, 잘해도 본전 아냐. 근데 그걸 하겠다네? 성격이 좀 지랄맞아서 그렇지, 나쁜 인간은 아니라니까‥

44. 이자카야 / 밤.

적당히 취기 오른 혜정과 진주.

혜정 꼭 멍청한 애들이 내가 나쁜 사람은 아니라고 말하더라. 나는 명백하게 나빠. 왜? 지랄맞으니까. 나는 나쁜 게 좋아.

진주 네. 지금껏 수많은 유형의 지랄을 겪어 봤지만 작가님은 격이 달라요. 뭐랄까·· 순수해요. 지랄의 결정체 같은 거죠.

혜정 어느 지점에서 그걸 느끼지?

진주 간단한 지랄도 허투루 하지 않으시고, 격앙된 감정을 담아내는 표정과 사운드에 진심이 묻어있어요. 순수하게 몰입하시는 거죠.

혜정 (뿌듯한) 역시 똑똑해·· 너 알지? 내가 너 싫어한 거.

진주 알죠. 쫓겨났는데.

혜정 질투했어. 니 글에 내가 하지 못하는 것들이 수두룩해서.

진주 ….

혜정 그렇다고 그게 뛰어나다는 건 아니야.

진주 네.

혜정 너무 잘 되진 마. 망하지도 말고. 그래도 내 새끼였는데·· 사수의 명예를 지키는 정도만 해.

진주 (기분 좋게 웃으며) 네. 그런 의미에서·· 부탁 하나만…

혜정 해. 하나만.

진주 미영이나 사랑이나 수희 중에 한 명만 저한테 보내주심 안 될까요? 혼자 작업하는 게 역시 힘에 부치고 일 잘하는 보조 작가 구하기도 너무 힘들고··

혜정 걔들이 가려고 할까?

진주 말씀해주시면 제가 설득해볼게요.

혜정 음·· 말은 해볼게.

진주 감사합니다. 짠!

잔을 부딪치는 두 사람. 디졸브.

진주, 범수, 환동, 인종, 혜정, 편하게 수다를 떨며 잔을 부딪치는 일련의 모습. 나름 따뜻하고 재미있는..
기분 좋은 시간의 흐름... 후.
문득 벽에 붙은 거울을 돌아보는 혜정. 자신의 얼굴이 보인다. 눈이 풀린. 거울 속 자신의 얼굴이 토끼가 되어 있다.

혜정 (혀도 꼬인)... 토끼..?

순간, 긴장하는 인종과 진주. 뭔지 모르는 환동과

범수 (응?) .... 토끼?
혜정 토끼.
인종 (뭔가 알고 있는, 당황을 감추며) 나 먼저 갈게.

덥썩— 인종을 잡아 앉히는 진주.
고개를 절레절레. 영문 모르는 환동과 범수.

혜정 토끼.

45. 이자카야 밖 / 밤.

혜정 토끼이이이~~~~ 깡총~ 깡총~

깡충깡충 뛰어나온 혜정, 누군가에겐 귀여울 수도 누군가에겐 거북할 수도 있는 토끼 빙의 애교를 부리고 있고, 안쪽에선 인종이 사장과 실랑이다.

인종 손님한테 나가라니!
사장 아니 자꾸 깡충깡충 뛰어다니시잖아.
인종 그럼 토끼가 깡충깡충 뛰지 파닥파닥 뛸까?!
사장 아 그니까 나가서 뛰시라고!
혜정 빨리 나와~~ 토끼 심심해. 심심하면 달나라~
달나라 노래방~~

깡충깡충 뛰어가는 혜정.

인종 (뛰쳐나오는) 토끼야 길가로 가면 안 돼!! 가생이로 뛰어야지!!

사장에게 사과하며 따라 나오는 환동, 범수, 진주.

인종 야 뭣들 해?! 빨리 와 토끼 도망가잖아!
혜정 (깡충깡충) 토끼랑 노래방 가자~~ 깡충깡충깡깡총~

진주, 범수, 환동, 따라가는 척하다가 자연스럽게 나란히 뒷걸음질.

46. 거리 / 다른 길 / 밤.

뒤를 살피며 나란히 걷는 범수, 진주, 환동.

혜정이 보이지 않는 안심한 거리에서

진주 난 들어갈게요.

범수 (뭐라 말하려는데)

환동 데려다줄게.

순간 다소 어색해지는 정적. 벙찐 범수.

범수 (쳐돌았나…) 니가 왜?

환동 아… 그니까… 예… 밤이 늦었는데…

범수 늦었는데 니가 왜?

환동 그… 집 앞에 가는 길이 어둡고…

범수 어두운데 니가 왜?

둘 사이에서 가만히 보고 있던

진주 그래. 데려다줘. 걸어갈 거야. (바로 앞장서는)

환동 아… 그… 응. 그럼 들어가 보겠습니다.

꾸벅 인사하고 진주를 따라가는 환동.

뭐 어찌할 바 없이 벙찐 상태로 선 범수.

두 사람의 모습을 맥없이 바라보다가 휙 돌아선다. 그때,

혜정 깡충~~~ 깡충 깡충~

건물 사이에서 튀어나와 환동과 진주를 앞서 뛰어가는 혜정. 그녀를 쫓는 인종. 그러다 환동을 지나칠 때 눈이 마주치고 뒷덜미를 잡아챈다.

인종 어딜 도망갔었어, 이 새끼들! 토끼를 어떻게 혼자 맡아!
(뒤를 보니 범수도 보인다) 따라와 다 따라와 너네!!

인종에게 잡혀가는 환동의 뒷모습을 보며 슬슬 뒷걸음질 치는 진주.
벙찌게 보고 서있던 범수와 자연스러운 투샷이 만들어지고.
진주, 도망가려 휙 뒤돌아서면 딱 마주 보게 되는 두 사람.

47. 치킨 펍 / 밤.

치킨과 맥주를 사이에 두고 앉은 한주와 재훈.
어지간히 술이 오른, 쓸쓸해 보이는 재훈이 신경 쓰이는

한주 마음이 계속 그렇죠? 뮤지컬도 제대로 못 보고.
재훈 아니에요. 제가 자꾸 신경 쓰이게 하죠? 죄송해요.
내일부터 안 그럴게요.
한주 그럼 하윤 씨 얘기해 봐요. 하고 싶잖아.
재훈 하하‥ 아니요‥

한주 해요. 나쁜 얘기들. 지질한 거 아니고 귀여운 투정이라 생각할게.

재훈 하하·· 그게··

한주 원망도 해봐야 알아. 실컷 원망하다 보면 자기 잘못이 보이기 시작하더라고요. 해요. 나쁜 년, 하고 시작하는 거.

재훈 ····나쁜 년.

한주 ····나한테 하면 어떡해.

재훈 어우 죄송합니다.

술잔을 부딪치는 두 사람. 약간의 시간 흐름.

재훈 ·······미운 행동을 해요. 그거까지 좋아해주지 못했어요.
술을 마셔요. 마실 수 있지. 근데 꼭 밤을 새야 돼?
그러고 왔으면 곱게 자든가·· 왜 또 남자한테서 전화가 와···
내가·· 화가 많이 나·· 그래서 미워해요.
그런데 그 사람은 잠시도 미움받는 걸 못 견뎌.
나는 미워 죽겠는데 사랑을 요구하죠.
그럼 난 조금 이상하지만 애써 사랑이라 생각하는 것을 줘요. 근데·· 미움이 섞인 애정에 그 사람은 만족하질 못하고, 심지어 외로워해요. 심지어·· 역으로 날 미워해.
그래서 또·· 미운 행동을 해요.

한주 답답했겠다·· 외롭기도 하고··

재훈 ···· 고슴도치 두 마리가 복잡한 미로 속을 헤매면서··
서로 푹푹 찔러대고·· 이젠 막 피가 철철 나요··

그러다 견디기 힘들어 미로에 불을 지르고‥
탈출해버리네‥
둘이 있던 공간이 사라지고‥ 눈을 떴는데‥
여기가 어딘지 모르겠어요‥

한주 여기가 어디냐면‥ 보통의 고슴도치가 사는 곳이에요‥
그곳에서 고슴도치는‥ 어쨌든 또 고슴도치를 만나야 돼요‥ 고양이를 만날 순 없잖아‥

재훈 ……..

한주 찔리지 않고‥ 다치지 않는 방법을‥ 찾게 될 거에요.

재훈 실장님은… 찾았어요?

한주 ……아니요.

재훈 으…

한주 ….이런 얘기 듣다가 떠오를 감정은 아닌데‥
음… 나두 연애하고 싶다.

재훈 …….

48. 거리 / 밤.

앞서 걷는 진주. 두어 발치 뒤에서 걷고 있는 범수.
뒤가 신경 쓰이나 말이 없는 진주.
앞이 신경 쓰이나 쉬 입이 떨어지지 않는 범수.
한참을 걷다가…

진주 왜 자꾸 따라와요?

범수 내 갈 길 가는 건데요.

진주 이쪽 아니잖아요.

범수 내가 어디 가는 줄 알고.

다시 걷는 진주. 말없이… 또 한참을 걷다가…

범수 나한테 언제까지 이럴래요?

진주 원래 낯가리는 건데요.

범수 원래 안 그러잖아요.

진주 원래 나를 어떻게 알고.

범수 (저걸 확…) ……얘기 좀 합시다.

진주 해요.

범수 (멈춰 서서) 마주 보고 합시다.

멈춰 돌아보는 진주. 약간의 거리를 두고 마주 보는 두 사람.

범수 소문. 우리가 직면한 그 문제는 우리가 해결할 수 있는 일이 아니고, 대단하지도 않아요. 그에 반해 앞으로 해야 할 일은 대단해요. 당장 캐스팅을 해야 하고, 남은 대본 작업을 마쳐야 하고, 촬영을 해야 하고, 평가를 받아야 돼요. 살 떨리게 무섭긴 한데, 이 대단한 일이 우리가 해결할 수 있는 일이라는 게 설레지 않아요? 할 수 있는 일에 집중합시다.

진주 …알겠어요, 집중해요.

범수　그리고·· 또 해결해야 할 일이 있어요.
앞에 해결할 일과 비교도 안될 만큼 대단한 사안인데··
작가님이 해결할 수 있어요.

진주　··· 또 뭐요? 해외 수출? 시즌 투?

범수　··· 나요.

진주　···?

범수　작가님 좋아하는 내 마음이요. 그냥 좋아하는 게 아니라··
해결해야 할 만큼·· 내가 좋아해요.

진주　·······

마주 본 두 사람의 모습에서.

진주　(V.O) 서로 모른 척하고 있던 마음을 언제부턴가 알게 됐고. 서로 간 암묵적으로 동의된 그 모른 척이 언젠가 드러날 것도 알았고··· 그날이 오늘일 줄은·· 몰랐고.

페이드아웃.

49.　심리 상담실 / 낮.

노크 소리.

화면에 보이지 않는 상담사 일례의 목소리. 네~ 들어오세요. 들어서는 은정. 둘러보지만 긴장이나 호기심의 기색이 짙진 않은. 책상에 앉아 은정을 바라보는 일례의 얼굴이 보인다.

은정　　안녕하세요.

일례　　안녕하세요. 반가워요. 이쪽으로.

40대 초반 차분하고 부드러운 인상의 일례. 앞에 자리를 안내한다. 마주 앉는 은정과 일례.

일례　　혹시 이런 곳 오신 적이 있나요? 상담을 받았거나··

은정　　아니요. 처음이에요.

일례　　어때요?

은정　　아늑해요. 영화에서 보던 건 좀 꾸민 건 줄 알았는데.

일례　　(웃음) 참고한 것도 있고, 제 취향도 있고.

은정　　음… 좋아요.

일례　　보통 질문지를 드리고 작성한 것을 검토한 후에 상담이 시작되지만, 우리 그냥 얘기해요. 아랑이한테 얘기 많이 들었는데, 모른 척하면 시작부터 거짓말 같아서.

은정　　보통 어떤 얘기부터 하죠?

일례　　하시는 일? 가정환경? 음주 흡연 여부 등등?
그중에서도 가장 중요한 건·· 제가 궁금한 거요.

은정　　아·· 네··

일례　　생각나는 대로 편하게 물어볼게요. 불편한 건 말씀 안 하셔도 돼요.

은정　　(끄덕)

유리잔에 꽂혀 있는 들꽃.

일례　　슬픈 영화를 보거나 울고 싶을 때.. 눈물이 잘 나는 편인가요? 최근에 눈물이 흘렀던 기억?

생각에 잠기고.. 기억을 더듬지만.. 기억이 나지 않는다.

일례　　천천히 말씀해 주셔도 돼요.

은정　　눈물이… 음… 기억이 안 나요.. 음… 2년이 넘었는데..

50.　　과거 / 홍대의 병실 / 낮.

잠든 상태에서도 힘겨워 보이는 홍대.

초췌한 모습의 은정이 그 앞에 지키고 앉아 가만히 내려다본다. 얼굴은 보이지 않는 홍대의 부모, 말없이 돌아서 나간다. 부모가 나가자 실눈을 뜨며 은정을 보는 홍대.

그를 보고 웃어주는 은정.

은정　　(V.O) 힘들었어요. 그 사람 부모님은 병원에 딱 한 번 다녀갔어요. 저는 그 사람 곁에서 한시도 떨어지지 않았고.. 고통스러워했지만.. 다행히.. 끝까지 자기 모습을 감추지 않았고.. 날 밀어내지 않았어요. 고맙게 생각해요.

51. **과거 / 홍대의 병원 중환자실 / 밤.**

산소 호흡기에 의지한 채 의식이 없는 홍대.

아무도 없는 복도. 중환자실 앞을 지키고 앉아있는 은정

52. **과거 / 홍대의 병실 / 밤 / 낮.**

곤히 잠든 홍대의 옆에 앉아 겨우 얼굴을 묻고 잠든 은정.

은정 (V.O) 한참을 의식이 없다가..

어느 날 밤에 그 사람이 나를 깨웠어요.

힘겹게 은정의 손을 잡는 홍대. 부스스 잠에서 깬 은정.

없는 기운에도 놀라 간호사를 호출하려 하는데, 은정의 손을 꼭 잡고 말리는 홍대. 여느 때보다 평온한 눈빛이 무언가를 말하고, 은정은 알아듣는다.

은정 (V.O) 말도 못 하는 주제에.. 눈빛이 너무 평온했는데..

뭐라고 말하는지 한 번에 알아들을 수 있었어요.

은정, 홍대의 옆에 눕는다.

홍대, 편안한 숨을 내쉰다. 눈을 감는다.

은정, 홍대의 손을 꼭 잡고 어깨에 얼굴을 묻고..

눈을 감는다.

은정 (V.O) 제 옆에서… 떠났어요… 그날… 그리고…

날이 밝는다. 은정은 몸을 일으켜 앉아있고 홍대는 화면에 보이지 않는다. 은정, 잠든, 죽은 홍대를 돌아본다. 그리고 다시 고개를 돌린다. 가득 차 있던 눈물이 흐르려고 한다.

53. 심리 상담실 / 낮.

전 씬과 다르게 표정이 별로 없는

은정 그리고… 기억이 안 나요… 아니… 제가… 운 적이 없는 것 같아요. 기분이 없는 기분이랄까…

일례 요즘 기분은 어때요?

은정 음… 무리 없어요.

일례 무리가 없다는 건…?

은정 뭐 어려운 일을 하고 있지만, 다큐라는 게… 어렵지 않은 게 이상한 일이라. 그냥 원만해요.

일례 다행이네요. 음… 그럼 일을 빼고 생각해 볼게요. 하고 있는 일을 배제하고, 평소 기분은 어때요?

은정 ……

인서트

2씬. 바닥에 눌어붙은 슬라임을 물끄러미 쳐다보고 있는 은정.

은정 잘 몰랐는데.. 내 기분이 어떤지 의식 못 했는데..

어느 날 문득.. 감정을 느끼는 내 몸속에 무언가가..

바닥에 눌어붙어 있는 것처럼 느껴졌어요.

왜 그러지? 바닥에서 떼어내 보려고 해도..

그냥 그게.. 원래 자기 자리인냥 꼼짝도 안 해요.

일례 적어도 은정 씨한텐 긍정적인 신호 같은데요?

은정 ....?

일례 사실 그건 우울한 마음을 가진 사람들이 느끼는 감정이긴 하지만.. 커다란 트라우마에 가려서 자신을 인지하지 못하는 단계에서 다시 자신을 인지하게 된 거 같은? 뭔가 긍정적인 요소가 은정 씨 주위에 있을 것 같은데..

은정 친구들이 옆에 항상 있어요. 같이 먹고 같이 마시고.. 매일 수다 떨고.. 여자들끼리 살면 싸울 법도 한데.. 우린 그런 게 없어요. 좋아요.

일례 부럽네요. 너무 좋은 친구들이에요. 그럼 부모님과는 어때요?

은정 외국에 사세요.. 가끔 안부 전화하는 정도..

일례 관계가 소원하거나 그런 건 없나요?

은정 없어요. 동생 때문에 마음이 편하지 않으신 건 알았지만, 부모님은 자신들이 할 수 있는 안에서 최선을 다하셨다고 생각해요.

일례 어렸을 때 기억은 어때요?

은정 음... 문제없었는데..

일례 그냥.. 부모님과 어렸을 때 하면 바로 떠오르는 기억이 있나요? 뭐든 좋아요. 크게 혼났다거나 행복했다거나…

바로 떠오르는 기억이 없는 은정. 잠시… 생각에 잠기다가…

은정 음… 특별한 건 아닌데… 엄마가… 그땐 직장에 다니실 때라… 평일 낮에 엄마와 함께 있던 기억이 거의 없는데…
그날은 무슨 일인지 출근을 하지 않으셨어요.
저는 열 살이었던 것 같고. 아마 개교기념일이었던 거 같은데… 엄마가 평소보다 말이 없었어요.
왜 그럴까 눈치 보고 있는데…
점심시간이 돼서 뭐 먹고 싶냐 물어보길래… 솜사탕…

54. 과거 / 작은 놀이공원 / 낮.

공원 입구 풀길을 따라 엄마와 손을 잡고 가는 어린 은정. 열 살.

은정 (V.O) 동네에 놀이기구 서너 개 있는 작은 공원이 있었는데, 그나마도 넉넉하게 살 때가 아니라 자주 가기 힘든 곳이었어요. 엄마는 별말 없이 저를 데리고 그 공원으로 갔어요.

어린 은정이 햄버거를 먹고 솜사탕을 사들고, 놀이기구를 타는 일련의 모습들. 미소 짓고 있지만 생각이 깊은 엄마의 모습.

은정　(V.O) 햄버거를 먹고 솜사탕을 먹고 삼천 원이나 하는 놀이기구를 타고.. 신나야 정상인데.. 가만히 앉아서 먼 곳을 보는 엄마가..

공원 일각.
잔디에 앉아 먼 곳을 바라보고 있는 은정의 엄마.
사람이 거의 없는 작은 광장에 혼자 놀이기구를 타던 어린 은정이 그런 엄마를 본다.

은정　(V.O) 어린 마음에도 너무 신경 쓰였던 거 같아요.
그래서 그냥.. 엄마 옆에 저도 가만히 앉아있는데..

엄마의 옆으로 와 앉는 어린 은정. 말없이 엄마를 본다.

55. 심리 상담실 / 낮.

일례　어머니한텐 무슨 일이 있었던 건가요?
은정　전혀 몰라요. 왜 그랬을까요? 물어보질 않았어요.
지금 말하면 엄마는 기억도 못 할 것 같은데..
그냥.. 그렇게 지나간 날이었어요.
일례　왜 그날이 떠오를까요?

은정　모르겠어요.. 저도 특별히 기억하려고 가지고 있던 기억은 아니고.. 그냥.. 모르겠어요.. 그냥..

순간. 정말이지 순간 숨이 막혀오고 금세 그 숨을 토하듯 눈물을 쏟아내는 은정. 본인도 알 수 없는. 오래 묵은 눈물이 한 번에 쏟아지듯. 제어할 수 없는 눈물이 쏟아져 흐른다. 홍대를 보낸 그날처럼, 어쩌면 더 할지도 모를. 말을 하기도 힘겨운

은정　미안해요..

일례　(티슈를 건네며) 괜찮아요. 괜찮아요. 문제없어요.

한참을.. 서럽고 억울한 아이처럼 소리 내어 우는 은정...

일례　어머니와.. 무슨 일이 있었던 건가요?

"내가 지금 좋아하는 사람에 대해
예의를 지키는 게
너에 대한 예의라고 생각해."

_ 진주의 말 중

• 12부 •

12

1. 거리 / 밤.

11부 48씬.

마주 보고 선 진주와 범수.

범수 작가님 좋아하는 내 마음이요.

진주 ·······

양파 '애송이의 사랑'

범수 (V.O) 2019년 봄 나와 작가님의 대본 작업이 시작된 건 오래였고. 우린 분명 달라져 있었다.

그리고 난 확인하고 싶어졌다. 지금 이 솟구치고 있는 아드레날린이 쭉 똑같이 작업했던 서로에게 달라짐을 들켜버린 부끄러움 때문인지, 아니면 일로 시작되어 버린 내 두 번째 사랑에 대한 설렘 때문인지··

범수 (진주에게 다가가 서며) ‥확인.

진주 (동시에) 확인.

범수 !!!

진주 이럴 줄 알았어.

당황한 마음에 조급히 진주에게 다가서는 범수.
여유 있게 물러서는 진주.

범수 (멈칫/당황) …아니‥ 이게… 왜 뒷걸음질 쳐요?

진주 물러선 건데요.

범수 제가 위협했어요?

진주 고백했죠.

범수 고백했는데 물러서요?

진주 오니까.

범수 ‥내가 때려요? 싸움은 작가님이 더 잘할걸?

진주 키스하려고 온 거잖아. 확인은 무슨, 언제 적 응답하라야? 생긴 건 정봉이같이 생겨가지고.

범수 (헉) 외모 비하하지 마세요! 정봉이가 어때서! 그리고 누가 키스한다고 했습니까?!!

진주 그럼 뭐 할라 그랬는데요?

범수 안 들렸나 해서 가까이 대고 말해야지! 하고 갔지!

진주 아 왜 화를 내요?!

범수 어필을 좀 세게 한 거죠. 아니 어떻게 여기서 뒷걸음질을 치냐고.

진주 위협적이었나부지.

범수 고백했다며?! 아니 고백했는데!

진주 고백이 위협이 될 수도 있지.

범수 그게 왜? 아니 아니면 말지.

진주 아니지 않으니까 그렇지.

범수 (뭔 소리야…) 아니지 않으니까 위협이라니. 말이 안 맞잖아.

진주 나도 감독님한테 마음이 아니지 않다고.

범수 (졸라 복잡하네) 아니 그니까… 나한테 마음이 아니지 않다는 건 마음이 있다는 거네?

진주 그치.

범수 근데 이게 위협이야?

진주 그치.

범수 ……왜에에??

진주 음… 우린… 지금 같이 일을 하고 있으니까.

범수 근데요?

진주 사적인 감정을, 그것도 남자 여자가 좋아하는 감정을 가지고 같이 일하는데 어떻게 그 일을 올바르게 처리할 수 있겠어요?

범수 이게 지금 옳고 그름의 문제에요? 불륜이야? 혹시 결혼하셨어요? 앗!! 내가 여태 그걸 안 물어봤네!! 아이구 내가 왜 여태 작가님을 미혼이라고만 생각했을까?

진주 아니 내가 싱글이긴 한데. 내 남자친구가, 내 여자친구가, 하는 이런 사적인 감정이 공적인 일에 끄르칠 영향에 대해 생각 안 해요? 프로라는 사람이?

범수 프로답게? 아 좋지요. 근데 이미 서로 좋아하고 있잖아.

진주 내가 좋아한다고 그랬어요? 아니지 않다 그랬지.

범수 그 말이 그 말 같은데? 좋아하는 감정이, 근무 중이라서 잠시 내려놓겠습니다, 하면 내려놔지는 거예요? 솔직한 마음 주고받고 그리고 나서 추후를 논의해야지 이 사람아.

진주 이 사람아? 이거 또 좀 감정적으로 가네, 분위기가.

범수 모순적이니까, 작가님 생각이.

진주 모순이 현실이니까.

범수 그니까. 현실이니까. 계속 모른 척 방치할 순 없다는 거지.

진주 좋아, 앉아서 얘기합시다.

범수 해봅시다, 그래. 끝장토론인가?

뭐라 뭐라 격정적인 토론을 이어가며 벤치에 앉는 두 사람. 이어지는 토론의 장.. 디졸브..

진주 우린 적당히 잘 감추고 적당히 잘 지내고 있었어요. 아니 왜 내동 가만히 잘 있다가 지금 타이밍에 감정을 드러내요?

범수 내동 가만히 잘 있었던 건 아니고, 내동 가만히 있다가 좋아하는 사람 놓친 경험이 없나 본데, 내동 가만히 있는 게 얼마나 초조한 일인지는 알아야 돼요. 오늘 같은 날은 얼마나 위기감을 느끼는데.

진주 오늘 왜? 뭐요? 혹시 환동이 때문에? 뭐? 질투하셨어?

범수 하 참.. 논외에 얘기는 하지 맙시다.

진주 논외가 아니지. 뭐 드라마에서 보던 거, 구 남친과 정리 안 된 감정 때문에 꼬이고, 뭐 내가 진부하게 그런 거 할까 봐?

범수　진부한 게 얼마나 무서운 건데. 로맨틱 코미디에서 진부한 코드가 왜 자꾸 쓰이는데? 흔하게 벌어지는 일이거든.

진주　질투 맞구만.

범수　걱정 정도로 합시다.

진주　그냥 하던 대로 일이나 잘하고 있으면 어련히 알아서 될 거를··

범수　어련히? 남자가 여자를 좋아할 땐 일곱 살 난 아이와 같은 거예요. '어련히' 같은 느긋한 여유가 일곱 살 난 아이에겐 존재하지 않는다고.

진주　~~우쭈쭈~~

범수　~~우쭈쭈~~가 왜 나와!

페이드아웃···· 디졸브····

2.　은정의 집 거실 / 밤.

효봉　그러니까·· 고백을 했는데 100분 토론을 했어··?

둘러앉아 맥주를 마시고 있는 그녀들과 효봉.

진주　100분 쫌 넘었어. 뜻깊은 시간이었어.

은정　관계가 아주 교양이 넘치네.

한주 둘이 드라마 말고 교양프로를 하지 그랬어.

효봉 그러고 하루 동안 연락 안 했어? 같이 일하는 사람끼리?

진주 대본 작업은 혼자 해.

은정 그래서 뜻깊은 토론의 결과는?

진주 보류.

효봉 보류… 아.. 그걸 나중으로 미루어 둘 수도 있는 거구나..

진주 얘기가 길어져서 배 꺼져가지고.. 근처에 감자탕 먹으러 갔어.

한주 아하..

진주 이어서 할라고 했는데 그 양반이 건강에 관심이 많잖아. 감자탕에 들어간 시래기의 효능으로 주제가 갑자기 바뀌었지. 시래기가 동맥경화증에 좋다대? 아무튼 그러다가 술이 좀 깨서 소주를 먹네 마네 하는데 (한 호흡에 급 짜증) 아씨 몰라!

벌떡 일어나 자신의 방으로 향하는 진주.

은정 앙탈 부린 거야?

진주 짜증 낸 거거든!

한주 짜증 내는데 왜 웃어?

진주 미친년 내가 뭘 웃어!

쾅— 방문을 닫고 들어가는 진주.

효봉 누나 귀여워~~ 근데 감독님 어디가 좋아~?

3. 플래시백 몽타주.

진주와 범수가 처음 만났던 장면들부터‥

- 1부 14씬.

하하하 재밌다는 듯 웃는 범수.

현관으로 향하다 돌아보는 진주의 시선과 마주치는 해맑은 범수.

- 2부 16씬.

귀 막고 안 들어~ 춯고 싫어~ 아아아앙~ 드립하고 있는 범수를 보곤 순간 풉— 웃음 터지는 진주.

- 4부 44씬.

기타 치며 노래 부르는 범수의 모습.

- 6부 23씬.

으헤호헤호하흐흐‥ 좋아하다가 진주의 경건한 눈빛에 다시금 자리로 돌아가 가만히 있는 범수.

- 7부 41씬.

키스하듯 다가오는 범수를 보곤 눈을 질끈 감는 진주.

등등의 장면에서… 국어책 읽듯 진주의 목소리

진주 (V.O) 같이 있으면 재밌어. 얄미운 짓을 해도 기분이 안 나빠. 지질한데 귀여워. 기타 잘 치고 노래 잘하고 요리 잘해. 식물 잘 키워. 향수 안 쓰는데 향기가 좋아. 대화가 잘 돼, 기분 나쁘게 잘 돼. 의외로 자상하고 예상대로 부지런해. 밥 먹고 양치 잘하고 화장실 가면 냉면 먹을 때 만두도 먹을 거냐고 꼭 물어봐 주고, 냉면은 국물까지 다 먹어. 내가 다 못 먹으면 내 것까지 먹어줘.
안 보이면 걱정돼. 밥은 먹었나, 또 술 먹나, 걱정하게 만드는 묘한 매력이… 아 썅.

4. 진주의 방 / 밤.

어두운 방 침대에 누워 있다가 벌떡 일어나는

진주 (V.O) 뭐가 이렇게 많아… 아 자존심 상해.

5. 은정의 집 거실 / 밤.

방문을 열고 나와 저벅저벅 주방으로 향하는 진주.
맥주 마시던 자세 그대로 진주 따라가는 은정, 한주, 효봉의 시선.

효봉 잠이 안 오겠지? 다 그래. 자요? 문자 보내고, 아직 안 자요~ 답장 오면, 왜 안 자요~ 또 보내고.

한주 동시에 왜 안 자요~ 똑같은 문사가 와서, 엇! 뭐라고 말할까~ 고민하다가 찌찌뽕~ 하고.

은정 자연스러운 거야. 당황할 거 없어.

진주, 대꾸도 없고 눈길도 안 주고 냉장고에서 맥주 한 캔 꺼내 다시 방으로.

6. 범수의 집 / 밤.

방울토마토 앞에 나란히 앉은 범수와 동기.

방울토마토 따먹으며 맥주를 마시고 있는데.. 서로 자기 얘기를 하고 있는.. 서로 상대방 얘긴 듣지 않는..

범수 일단 너무 초조해서 지르긴 했는데, 이게 처음부터 뜨겁게 달궈야 할 걸 억지로 미지근하게 온도를 낮춰버린 거라.. 지금 굉장히 난해한 상태가 됐어.

동기 다미가 너 좋아했던 건 알고 시작했으니까 억울할 건 없어. 근데 왜 내 앞에서 핸드폰만 볼까?

범수 일에 영향을 주지 않기 위해서 의식하는 것 자체가 의식이 될 테고..

동기 다미 걔 단톡방이 한 오만 개 되는 거 같아.

범수 아니 그렇다고 구 남친이 앞에서 데려다주니 어쩌니 드립을 치는데 어떻게 가만있냐고. 그게 또 왜 내 후배야… 인생 참…

동기　그렇게 톡하는 애가 내 까톡에 1 지워지는 건 반나절이 걸려.

범수　아… 내가 말해놓고도 보류가 뭐냐고 보류가…

동기　아는 오빠들은 어찌나 많은지 그 오빠들한테도 그럴까?

범수　일단 우리 감정이 우리 일에 영향을 끼치지 않는다는 걸 증명해야 돼. 그래서 최대한 보류 기간을 줄이는 거야.

동기　너가 톡하면 바로 1 없어질걸? 야 다미한테 톡 하나 보내 봐.

범수　응? 뭐? 내 얘기 안 들었어?

동기　내 얘기 안 들었어?

범수　야 내 얘기를 듣고 니 얘기를 시작하라고.

동기　시작을 내가 먼저 한 거 같은데?

범수　근데 너 언제 왔냐?

동기　되게 어려운 질문인데?

후… 그저 한숨이나 쉬고… 방울토마토나 따먹는 두 남자.

7.　실내포차 / 밤.

친구들 열댓 명 무리 속에 재훈의 모습. (7부 8씬의 대학 동창들)

별로 말이 없지만 딱히 어둡지도 않은 재훈.

그냥저냥의 수다들이 이어지고 그냥저냥의 분위기 무르익고… 간간이 한 두 마디 얹어 대화에 섞이는 재훈.

그때 늦게 도착한 친구1을 반갑게 맞는 친구들과 재훈.

눈치 없는 캐릭터인 친구1은 바쁘게 맥주를 따라 마시곤 대뜸

친구1 (재훈에게) 야 하윤이는? 같이 안 왔어?

순간 정적. 어색하게 웃는 재훈.
슬쩍 눈치 주는 친구들. 뭐지? 모르겠으나 분위기 파악한 척 입 닫는 친구1.. 이었으나 뭔지 알겠다는 듯 반갑게

친구1 아 헤어졌어? ..맞지? 그런가 보네.

병신이라 쓰인 다수의 눈빛을 한 몸에 받는 친구1.
병신답게 뿌듯.

친구1 헤어졌다고 안 나와? (재훈) 넌 왜 나와?
친구2 약속 있대. 약속. (안주 가리키며) 먹어.. 먹고 입 좀 다물어.
친구1 입 다물고 어떻게 먹어? 야 난 헤어지면 설레던데? 그게 끝이 아니라 시작이잖아. 이번엔 어떤 사람을 만나게 될까~ 하면서 설레던데. (재훈에게) 넌 안 그래?
친구2 너만 그래 이 새끼야! 너만!
친구1 나 잘못했어?
재훈 (되레 웃음) 그러네… 맞네.. 설레는 거네..
친구1 여봐 좋아하잖아. 괜히 그래.
친구2 괜히 가라 그냥.. 가 새끼야..

8. 거리 / 밤.

한적한 밤거리. 비틀비틀 쓸쓸한 재훈의 걸음.
그리고 곧 문자. 핸드폰 확인하면 '한주 실장님'
왠지 모르게 반가운.

'재훈 씨. 나 정말 재밌는 거 말해줄 게 있어요.
정말 비밀이지만 난 말할 거야. 내일 해줄게요~ 꺄르르~'

기분 좋은 미소가 번지는 재훈, 답장을 보낸다.

재훈: '고마워요'

한주: '응? 뭐가?'

재훈: '비밀 말해주구.. 비밀 들어주구..'

한주: '재훈 씨가 좋은 사람이니까 그게 되네'

재훈: '개새끼라던데…'

한주: '하윤 씨가?'

한주: '음……'

한주: '착한 개새끼….'

한주: '어머나 미안해요'

재훈: 'ㅋㅋㅋㅋㅋㅋㅋㅋㅋㅋㅋㅋㅋ'

재훈: '울적했는데 고마워요 길에서 혼자 웃었어요'

한주: '아 술 마셨구나'

재훈: '네 들어가는 길'

한주: '울적하지 마요. 들어가서도 울적하면 톡해요'

한주: '내일 말해줄 비밀 오늘 해줄게'

재훈: '왠지 할 것 같음'

한주: '기다려줄게'

재훈 (기분 좋은 미소) 빨리 들어가야겠네··

9. 재훈의 집 / 밤.

어두운 집으로 들어오는 재훈. 다른 신발이 발에 걸린다. 보면, 여자의 하이힐. 예측 가능한 예감에 욕실을 보니 불빛이 새 나오고. 물소리도 들린다. 이내 물소리가 멈추고·· 욕실에서 나오는 하윤.

취한 모양새. 재훈을 보고 아무렇지 않게 웃어 보인다.

하윤 (식탁에 앉으며) 반갑지?

재훈 ····취했네.

하윤 안 취했어. 멀쩡해. 나 와서 싫어? 갈까?

재훈 그게 좋지 않을까?

하윤 싫어. 다 지 맘이야··

재훈 (반응할 기운도 없고·· 신발을 벗고 들어가 외투를 벗고··)

하윤 여자 생겼어?

재훈 ·····

하윤 그때 그 여자? 회사에? ···말 못 하네? 맞네.

애 엄마잖아? 괜찮아?

재훈 취했어. 그만 가.

하윤 안 취했다니까. 나 자고 갈래.

재훈 아니.

하윤 아 몰라! 졸려.

침대로 가 엎어지는 하윤.

물을 마시다 멀거니 그런 하윤을 내려다보는 재훈.

Cut To

욕실에서 씻고 나온 재훈.

침대에 그대로 잠든 하윤이 보인다.

갈 곳이 마땅치 않은. 바닥에 앉아 침대에 등을 기댄다.

핸드폰을 열어보고.. 잠시 생각하다가 그냥 내려놓는다.

한숨. 그대로 돌아보면, 하윤의 발이 보인다.

새 구두를 신은 건지 뒤꿈치가 까진…

멀거니.. 바라보다.. 약통을 가져오는 재훈.

하윤의 발뒤꿈치 상처에 연고를 발라주고.. 반창고를 붙여 주고.. 한숨.

10. 혜정의 작업실 / 낮.

미영과 사랑과 수희를 나란히 앉혀 놓고 선 혜정.

중대 발표를 하려는 모양새.

혜정 너희들에게 의견을 물어볼 일이 생겼어.
강요는 아니니까 편하게 생각해.
진주가 보조 작가를 구하는데 여의치 않은 모양이더군.

늘 그렇듯 아무 생각 없는 기계적 시선을 혜정에게 고정하고 있는 셋.

혜정 너희들 중 한 명이 도와줬으면 한다는 제안이 들어왔어.
아, 제안 아니고 부탁. 물론 가기 싫은 너희들 맘은 알아.
여기서 배우고, 시청률 높은 드라마에 크레딧 올리고,
무엇보다 내 보조 작가였다는 그 경력이 비싼 거니까.
싫다는데 억지로 보낼 생각 없어. 난 전달했으니까 내 할 일은 한 거고, 결정은 너희들이 해.

표정 없던 셋. 먼저 미영이 거수한다.

미영 저는 가기 싫습니다.
혜정 알아.
미영 하지만 함께 일했던 동료에 대한 의리도 생각지 않을 수 없고. 작가님의 따뜻한 배려의 마음을 식어버리게 둘 순 없어 누군가… 희생해야 한다고 생각합니다. 언니인 제가 가겠습니다.
혜정 굳이 그럴 필요 없어.
사랑 (거수) 미영 언니는 작가님께 꼭 필요한 사람입니다. 경력도 가장 오래되고 작가님의 글과 가장 흡사한 톤의 글쓰기를 하기 때문에 편성이 얼마 남지 않은 지금 시점에 빠진다는 건 작가님 작품에 적지 않은 누가 된다고 생각합니다. 제가 희생하겠습니다.

수희 (거수) 그렇게 따진다면 막내인 제가 가야 하는 것이 맞습니다.

미영 넌 아직 경력이 짧아. 가도 별 도움이 안 된다고.

사랑 그래 내가 딱 적당한 거네. 내가 갈게.

혜정 안 가도 된다니까. 됐어. 분란 만들지 말고..

미영 야 너네 왜 이렇게 언니 말을 안 들어?!

사랑 요즘에 누가 빠른 생일로 언니라 그래?!

수희 언니들끼리 싸우는 거 보기 싫어! 내가 갈게!

미영 넌 조용해라. 막내가 낄끼빠빠를 몰라.

아수라장.

수희 그걸 아니까 낄 때 잘못 껴서 빠질 때 빠질라 그러지!

사랑 너 여기에 잘못 꼈다는 말이야 그거?
작가님 앞에서 그게 할 말이야?!!

미영 너 일부러 작가님 앞에서 싸가지 없는 척한 거지?!

사랑 (!!!) 작가님! 제가 더 싸가지 없어요! 제가 가겠습니다!

혜정 야 안 가도 된다고!

미영 아 갈 거에욧!

혜정 ....

사랑　　아 안 돼. 갈라. 갈라 그럼!

미영　　아 씨.. 갈라! 단판!

뜻하지 않게 세 여자의 가위바위보를 관람하게 되는 혜정.

11.　진주의 작업실 / 낮.

현관문이 열리고..

전쟁에서 돌아온 주인을 맞는 대형견 마냥 달려드는..

수희　　언~니~!!!

12.　제이비씨 구내식당 / 낮.

범수, 환동, 인종, 동기, 식사 중.

마주 앉은 범수와 환동, 눈이 마주칠 듯하면 피하고 뭔가 어색. 그 기운이 느껴져서 인종, 동기도 어색..

하지만 은근 재밌어하는, 멀리서 그들을 보고 있는 다미 역시 흥미로운 기색.

범수와 환동, 후딱 남은 밥을 입에 넣고 일어나려는데, 동시에 일어나게 되는 게 어색해 다시 앉음..

그게 또 동시에 앉아서 뭔가 더 이상한..

눈치 게임하듯 먼저 벌떡 일어서는 범수.

인종 바쁜가 봐?

범수 캐스팅 회의요. (빠른 걸음으로 멀어지고)

인종 너도 바쁘면 먼저 가.

환동 저는 괜찮습니다.

동기 갑자기 괜찮아졌나 봐?

환동 원래 괜찮았습니다.

동기 그래… 안 그래 보이지만… 그래.

인종, 아무 말 안 할 것처럼 먹는 데 집중하다 대뜸,

인종 야, 헤어진 지 2년이 넘었는데, 그 정도면 깔끔하게 제로의 감정으로 가야지. 그게 맞는 거 아니야?

환동 (당황) 그런 거 아닙니다!

인종 (여유) 동기 얘기하는 거야.

동기 (여유) 내 얘기야. 나 2년 만에 연애하잖아.

인종 왜? 너 뭔 일 있어? 왜 이렇게 뭔 일이 있어 보이는 거야?

환동 (젠장) 아… 아닙니다. 일어나겠습니다.

멀리서 그들을 지켜보고 있는 다미.

다미 터가 안 좋아… 터가.

13. 제이비씨 복도 / 낮.

심란하게 혼자 걸어가고 있던 환동.

뒤에서 빠른 길음으로 다가오는 다미.

다짜고짜 환동의 어깨에 팔을 두르고 걸으며 귓속말하듯

다미 내가 정말 이거 완전 비밀인데, 말해줄게요.

환동 (되레 듣기 싫은) 완전 비밀을 왜 말해요.

다미 비밀은 누설되라고 있는 거니까?

환동 감추라고 있는 게 아니고?

다미 그럼 그냥 고급정보라고 표현하는 게 좋겠어요.

환동 뭔 말이에요?

다미 아 그냥 들어. 내가 어제 우리 동기 씨 탈탈 털었잖아…
나 정말 사람 터는 거 전문이거든…

멀리서.. 두 사람의 뒷모습을 노려보고 있는 질투 어린 눈빛의 동기.

14. 제이비씨 드라마국 / 낮.

근무자가 별로 없는 사무실. 세 남자가 각자의 자리에 앉아있다. 질투의 눈빛 그대로 환동을 노려보고 있는 동기.

소리 없는 한숨을 내쉬며 생각에 잠긴 환동.

그러다 옆쪽의 범수를 돌아보면, 모니터에 집중한 채 타이핑 중인 범수. 그러다 범수의 뒤쪽에 자신을 노려보고 있는 동기와 눈이 마주치는 환동.
그러거나 말거나 신경 안 쓰임. 다시 고개 원 위치.
그 타이밍과 동시에 타이핑에 집중인 줄 알았던 범수의 시선이 환동에게. 다시 환동이 돌아볼 타이밍에 그냥 일어서 나가는 범수.
범수가 지나가고 다시 동기와 눈이 마주치는 환동.
그러거나 말거나 신경 안 쓰임. 다시 고개 원 위치.

15. 민준의 집 / 낮.

소파에 편히 앉아 대본을 읽고 있는 민준.

소민 (V.O) 주인공으로 들어온 대본인데 한번 읽어 보고 말해 줘.

킥킥 대며 읽던 민준, 자세를 고쳐 잡고 앉아 집중해서 읽기 시작하더니만 고민할 것도 없다는 듯 핸드폰을 집어 들고 일어선다.

민준 (소민에게 전화) 어, 나 대본 읽었어. 회의 좀 하자.
내가 회사로 갈게.

소민 (V.O) 너네 회사 우리 회사?

민준 너네 회사.

16. 소민의 집 / 낮.

전화를 끊는 소민. 병삼의 카메라 앞 소파에 나란히 앉아 있는 소민과 은정. 인터뷰 중이었던 듯.

소민 민준이가 오래.

은정 응? 집으로?

순간 말실수. 동시에 병삼의 눈치를 보는 은정과 소민. '왜?'라는 눈빛의 병삼에겐 이유 모를 아주 잠깐의 정적‥ 두 여자 아무렇지 않게

소민 회사. 뭐 할 말 있나‥

은정 그래. 그럼 오늘은 주변에 인터뷰해 줄 수 있는 사람들 연락처 좀 줄 수 있어? 같이 일 많이 한 감독이면 좋구.

소민 야감독이 젤 많이 하긴 했는데‥ 싫잖아?

은정 아니 전혀. 나한테 욕먹었는데 그쪽이 싫겠지.

소민 그럼 내가 연락해볼게.

은정 그래줄래?

17. 진주의 작업실 앞 / 낮.

한주와 재훈, 커피 캐리어를 들고 진주의 작업실로 향하고 있다. 재훈의 입가에 피식 피식— 재밌는 웃음이 샌다.

한주　완전한 비밀. 티 내지 말고.

재훈　그럼요. 우린 근무 중일 뿐이니까, 티 내지 말기.

건물로 들어설 무렵, 코너에 우두커니 서있는 범수 발견.

한주　응? 쉿쉿.

재훈　엇? 감독님?

범수　아, 네. 지금 오세요?

한주　왜 여기 계세요?

범수　아, 금방 오실 것 같아서. 같이 올라갈라고.

한주　네? 왜요?

범수　네? 왜요라뇨?

한주　??

범수　가시죠. (손으로 친절히 안내하며) 앞장서 가시죠.

재훈　아… 네..

앞장서 가는 한주와 재훈.

재훈　(한주에게 복화술) 감독님이 티를 내는 거 같은데요?

한주　쉿.

18.　진주의 작업실 / 낮.

약간 어색한 듯 눈이 마주치는 진주, 범수. 슬쩍 피하고.

넓은 화면으로 보면, 회의 대형으로 모여 앉은 진주, 범수, 한주, 재훈, 수희. 테이블 위엔 배우 리스트. 이젠 자신이 더 어색해하는

범수　아… 그… 캐디가 여기로 오기로 했으니까‥
아‥ 지각 잘 안 하는데‥

한주　네, 오면 시작하시죠.

정적‥ 어색해서

범수　그‥ 캐디가 연기자 출신이라 일을 잘해.
아, 아이돌도 했었다! 90년대에 고구려라고 알아?

재훈　고구려? 연개소문 고구려?

범수　응! 맞아! 그룹 이름이 고구려였는데, 그중에 연개소문을 맡았었지. 아하하‥ 찾아보면 되게 재밌는데‥ 음‥ 그냥‥ 그렇다고‥ (어색) 음‥ 아 맞다! 휴 그랜트 닮았어! 하하하‥

다시 어색해질 때쯤‥ 딩동—

범수　왔나 보다!

반갑게 뛰어나가는 범수.
현관에서부터 하하 인사하며 들어오는 해맑은 휴 그랜트… 전혀 안 닮은

캐디 안녕하세요~ 아으~ 제가 늦었죠? 아으~ 죄송합니다. 아으~

어색하게 인사하는 진주와 한주의 복화술.

진주 어디가 휴 그랜트야?

한주 그냥 휴…

19. 소민의 회사 소 대표의 사무실 / 낮.

회의 대형으로 모여 앉은 소 대표, 민준, 소민.

테이블에 놓인 '서른 되면 괜찮아져요' 대본.

민준 대본 좋아. 캐릭터가 재밌어서 메가 히트까지는 몰라도 화제성은 좋을 거 같고, 무엇보다 배우가 돋보일 것 같아. 무조건 잡았으면 좋겠는데.

소 대표 그치. 민준이가 대본 잘 봐.

민준 내가 잘 보니까 제발 이번엔 내 말대로 하자고요.

소 대표 뭐?

민준 솔직히 말해 봐요. 주인공 역할로 들어온 거 맞아요?

소 대표 (소민 눈치) 소민이가 하고 싶으면 하는 거지.

민준 아니 솔직히 말해 봐요. 시간 없어.

소 대표 소민이가 하고 싶으면 감독한테 말해서 감독이 오케이 하면 하는 거지.

소민 말이 비슷한 듯 길어지면서 되게 달라지네?

소 대표 그건 내 문제가 아니고 이 바닥 생리가 그래.

소민 뭔 소리야?

20. 진주의 작업실 / 낮.

캐디 이소민이라면 지금 결정할 필요는 없죠.
감독님 생각이 젤 중요하긴 하지만 아직 배우들이 많아서..

범수 정소연 건으로 만났다가 추천해서 연기 영상은 찾아봤는데.. 연기가 나쁘진 않던데? 그렇다고 해도 뭐..
나도 아직 이소민을 결정할 땐 아닌 거 같아요.

한주 저도 동의합니다. 대학 동기라 미안하긴 하지만..
이소민이 주인공으로 들어오면 조연 캐릭터에 쎈 배우들이 붙기 힘들기 때문에 현실적인 생각을 안 할 수가 없네요.

진주 뭐.. 난.. 주연이 말고. 신애 역할에 더 어울리지 않아?

재훈 저도 그 생각 했어요. 완전 이미지 캐스팅인데.

캐디 주인공 친구 역할 주기엔 애매한 급이라 그쪽에서 거절할 거예요, 아마.

21. 소민의 회사 소 대표의 사무실 / 낮.

민준 거절하지 말라고. 어차피 그쪽 절대로 주인공으로 안 줘.

백퍼.

소 대표	야 내가 다 발라놨다니까.
민준	그러니까 자꾸 안 되죠. 바르고 다니지 좀 마요. 싼 티 나게.
소 대표	너 말 그렇게 하면 내가 되게 서운해할 줄 알지? 안 서운해. 싼 티 전략으로 20년 버텼어. 이 바닥에서 그게 어디 쉬운 일이야?
민준	소민아 내 말 한 번만 듣자. 내가 알아봤는데, 그 역할 천이슬한테 들어갔고, 천이슬이 되게 재밌어한대. 걔 지금 로코 하나 할 타이밍이고, 아마 걔가 하겠다고 할 거야. 그럼 그쪽에서 누구랑 하겠니? 천이슬하고 할 거야.
소 대표	야 소민이 자존심 상하게 왜 이렇게 솔직해! 너무 정확하잖아!
소민	대표님이 더 기분 나빠. (민준에게) 말해.

22. 진주의 작업실 / 낮.

진주	아니 솔직히 친구 역할이 훨씬 캐릭터 좋고 후킹도 있는데.
캐디	누가 봐도 그렇긴 한데요. 매니지먼트나 배우 입장은 이게 또 달라서..
범수	누구 다음으로 들어가느냐에 자존심 문제도 있고..
한주	주연하다 조연한다는 게 쉬운 결정은 아니지.
재훈	아깝다.. 저도 이 역할이 훨씬 매력 있고 어울릴 거 같은데.. 더군다나 감독님이 연출하시면..

23. 소민의 회사 소 대표의 사무실 / 낮.

민준 손범수 감독이 올드한 거 많이 했지만 재밌는 캐릭터는 안 놓쳐. 잘 한다고. 이 캐릭터는 확실히 잘 만들 거고, 무엇보다 너가 정말 잘 할 거야. 이거 그냥 너야. 연기도 필요 없어.

소민 뭐야 이거 좀 깬 캐릭턴데.

민준 너 깨. 충분히 깨.

소민 그래?

민준 응. 날 믿어, 넌 깨.

소 대표 그래 깨긴 깨지.

소민 (민준에게와는 다르게.. 이 썅...)

소 대표 왜 나한테만 그래? 근데.. 이 역할이야 우리가 한다, 그럼 그쪽에서 거절은 안 하겠지만.. 너 이거 잘못되면 다음부터 주인공 못 한다. 이 바닥 한 번 떨어지면 다신 못 올라와.

민준 소민아 미안하지만.. 너 조금 떨어졌어. 그리고 이 작품이.. 다시 올라올 기회가 될 수 있을 것 같아.
그저 주인공 말고 좋은 작품 좋은 캐릭터를 하자고.
나 한 번 믿고 가자.

소민 .....

소 대표 이 바닥이 그렇게 호락호락하지 않아.. 이 바닥이

민준 (말 끊으며) 아 거 자꾸 바닥 타령이야. 바닥에 내팽개쳐 버릴까 보다. 내 말대로 하세요.

소 대표 야 내가 대표야! 너 그리고 왜 여기 와서 열심히 일해?

너네 회사 가서 해!

민준 (일어서며) 가자.

소민 (따라 일어서며) 민준이 말대로 해주세요.
근데 며칠만 있다가 연락해요, 자존심 상하니까.

외롭게 혼자 남은 소 대표.
쓸쓸하게 아무 곳에나 시선을 두다가..

소 대표 (일어서며) 너네가 아무리 그래봐라 내가 외롭나..
이 바닥에서 외로움과 20년 싸웠어.

24. 소민의 회사 / 낮.

소 대표, 사무실 문을 열고 여직원에게

소 대표 선희야! 여기 시원한 사이다 하나 갖다 줘!

선희 바빠요!

문을 닫았던 소 대표,
바로 문을 열고 나와 탕비실 냉장고에 사이다를 꺼내 마신다.

25. 진주의 작업실 / 낮.

긴 회의 끝 마른 세수를 하거나 기지개를 켜는 진주, 범수,

한주, 재훈, 수희. 배우 리스트 등 짐을 정리하는

캐디　그럼 이소민 쪽은 홀드하고, 천이슬 답변 기다려보는 걸로 하고요. 나머지 배우들은 이번 주 내로 접촉해보고 바로 연락드리겠습니다.

범수　네, 정리 되는 대로 바로.

캐디　네, 들어가 보겠습니다.

재훈　수고하셨습니다.

한주　고생하셨어요.

캐디 퇴장.

한주　잠깐 쉬었다가 대본 회의할까요?

진주　네~

범수　그럽시다.

재훈　(일어서며) 제가 간식거리 좀 사 올게요.

한주　(일어서며) 같이 가요. 배고프다.

범수　배 안 고픈데요!

진주　시간 없습니다! 바로 하시죠, 대본 회의.

슬쩍 눈치를 주고받고 다시 자리에 앉는 재훈과 한주.

디졸브. 시간의 흐름.

회의를 이어가고 있는 진주, 범수, 한주, 재훈, 수희.

디졸브. 시간의 흐름. 다른 날. 대본 회의, 대본 작업 몽타주.
대본 회의 중인 진주, 범수, 수희.

진주 (V.O) 사랑도 보류가 되나요? 어디서 들어본 영화제목 같은 상황인데.. 크게 문제가 없다. 오히려 일과 서로의 감정, 어느 쪽도 소홀하지 않게 존중받고 있다 느껴지는 이 기분이 나쁘지 않다.
가끔 애틋한 기분에서 눈이 마주쳤을 때 서둘러 시선을 피하긴 하고. 여느 때보다 냉정하고 주의 깊게 회의에 임하는 모습을 볼 때면, 되레 의식하고 있음을 느끼지만..
우린 또다시 암묵적 동의하에 그 의식했음을 묵인한다.
사랑도.. 보류가 된다.

26. 제이비씨 드라마국 / 낮.

할 일도 없는지 계속해서 환동만 갈구고 있는 동기.
환동의 뒷모습. 아무것도 하지 않고 있는. 정지화면 같은.
어떤 다짐을 끝내고 환동에게 저벅저벅 걸어가는 동기.
잠시 내려보다가

동기 (쓸데없이 다부진 의지로) 넌 많은 것을 가진 사람이다.
잘생겼고 똑똑하고 미래가 유망하다. 무엇보다 젊다.
아무 감정 없던 이성과의 단순한 접촉에도 자칫 내면의 숨어있던 욕망이 이 이성을 끌어들여도 되는 것이라 착각을 일으키기 쉬운 나이란 것이다. 조직 사회에서 그 착각은 사고를 일으키기 쉽다. 우린 그것을 미연에 방지해야 할 의무를 가지고 생활해야 한다. 다신… 다미의 스킨십에 니 몸을 가만히 두지 마라. 피하란 말이다.

환동 ………

동기 내 말 들리지 않는가?!

환동의 어깨를 거칠게 잡아 돌리는 동기.
순간, 너무나 고요하고 아련하며 슬픈 눈과 마주친다.

동기 (헉!! 뭐지… 이 아름다움은…)

환동 나는… 참 못난 사람입니다…

동기 가… 갑자기 무슨 말이야?

환동 (갑자기 촉촉해진 눈빛)

동기 뭐… 뭐야? 왜 아련해지는 거야? 뭐야?

환동 (일어나 동기의 양 어깨를 위로하듯 잡아주며)
선배님은 사랑하면서 겪는 지금의 문제를 바로잡을 수 있습니다. 단 그 사람을 수정하는 것이 아니라 선배님을 수정해야 가능합니다. 늦으면 후회만 남고… 절대… 되돌릴 수 없습니다. 빨리 깨닫는 것이… 핵심입니다.

뭔 말인지 모르겠는 동기.
그저 모르겠는 동기를 지나쳐 나가는 환동.

27. **제이비씨 구내식당 앞 복도 / 낮.**

아주 그냥 다부진 표정으로 식당으로 향하는 동기.

동기 그래. 해결하자. 빨리 깨닫는 것이 핵심이다!
혼구녕을 내줘야 돼!

28. **제이비씨 구내식당 내 다미의 사무실 안 / 낮.**

책상에 앉아 업무 중인 다미. 아주 일상적인.
문 앞에 우두커니 선 동기. 아주 작심한 듯.

동기 만나면 나랑 마주 보는 시간보다 핸드폰이랑 마주 보는 시간이 더 많아 너는.

다미 거북목 걱정해주는 거야? 고맙네~

동기 그 말이 아니잖아! 연락하는 친구들 보면 남자들이 왜 그렇게 많아? 이 오빠는 이렇고 저 오빠는 저렇고, 나한테 그런 말 안 해줘도 되거든? 환동이도 그래, 아무리 친해도 친구는 아니잖아, 오빠잖아. 왜 그렇게 스킨십이 자연스러워?

다미 나 아직 한창 오빠들 좋아할 나이잖아.

동기 나 아직 한창 여동생들 좋아할 나이야. 라고 말하면 기분 좋아?

다미 나쁠 건 없어. 그 여동생들이랑 뭐 이상한 짓 할 거야?

동기 이상한 짓이 뭔데?

다미 부비부비.

동기 아니.

다미 그러니까. 근데… 감독님이 한창 여동생들 좋아할 나이는 아니지. 주책 부리고 싶어?

동기 그러면 주책이야?

다미 응. 딱 질색이야.

동기 안 할게.

다미 응.

동기 너도 한창 오빠들 좋아할 나이 아니야. 주책이야. 딱 질색이야.

다미 딱 질색인 사람을 왜 만나? 헤어져야겠네.

동기 (!! 정확하게 꺾이는) 아니.

다미 질색이라며?

동기 아니야 그냥 해본 말이야.

다미 사과해.

동기 미안해.

다미 응. 받아줄게.

동기 응. 고마워.

다미 가봐. 근무시간에 이러지 말라니까.

동기 응 맞아, 니말이. 고마워. 수고해.

너무나 일상적인 톤을 끝까지 유지하는 다미.

끄덕끄덕하며 미련 없이 돌아서는 동기.

29. 제이비씨 구내식당 앞 복도 / 낮.

홀가분한 표정으로 뛰뛰며 돌아가는

동기 하.. 다행이야.. 큰일 날 뻔했어.

같은 사이즈에서 고속.

동기 (V.O) 해결한 거야. 이해하려 하지 말고, 이해하고 말 것도 없이 그대로 인정. 그대로 끝. 말도 꺼내지 마. 그럼 아무 일도 벌어지지 않아. 하.. 다행이야. 빨리 깨달았어.. 아하하하하.

30. 제이비씨 앞 벤치 / 낮.

혼자 멍하니 앉아 스크류바를 빨고 있는 환동.
그러다 문득 스크류바를 내려다본다.

환동 나도 사실은.. 골라 먹는 거 좋아했다.
자기가 먹자고 해놓고선..

짧은 한숨 후 진주에게 전화한다.

환동 어.. 나야. 준비는 잘 돼가?
진주 (F) 음. 그냥 열심히 쓰고 있어. 왜?

환동 오늘 저녁 시간 있니?

진주 (F) 음.. 시간은 되는데.. 무슨 일 있어?

환동 그냥.. 괜찮으면 그냥.. 밥 한 끼 같이 먹고 싶어서.
어.. 할 말도 있고.

진주 (F) 음… 그래 그럼.

환동 그래 고마워. 그럼 내가 식당 보내줄게. 응…… 그래.

31. 학원가 거리 / 낮.

통화를 마친 진주. 지영과 함께 팔짱 끼고 걷는 중.

지영 뭐야? 뭐래?

진주 밥 먹재.

지영 어머, 어머, 어머, 웬일이야.

진주 뭘 웬일이야, 그런 거 아니야. 난 이제 얘랑 일 쪽으로 말곤 감정 없어.

지영 그게 가능해?

진주 아주 가능해. 열심히 일하다 보면 잡생각 없어지고, 어렸을 땐 안 될 것 같던 일도 지금은 돼. 그래서 지금 내가 좋아, 난.

지영 그래. 나도 언니 같고 싶다. 그러니까 고작 서른이란 나이에 드라마 작가로 등극하시지.

진주 너도 고작 스물여섯의 나이로 경찰에 등극할 수 있잖아.

지영 부담 주는 거야?

진주 응.

지영 그러지 마. 공시생한테 그러는 거 아니야. 힘들어.

진주 싫어. 엄빠가 너한테 들인 물리적 심적 공을 생각해 봐. 얼마나 대단한 걸 받고 있는데 부담은 안 받으려고 해? 부담 가져 제발.

지영 언니가 돈 대주는 것도 아니잖아!

진주 그러니까 내가 말하지. 엄마가 말하디?

지영 아 씨··

진주 그 와중에 정환이는 잘 만나고?

32. 파스타 집 / 낮.

이것저것 시킨 메뉴를 가운데 놓고 먹는 둘.

지영 아 몰라 짜증 나.

진주 왜?

지영 자꾸 걸어. 걷는 게 좋다고 자꾸 걸어. 매일이 국토 대장정이야.

진주 돈 없어서 그럴걸?

지영 아·· 그래?

진주 가난한 공시생들 밥도 서서 먹는데. 너도 그러잖아.

지영 후··· 돈은·· 언제까지 없는 거야?

진주 돈은·· 계속 없는 거야.

지영 응?

진주　　지금은 공부하니까 없는 거야. 그러다 다행히 합격했어. 공무원 했어. 안정적으로 월급 들어와. 그럼 결혼하겠지? 집 구해야지. 그게 니 집이야? 은행 집이야.

그럼 또 없는 거야. 그래도 성실하게 한 20년 죽어라 일해서 갚아. 근데 애도 있을 거 아니야? 그럼 또 애들이 대학 간대. 또 없는 거야. 착실하게 또 일해서 공부 시켰어. 그럼 이제 은퇴할 나이네? 또 없는 거야.

지영　　와아.. 인생이 그냥.. 뭐 없는 거야네?

진주　　그나마 이게 성공 사례야. 널리고 널린 진짜 비극을 말해 줘?

지영　　아 됐어.

33.　운동화 매장 / 낮.

이 신발 저 신발 둘러보는 진주와 지영.

신발을 골라 지영에게 신겨보는 진주.

진주　　이거 예쁘다. 어때?

지영　　예뻐. 와.. 언니가 돈 버니까 좋다. 나 그냥 일 안 하고 언니랑 살면 안 돼?

진주　　나 버틸 자신 있어?

지영　　없어. 공부 열심히 해야지.

진주　　정환이는 사이즈 몇이야?

지영　　75. 왜? 아 됐어. 뭘 개 거까지 사?

진주　　사줄 때 사. 같이 열심히 공부하고 같이 열심히 걸어야지.

지영　　아… 짠하네. 이 가난이 싫다.

34.　거리 / 낮.

새 신발이 들어있는 종이가방 두 개 들고 있는 지영.
함께 걷는 진주.

진주　　힘들면 잠깐 헤어지든가.

지영　　엥?

진주　　보류하는 거지. 지금은 가난하니까.

지영　　이게 보류가 되는 거라고?

진주　　안 될 거 뭐 있어?

지영　　어이구 여유 있네. 사치 부리지 마, 나이 든 주제에. 우리한테 남은 시간이 얼마나 된다고. 길어야 70년 아니야?

진주　　……

지영　　안 되겠다, 나, 갈게. 가서 뽀뽀라도 한 번 더해야겠어.

진주　　뭐? 어디?

지영　　정환이랑 뽀뽀하러 간다고.

언니 빠이빠이~ 하고 멀어지는 지영.

진주　　…. 뽀뽀만 해~

가만히 지영의 뒷모습을 바라보며 생각에 잠기는 진주.

35. 학원가 편의점 앞 / 낮.

편의점 파라솔 의자에 정환을 앉혀 놓고 새 신발 끈을 묶어주는 지영. 툭— 툭— 다리를 쳐주곤

지영 아이구.. 다리는 튼실하네.

정환 아.. 누나도 참.. 뭘 이런 걸..

일어나서 살짝 걸어보는 정환. 기분 좋음.

지영 야. 우리 그래도 사랑하자.

정환 응?

정환을 한 번 꾹 안아주는 지영.

정환 왜 이래?

지영 자 가자. 걷자.

정환 어디.

지영 걷자고. 손잡아.

손잡고 걷는 두 사람의 뒷모습.

정환 …응.

지영 아.. 좋다.

정환 ….나 오늘 안 들어가도 되는데.

지영 모텔비 있어?

정환 아니.

지영 걷자.

정환 응.

지영 음~ 이 미세먼지.

정환 마스크는 내가 살게.

지영 고마워. 사랑해.

정환 사랑해.

36. 은정의 편집실 / 낮.

피곤한 몸을 이끌고 들어오는 은정. 늘어지게 소파에 앉아 생각에 잠긴다.

37. 11부 마지막 씬 플래시백 / 낮.

일례 어머니와·· 무슨 일이 있었던 건가요?

은정 아니요·· 없어요. 경제적으로 힘들었던 때도 있었지만·· 문제없었어요. 우린 행복했어요. 제가 왜 이런 거죠?

일례 은정 씨가 가장 힘들 때 옆에 없었던 이유도 있을 수 있고·· 기대고 싶을 때 엄마도 힘들지 않을까 하는 걱정에 되레 엄마를 찾지 못할 만큼 사랑해서 일 수도 있고. 이유는 뭐든 상관없어요. 마음에 담긴 눈물은 병을 만들고 흘려보낸 눈물은 곧 증발해서 세상에 없는 것이 돼요. 지금 은정 씨는 자연스럽게 흘려보낸 거예요. 보내야 할 것을… 보낸 거죠. 아무것도 아니에요.

38. 은정의 편집실 / 낮.

옅은 한숨. 피곤한 기지개를 켜는 은정.

어느샌가 들어와 편집 프로그램을 만지고 있는 병삼.

은정 데이터 옮기게?

병삼 옮기고 순서 편집만 해놓게.

은정 그래. 뭐 먹을 것 좀 사다 줘?

병삼 아니. 쉬고 있어, 이거 시간 좀 걸려.

은정 (소파에 드러눕는) 응… 땡큐.

병삼 아 그리고 그 야 감독 인터뷰 해준다고 소민 씨 쪽에서 연락 왔어. 그래서 연락해 봤는데.

은정 그래?

병삼 어. 근데, 시간 없다고 이따 밤에 오라고.

은정 가지 뭐. 질문지 미리 뽑아놨어.

병삼 아… 근데 내가 오늘 우리 레아 생일이라…

은정 응. 알아. 내가 할게. 혼자 해도 돼.

병삼 고마워.

늘어지게 하품하는 은정. 무거운 눈꺼풀 서서히 감기고…

잠든다⋯

페이드아웃.

시간의 흐름⋯

모니터 화면의 불빛뿐인 편집실.

어디가 불편한지 잔뜩 좁혀진 미간이 풀리기도 전에 힘겹게 눈을 뜨는 은정. 모니터 앞에 앉아있는 병삼의 뒷모습을 보고

은정　아직이야?

소리에 의자를 돌려 앉는 이는 병삼이 아닌 홍대.

겨우 눈에 힘주어 홍대를 확인하는 은정.

홍대　잘 잤어?

은정　아니⋯ 나⋯ 몸이 좀 이상해⋯

홍대　왜? 어디 불편해?

은정　몸살인가⋯ 못 일어나겠어.

홍대　좀 더 누워있어. 괜찮아지겠지.

은정　나 좀 일으켜 줘⋯

홍대　누워있으라니까.

다시 뒤돌아 앉는 홍대. 힘겹기도 하고 짜증도 섞이는

은정　　일으켜달라고.

홍대　　(다시 돌아앉으며) 왜 명령이야?

은정　　…왜 그래?

홍대　　왜 짜증을 내냐고.

은정　　짜증이 아니라.. 좀 일으켜..

홍대　　(말 자르며) 그냥 누워있으라고! 왜? 어디 가게?
뭐 재밌는 일 있어? 그래서 이제 내가 필요 없어?

돌변하는 홍대의 모습에 당황하는

은정　　무슨 말이야.. 니가 왜 필요 없어..

홍대　　넌 나 안 보고 싶었어?

은정　　보고 싶었어.

홍대　　안 보고 싶은 거 같은데?

은정　　보고 싶어, 매일.

홍대　　그럼 봐야지. 왜 내가 없다고 그래?

은정　　….없으니까.

홍대　　나 여기 있어.

은정　　거기가 어딘데.

홍대　　나랑 같이 있기 싫어?

은정　　같이 있고 싶어.

홍대　　그럼 너도 죽으면 되겠네.

은정　　여기서.. 너 기억해 달라며.

홍대　　시발 그 말을 믿어?

은정　　홍대 씨··

아픈 한숨을 내쉬며 눈을 감는 은정.
가다듬고 다시 눈을 뜨면 어느새 코앞으로 다가온 홍대.
은정의 목을 조른다.

홍대　　죽으면 되잖아·· 안 그래?

숨이 막혀오지만 저항하지 않는 은정. 하염없이 슬픈 눈.

홍대　　(차가운) 죽어···

··옅은 신음을 내쉬며 끙끙대는 은정을 흔들어 깨우는 병삼.

병삼　　은정아. 은정아.
은정　　(눈을 뜨는) ····
병삼　　괜찮아?
은정　　응? 응··
병삼　　몸 안 좋으면 들어가 쉬어.
은정　　아니·· 괜찮아. 후··· 인터뷰 시간 몇 시였지?
병삼　　아직 여유 있어.

39. 거리 / 밤.

적당한 사람들로 붐비는 거리. 그 사이 표정 없는 은정.
문득 편도 2차선 거리 건너편을 돌아본다.
표정 없이 은정을 바라보며 걷고 있는 홍대가 보인다.
거리만큼 멀어 보이는 감정의 홍대.
먹먹하기도.. 원망스럽기도.. 기운 없이 바라보는 은정.
그때 툭— 취기 가득한 남자와 부딪혀 넘어지고 마는 은정.
잔뜩 취한 20대 남자 두 명이 넘어진 은정을 향해 욕한다.

20대 야 아줌마. 일어나. 사과해. 어서 일어나 사과해. 죽여 버리기 전에.

몸을 추스르며 건너편을 보는 은정. 헌데 홍대의 모습이 보이지 않는다. 그를 찾듯 추스름도 그만둔 채 급히 일어서 가려는 은정을 가로막는

20대 이럴 줄 알았어! 꼭 사과 안 하고 가!! 죽여 버린다고!! 내가!!!

은정 죄송합니다.

급히 사과하고 홍대를 찾으며 가려는 은정을 역시나 돌려세우는

20대 야!! 아줌마!! 사과가 어떻게 그래?!!! 사과는!!! 야 해봐.

정말 진심을 다해 눈물의 사죄를 올리는 20대 친구.

20대 이렇게!!! 이렇게 해야지!! 봤지? 똑같이 해. 죽여 버린다, 진짜!

은정 (보이지 않는 홍대를 찾으며) 놔 주세요. 비키라고!

20대 (은정을 넘어트리며) 이럴 줄 알았어!!! 내 말 안 들을 줄 알았어!! 세상이 그래!! 그래서 맞는 거야!!!

은정의 멱살을 잡고 따귀를 날리려는 20대. 순간, 퍽—
누군가의 발에 맞고 나뒹구는 20대.
보면, 대수롭지 않게 내려다보고 있는 상수.

상수 길 가로막고 개새끼야. 쯧‥

넘어진 채 상수를 확인하는 은정.
그런 은정을 볼 것도 없이 그냥 가던 길 가는 상수.
그에게 덤벼드는 20대 남자 두 명.
너무나 쉽게 한, 두 방에 제압해 쓰러트리는 상수.

상수 뭐? 뭐? (쓰러져 얼굴을 막는 20대들을 발로 차 한쪽으로 몰며) 벽에 붙어서 낑낑대. 길 가로막지 말고 개 샹‥

그런 상수를 멀거니 보던 은정, 건너편 길을 확인하지만 홍대는 보이지 않는다. 상수, 20대들을 벽으로 툭툭— 차

한 쪽으로 밀어놓고 갈 길 가려는데, 경찰 두 명이 그를 막고 서있다. 아무렇지 않은 척 멋있게 서있다가

상수 (뒤에 은정을 가리키며) 저 여인을 구해줬습니다.
제가 그랬습니다.

40. 레스토랑 / 밤.

고급 레스토랑. 안 가봐서 모르는 고급 레스토랑.
디너 코스 15만 원에서 25만 원 하는 안 가봐서 모르는 고급 레스토랑. 한쪽 테이블에 혼자 앉아있는 환동.
처음 와보는지 고급 식기와 커트러리 세트를 만져보고 주위를 둘러보는 등.
입구 쪽에서 직원의 안내를 받아 들어오는 진주. 환동을 찾는 것인지 역시나 익숙지 않음에 둘러보는 것인지. 아무튼 그러다 환동을 찾고. 자리에 합석.
어울리지 않는 듯한 분위기에 잠시 어색.. 서로 어색..

진주 뭐야? 불안하게.
환동 일단 침착하자. 와 본 거처럼.
진주 두리번거리지나 마.
환동 미안. 돈은 있어 걱정 마.

그때 직원이 다가와 들고 있던 와인을 보인다.

직원 미리 준비하신 와인 오픈하겠습니다.

환동 네.

아무 말 없이 와인 오픈하는 직원을 보고 있는 진주와 환동.
마냥 기다리다…

직원 테이스팅 해드릴까요?

환동 그냥 주세요.

두 손으로 받으려다 아차 싶어 잔을 내려놓는 환동.
직원이 두 사람에게 와인을 따라 줄 때까지 또 아무 말 없는 두 사람.

직원 음식 바로 준비하겠습니다.

환동 네.

진주 근데 정말 왜 이런 데를 왔어?

41. 경찰 지구대 안 / 밤.

두 명의 근무 경찰. 캡처한 CCTV 사진을 넘겨보고 있다.
그 앞에 나란히 앉은 은정, 상수, 20대, 20대 친구.

20대 (상수에게) 넌 뒤졌어. 여기가 경찰서라는 데야!
너 같은 나쁜 놈 혼내주는 아저씨들이야!

넌 이제 콩밥 먹는 거야 깡패 새끼야!

하고 삿대질하는데 수갑이 채워져 있다.

20대　근데 왜 저희가 수갑 차요?

경찰　조용.

20대　저 일방적으로 맞았어요! 보세요!! 저 새끼 상처 하나 없는 거!

경찰　얼마나 다행이니.

20대　경찰 아저씨 우리가 피해자라니까요!

경찰　(상수에게) CCTV 확인했고요.
(은정 가리키며) 피해자 진술 끝나셨고··

20대　나 진술 안 했는데?!! 나 피해잔데?!

경찰　어디 여자를 넘어트리고 폭행하고··

20대　폭행이라뇨!

경찰　멱살 잡고 흔들고·· 그걸 또 옆에서 찍고 있네, 이 새낀.

은정, 티를 살짝 내려 목에 난 약간의 생채기를 보인다.

20대　아니 그럼 내 상처는!!! 이건 다 뭔데!! 엄청 맞았다니까!

경찰　얼마나 다행이니.

가라고 슬쩍 눈치 주는 경찰.

42. 경찰 지구대 앞 / 밤.

앞서 나오는 상수. 뒤따라 나오는 은정.
아무 일 없었던 듯 자기 갈 길 가는 상수를 보다가‥

은정 저기. 고마워요, 감독님.

멈칫 서는 상수. 천천히 돌아본다.

상수 나 알아요?
은정 ??
상수 ??
은정 (진짜 모르는 거냐?) 저 그‥ 이소민 다큐 찍고 있는‥
오늘 인터뷰하기로 한‥

순간 쫄아 한 발짝 물러서는 상수.

상수 그‥ 욕쟁이‥
은정 누가 누구한테 욕쟁이래‥
상수 아‥ 젠장. 괜히 구해줬네.

휙 돌아서 가던 길 가는 상수.
은정, 뭐야 저거? 벙찌게 바라보다가‥

은정 저기 인터뷰요!

상수 따라오든가.

43. 레스토랑 / 밤.

커다란 접시에 한 입 거리 스타터 음식이 올려져있다.

환동 아까.. 스크류바를 먹다가.. 니 생각이 났어.
아.. 너는 사실 골라 먹는 걸 좋아했는데..
아.. 나도 사실 골라 먹는 걸 좋아했는데..
왜 우린 서로 안 좋아하는 걸 먹었을까.

진주 맛에 먹었나, 기분에 먹었지.

환동 그래서 또 생각을 해보니까… 난 한 번도..
이런 곳에서 너한테 밥 한 번 사준 적이 없더라. 못 한 거지. 뭔가 좀 억울하기도 하고.. 아, 억울해서 널 부른 건 아니고..

진주 …지금 우리가 그때 못 한 걸 해야 하는 이유가 있을까?

환동 그땐 기분에 먹었고. 지금은.. 그런 기분이 없으니까.. 분위기에 딱 한 번만 먹자. 딱 한 번만 너랑 이런 음식 먹어보고 싶어. 이렇게 큰 접시에 한 입 거리 달랑 올려주는 거.
먹어치우면 다음 음식 한참 기다려야 되는 거.
배부르게 해놓고 메인 메뉴가 나오는 거.
다 먹은 줄 알았는데 후식 나오는 거…
맛도 모르겠는데.. 비싼 거.

환동의 진심을 진심으로 받아주는 진주. 잠시 생각‥

＊플래시백 - 7부 30씬. 10부 29씬.

범수와 냉면을 먹는 모습.

범수와 미역국 라면을 먹는 모습.

범수를 생각하니 기분 좋은 미소가 흐르는 진주.

어떤 의미의 미소일까 알 수 없는 환동.

진주 …. 니 마음… 알겠어‥ 근데 환동아‥ 미안해.

환동 …. 응?

진주 그런 이유라면 난 너랑 이 식사를 할 수 없을 거 같아. 미안해.

환동 ….

진주 우린 사랑하는 사이였지만 누가 누구에게 비싼 밥 사주지 못한 걸 후회해야 할 건 아니야. 나도 너한테 이런 음식 사주지 못한 건 똑같아. 너 미워하고 욕하고, 그래 최근까지 그랬던 건 맞아. 나도 당연히 후회도 하고 아쉽기도 하고‥ 근데 지금은 조금 달라. 앞으로 올 시간에 대한 기대가 지난 시간에 대한 후회를 앞질렀달까‥

그때 우린 그때의 시간 안에서 최선을 다한 거야. 지난 시간은 그냥 두자. 자연스럽게.

환동 그냥‥ 마지막으로‥ 한 끼만.

진주 미안해. 난 이제 이런 음식을 함께 먹고 싶은 사람이 있고.

그 사람 마음이 나랑 다르지 않다는 걸 알아서.. 내가 너랑 여기에 마주 앉아있단 걸 알면 섭섭해할 것 같아.

환동 ·······

진주 내가 지금 좋아하는 사람에 대해 예의를 지키는 게 너에 대한 예의라고 생각해.

아련한 기억을 접어가며 기분 좋은 미소를 보이는

환동 ····응. 멋지네.. 맞아.

진주 갈게.

환동 응.

일어서는 진주.
멀어지는 진주를 가만히 바라보는 환동.
진주가 시야에서 사라지자 시원하게 와인을 원샷하곤

환동 캬아.. 사람이 저렇게 괜찮아요.
····행복해라.

음식을 한입에 넣어버리는 환동.

44. 여의도 거리 / 교차 혹은 분할 / 밤.

뭔가 기분이 좋은 진주.

누군가에게 전화를 건다.

진주 ····뭐해요?

범수 아·· 퇴근해요. 걸어요.

진주 와·· 나도 걷는데. 여의도.

범수 아·· 나도 여의도.

진주 난 여의도 공원 쪽으로 가는데··

범수 나도 그래야 되나요?

진주 분위기가 그렇게 느껴지지 않아요?

범수 아 그럼·· 공원 쪽으로 걸을게요.

진주 공원에서 자연스럽게 마주쳐요 우리. 어딘지 말하지 말고.

범수 뭐·· 그래야 되면 그럽시다. 이따 봐요.

진주 아니. 전화를 끊지 말고.

범수 통화하면서? 왜 이래요?

진주 감독님이랑 수다 떨고 싶어요.

범수 아·· 그럽시다. 뭐 어려운 일이라고.

45. 여의도 또 다른 거리 / 분할 혹은 교차 / 밤.

각자의 거리. 통화하면 걷는 진주와 범수.

진주 감독님.

범수 네.

진주 사랑이 뭐예요?

범수 대뜸? 음… 공통된 정의는 없는 거 같긴 한데‥ 내 경우는‥
음‥ 여기에‥ 그러니까‥ 마음에. 그 사람이 가득한 거‥

진주 '심장이 터질 것 같아요' 그런 거?

범수 실제로 터져서 죽은 사람도 있어요.

진주 죽어 봐요.

범수 터져서?

진주 터져서.

범수 음‥ 노력할게요.

46. 여의도 공원 / 밤.

공원을 진입하는 두 사람. 각자의 공원 거리.

진주 그럼‥ 사귀는 게 뭘까요?

범수 음‥ 마음을 나누고‥
그 마음을 다른 사람과 동시에 나누지 않고‥
그 마음이 흔들리지 않게 노력해야 할 의무를 가지게 되고‥
상대에게 그 의무를 요구할 수 있는 어느 정도의 권리도 가지게 되고‥

진주 이럴 땐 단순하게 말하는 게 멋있을 수 있어요.

범수 세상에서 젤 좋은 거요.

그리고 드디어 마주하는 두 사람.
천천히 서로에게 다가가며 통화를 이어가는

진주 우리 보류하지 마요.

범수 네. 그래요.

진주 세상에서 젤 좋은 거·· 해요, 우리.

범수 ··· 네. 합시다.

진주 (기분 좋게 범수를 바라보는)

범수 (기분 좋게 진주를 바라보는)

진주 대신··· 스킨십은 보류해요.

범수 (헉)

잘 가다가 멈칫 서는 범수.

대여섯 발자국 남겨놓고 진주도 멈춰 선다.

진주 일 끝날 때까지 우리 서로의 입술이 마주하는 일은 없도록 해요.

범수 ····아··· 네.

기분 좋은 미소로 범수를 바라보는 진주.

기분 좋은 미소였으나 표정잡기 애매해진 범수.

그래도 웃어 보인다.

진주 ·····뻥이에요.

범수 ?

범수에게 다가가 키스하는 진주.

"제가 할게요, 가해자.
제가 한번 사랑의 가해자가
되어 보겠습니다."

_ 범수의 말 중

·13부·

13

1. 공원 / 밤.

진주와 범수, 공원 산책로를 걷는다.

기분도 밤공기도 편안하다.

진주 우리 출퇴근 시간을 정해 놓는 거 어때요?

범수 드라마 일이라는 게 그게 되나?

진주 일단 정해놔요.

범수 왜요?

진주 출근해서 퇴근할 때까진 정확하게 일을 하고, 퇴근해서 출근할 때까진 달달하게 뭣 좀 하고 싶은데, 경계선이 확실한 게 좋을 거 같아서.

범수 아… 그 달달한 거 혹시 제가 연관이 있는 건가요?

진주 감독님만 연관이 있죠.

범수 (부끄) 아… 하하. 지금은 퇴근에서 출근 사이죠?

진주 그렇죠.

진주의 손을 잡는 범수.

기분 좋은 미소 진주.

진주 (V.O) 그 사람이 손을 잡아주면.. 이상하게.. 마음이 편안해져.. 기대도 될 것 같고.. 안아도 될 것 같고.. 후회하지 않을 것 같고.. 뭐.. 그런 믿음이 깨져가는 과정이 연애지만.

2. 은정의 집 / 밤.

여느 때와 같은 그녀들과 그. 맥주.

한주 잘 나가다가 또..

진주 그 믿음이 깨져도 다시 붙이는 과정이 있는 거니까. 그게 또 연애지.

효봉 얼.. 길게 보네.

진주 다만.. 지금은 그저 시기에 맞게 달달한 것만 하고 싶은데.. 의도치 않은 사건이 벌어졌어.

은정 ?

3. 거리 / 낮.

아침 출근길. 출근하는 많은 사람들 사이 진주의 모습.

기분 좋은. 범수와 통화 중.

진주 아침에 출근하기 잘 한 거 같아요. 걸으니까 기분도 좋고.

범수 (F) 그렇죠? 나도 걷고 있어요. 작업실로 출근하려고요.

진주 그래요. 아침은 먹었어요?

범수 (F) 아니요. 방울토마토 좀 가져가는데.

진주 그럼 내가 빵이랑 우유 좀 사가지고 갈게요. 무슨 빵 좋아해요?

범수 (F) 식빵이요.

진주 아 그럼 계란도 좀 사가야겠다. 작업실에서 봐요.

범수 (F) 네~

4. 진주의 작업실 / 낮.

빵과 우유, 계란이 든 봉지를 들고 들어오는 진주.
유난히 기분이 좋은. 뭔지 모를 멜로디의 흥얼거림.
테이블에 식빵을 올려놓으며 흥얼거리듯 "식빵 좋아~"
냉장고로 가 우유를 넣으며 흥얼거리듯 "우유도 좋아~"
계란을 하나하나 꺼내 계란 칸에 올려놓으며 "계란도 좋아~"
그때 방에 숨어있던 범수가 몰래 나와 진주를 놀래키려 살금살금 다가간다.

진주 맛있는 단백질 칼슘~ 근데요 먹으면 자꾸 가스가 새요~ 어떻게~? 요렇게~~?

뽀오옹~~ 엉덩이를 밀어 방구를 끼는 진주.
스스로의 모습에 귀여움을 느끼는 듯 뿌듯한 미소. 헤헤—

진주 어머나! 공기가 탁해졌어요. 그럴 땐! 공기 청정기 작동!

휙 뒤돌아 공기청정기에 손 화살을 쏘는 자세 그대로 굳어버린 진주. 범수는 슬금슬금 뒷걸음질 치다가 얼음.
순간 세상을 잃은 진주의 표정.

진주 니가 거기서 왜 나와…

범수 …(다급하게) 미안해요. 장난을 치려던 건데 나쁜 생각이었어요. 그리고 난 아무 소리도 못 들었어요.

진주 (한 발 두 발‥ 뒷걸음질 치며) 거짓말하지 마‥ 옆집에도 들렸겠다.

범수 (수습하려) 아무것도 아니에요. 이거 아무 일도 아니야. 나도 작가님 앞에서 낀 적 있잖아‥ (조심스레 다가가며) 괜찮아요.

진주 오지 마!!

범수 아무것도 아니라니까‥ 그냥 소리야, 소리. 냄새도 안 나.

그때 빨간 불빛이 켜지며 위이이잉— 작동하는 공기청정기.

범수 말도 안 돼!! 저게 갑자기 작동한다고?!!!

망연자실‥ 털썩 주저앉아버리고 마는 진주.
조심스레 다가가는 범수에게

진주 오지 말라고!!

범수 (멈칫) 후… (시계 보고) 출근 시간 오 분 남았으니까…
아홉 시에 올게요.

다시 방으로 들어가 문을 닫는 범수.

5. 은정의 집 / 밤.

진지하게 진주의 말을 경청한 그녀들과 그.

효봉 뭐.. 조금 이른 감은 있지만.. 언제가 됐든 연인끼리 합의가 필요한 부분이기도 하고.. 이런 계기로 자연스럽게 튼 것도 나쁘지 않다고 생각해.

한주 난 싫어, 사랑하는 사람 앞에 두고 뻥뻥— 뭐 좋은 거라고.
감출 수 있고 감춰도 되는 건 감추는 게 좋지.

진주 나도 싫어. 싫어서 그래. 근데 너무 적나라하게 들켰잖아.

은정 이게 이렇게 심각할 일이야?

진주 심각해. 난 정말 싫단 말이야.

한주 그러게 왜 계란 넣다 말고 뽀옹..

효봉 잠깐. 뽀옹— 맞아? 솔직히 말해봐.
뽀옹— 귀여운 소리 아니고.. 좀 더러운 소리 났던 거 아니야?

진주 …….

좌절하는 효봉과 한주.

효봉 (심각) 도대체 어떤 소리를 낸 거야!

진주 (진지) 입으로… 표현하기는 좀.. 어려워.

은정 이게 이렇게 진지할 일이냐고.

한주 입으로 표현할 수 있는 소리가 아니었다잖아..

효봉 그럼 얘기가 좀 달라져..

은정 아 괄약근의 진동으로 난 소리가 뭐? 왜? 뽀옹~ 뀌든 뾁엙엙 끼든..

진주 어! 그거야! 그 소리야! 어떻게 알았어?!

은정 (젠장) 뭐야.. 내가 어떻게 했는데?

진주 뿌에에.. 아니야, 이게 아니야, 다시 해봐.

은정 뾁.. 아 몰라. 그게 왜 중요한 거야 도대체?

한주 방구야. 자그마치 방구라고. 그래서 감독님은 뭐래?

6. 진주의 작업실 / 낮.

냉장고 앞에 주저앉은 진주.

방 안. 문에 기대어 앉은 범수.

문을 사이에 두고 대화를 나누는 두 사람.

범수 작가님이 내보낸 그 가스요정은 소화 과정에서 필연적으로 발생하고 꼭 배출되어야 하는 거예요.

진주 조용해요.

범수 내보내지 않고 참으면 장내에 가스가 축적돼서 복부팽만을 유발하고..

진주 조용하라고.

범수 일부 가스는 혈액으로 재흡수 돼 숨을 내쉴 때 밖으로 배출 돼요.

진주 어쩌라고…

범수 조금 쿨하게 접근할 필요가 있다는 거죠.

진주 싫어요, 난.

범수 방구를 감춘다는 게 좀 거짓말 같지 않아요? 뻔히 배출하고 있단 걸 아는데 모른 척하고, 몰래몰래 배출하고 어느 날은 오늘처럼 걸려서 민망하고, 뭐 하러 그래요?

진주 오늘은 사고에요!! 사고는 주의하는 게 맞는 거죠!!

범수 알았어요, 알았어. 왜 화를 내? (혼잣말처럼) 방구 낀 놈이 성낸다더니 이럴 때 쓰는‥

진주 뭐라 그랬어요!!

범수 암말 안 했어요!!

7. 은정의 집 / 밤.

여전히 심사숙고하고 있는 한주 효봉.

한주 역시 남자야‥ 문제에 이성적으로 접근하고 있어.

효봉 그렇다고 여기서 진주 씨 방구 예뻐요~ 하기도 좀 그렇잖아.

진주 나도 감성적인 해결을 원하는 건 아니야. 실제로 냄새나면 진심으로 짜증 나기도 하거든.

은정 (고민에 빠진 한주를 보곤) 야 니가 왜 고민에 빠지는 거야 또?

한주 좋은데, 좋아하는 사람이 뭘 해도 다 좋은데, 그래도 불편한 거 있잖아 왜.

효봉 그 좋은데 불편한 것들을 조심해야 돼. 한참을 싸우고 시간이 지나서 우리가 도대체 뭐 땜에 싸웠지? 하고 돌아보면 기억이 잘 안 날 때 있잖아. 그런 경우는 대부분 불편할 수 있는 것들을 자기도 모르게 배려하지 못했던 거야.

은정 그래 이성적으로다가 이렇게 해. 인간이 하루 평균 여덟 번 끼거든? 네 번은 감추고 네 번은 오픈해. 됐지?

한주 음… 언뜻 합리적인 것처럼 들리지만…

효봉 방구는 골키퍼 같은 거야. 일곱 번을 막아도 한 개를 못 막으면 질 수 있다고.

은정 와우… 그래서 이거 뭐 결론이 있는 거야?

진주 응. 아까 저녁 먹고 산책하는 길에 기억을 지워버렸어.

8. 공원 벤치 / 밤.

벤치에 앉아있는 범수.

옆에 아빠 다리하고 앉아 범수를 바라보고 있는

진주 우리 기억을 지우고 처음부터 다시 시작해요.

범수 굳이 그럴 필요가 있을까요? 이미 듣고 맡았는데.

진주 아 그런 말 하지 말라니까.

범수 그러지 말고 차라리 나올 거 같으면 꼭 안아주고 끼는 거 어때요?

진주 말도 안 되는 소리하고 있어. 예뻐서 안아줬는데 방군가? 생각이 먼저 들면? 돼 안 돼?

범수 아.. 안 되는구나.. 알았어요.

이미 합의된 듯 갑자기 망치질하듯 범수의 머리를 치기 시작하는

진주 기억을 지우고.. 다시 시작하는 거야.

범수 (가만히 맞으며) 이게.. 하하.. 참.. (마치 기억상실마냥) 지워졌어요. 기억이 안 나요.

진주 뭐가요?

범수 진주 씨 방구..

진주 (계속 치며) 아직이군.

범수 아.. 아파요.. 아파요... 이게 어떻게 기억을 지우는 방법이 됩니까?!

페이드아웃.

9. 플랜D 스튜디오 / 낮.

기타를 잡고 악보를 그리고 있는 솔비뿐.

조심스레 들어와 그녀를 살피는 효봉. 옆으로 앉는다.

효봉 곡 써?

솔비 심심해서.

악보를 보면… 제목 '냄새는 난다'

효봉 제목이 먼저 나왔네?

솔비 얼마 전에 단편영화 하나 봤는데 영감을 좀 쎄게 받았달까.. 그 영화 제목이야.

효봉 뭔 내용인데 영감까지 받았어?

솔비 남편이 사업에 실패하고 이사 가기 전날 부인과 싸우는 내용인데.. 결국 화장실에서 큰일 보고 그 냄새를 맡으면서 화해를 해..

효봉 뭐야.. 병맛이야?

솔비 아니야. 아름다운 사랑 이야기야..

효봉 (악보를 보며) 뭐야.. 가사가.. 뭐 이래.. 다투고 아프던 그날에도 넌 화장실에 들어가 소리를 냈지. 뿡… 뿡… 뭐야 이게..

솔비 뭐? 왜?

효봉 너무 귀엽잖아.

솔비 (피식 웃으며) 전 남친 생각나더라고. 방구 한 번 꼈다가 대판 싸웠던 기억이..

효봉 응? 음… 그 전 남친이 혹시..

솔비 응. 그 사람.

효봉 아… 그래…? 그런 걸 되게 싫어하나 보네..?

솔비 엄청 싫어했지.

효봉　아…

솔비　이제 뭐 상관없지만.. 이 노래로 메시지를 던지고 싶다.
냄새는 사라지기 마련이라고..

열심히 곡 쓰기에 몰두하는 솔비.
그런 솔비를 가만히 보다가..

효봉　완성하면 들려줘.

10.　진주의 작업실 / 낮.

거실 테이블. 노트북을 펼쳐놓고 고민 중인 진주.
냉장고에 밑반찬을 넣고 있는 진주 모.

진주 모　쉬엄쉬엄해. 몸 상해.

진주　나 칼퇴근해. 걱정 마. 그리구 작업실에서 밥 잘 안 먹는다니까.. 자꾸 채워 놓으면 버리게 된단 말이야.

진주 모　사 먹지 마. 밥만 하면 되는 거.

진주　아 그리고. 나 감독님이랑 만나기로 했어. 진지하게.

진주 모　응? 뭔 소리야.

진주　출근하면 감독님이고 퇴근하면 남자친구라고.

진주 모　아니.. 그렇게 엄청난 일을 뭐 그렇게 툭 던져?

진주　그게 뭐 엄청난 일이야?

진주 모　그 사람 입장에선 어려운 결정이니까. 널 뭐 보고 만난다니?

진주　내 생각엔 얼굴을 보는 거 같아.

진주 모　그럴 수가 있나?

진주　고마해.

진주 모　데리고 집에 한번 와. 미안한데 밥이라도 먹여야지.

Cut To

마주 앉아 차를 마시는 진주와 진주 모.

진주 모　아… 안 뀌지.

진주　그러니까. 왜? 평생을?

진주 모　아… 그걸 모르겠네. 그냥 그게 당연하게 그렇게 됐는데·· 왜 그게·· 당연하게 된 건지는·· 기억이 안 나네··

진주　정말 한 번도 낀 적 없어?

진주 모　소리는 안 낼 수 있는 거니까.

진주　아빠는 그럼 평생 엄마의 방구 소리를 들어본 적이 없다는 거네?

진주 모　그치··

지영　아빠는 끼잖아.

진주 모　그치·· 아 우린 옛날 사람이잖아.

진주　껴봐.

진주 모　응?

진주　아빠 앞에서 껴봐.

진주 모　……

11. 홍미유발 엔터 휴게실 / 낮.

한주와 재훈. 커피.

뭔가 고민이 있어 보이는 한주를 살피는 재훈.

한주 (빤히 자신을 살피는 재훈을 보곤) 왜요?

재훈 고민하고 계시구나.. 싶어서요.

한주 아.. 내가 너무 고민하는 얼굴 잘 드러내죠?

재훈 네. 근데요 실장님은.. 작은 일을 대할 때도 큰일을 대할 때도.. 고민하는 모습은 똑같으세요.

한주 그게 무슨 말이지?

재훈 예를 들어.. 짜장 먹을까 짬뽕 먹을까 고민할 때도, 수십억이 책정되는 예산안을 짜면서 고민할 때도, 이 표정 이 느낌..

한주 아.. 내가 그래요?

재훈 네. 모든 고민을 차별 없이 평등하게 사랑해주는 고민 박애주의자..

한주 ..내가 차별을 싫어하긴 하는데.. 뭔가 이상하네, 이건..

재훈 이번 고민은 뭐죠? 부하직원 된 입장으로 제가 한 번쯤은 해결해드리고 싶습니다.

한주 캐스팅 건이요. 천이슬 쪽에서 너무 시간을 끄네요. 난 우리 작품을 하든, 안 하든 대답은 빨리해줬으면 좋겠어요. 다른 일을 진행할 수가 없잖아요. 하..

재훈 그죠... 대답은 좀 빨리해주지. 그 중요한 게 왜 절대적인 예의로 자리 잡지 못한 건지 안타깝습니다.

테이블 위에 놓인 한주의 핸드폰에 양손바닥의 기를 불어넣고 있는 재훈.

한주 뭐‥ 해요‥?

재훈 해결해드리고 싶은데‥ 할 수 있는 게 참 없네요‥ 주문이라도 걸어보게요. 연락 와라‥ 연락 와라‥ 하겠다고‥ 연락 와라‥

그때 울리는 한주의 핸드폰.
응? 하고 발신자 보면, 으응? 하고 눈이 커지는

한주 천이슬 쪽 본부장인데‥?

재훈 (뭐야‥ 내가 뭘 한 거야…)

한주 잠시만요. (전화를 받는) 네 본부장님. 안녕하세요. …네네.

상대의 말을 긴장하며 듣는 한주….
점차 환해지더니 금세 환호 지를 것 같은 표정에서

12. 진주의 작업실 / 낮.

전화를 받고 환호 지르는 진주. 꺄아악~!! 아싸!!

13. 홍미유발 엔터 / 낮.

꺄아아~ 소진의 사무실로 달려가는 한주의 벅찬 모습.

노크할 것도 없이 문을 열어젖히곤

한주 대표님! 천이슬 쪽에서 연락 왔습니다!

소진 아~ 애태우네. 뭐래?

한주 감독님하고 작가님 만나보겠다고 하는데요. 그럼 이거 거의 된 거죠?

소진 만나서 확실하게 묶어야지. 감독님한테 연락하고 최대한 빠른 시일에 미팅 날짜 잡도록 해.

한주 넵! 아 그리고 이소민 건은 어떻게 보고 할까요?

소진 이소민은 그쪽 대표가 직접 연락 온 거니까, 감독님 의사 물어보고, 좋다고 하시면 바로 미팅 잡자.

한주 (기분 좋은) 넵!

휴게실.

재훈. 자신의 두 손을 의심쩍게 바라보고 있다. 초능력인가.. 혹시나 싶어 테이블 위에 놓인 자신의 핸드폰에 양손의 기운을 몰아넣으며

재훈 연락 와라.. 연락 와라..

마침 울리는 재훈의 핸드폰. 깜짝 놀라는 재훈.

발신자 확인하면… '하윤' 착잡해지는…

14. 제이비씨 드라마국 / 낮.

전화 통화하며 들어오는 범수.

정말이지 아무것도 안 하고 있는 동기.

범수 네, 잘됐네요. 편한 시간으로 잡고 말해주세요. 네~ 네~

전화를 끊고 나름 뿌듯 & 나름 근심

범수 아·· 우리·· 천이슬 캐스팅될 것 같다.

동기 (멍 때리며) 근데 왜 캐스팅 안 될 때 표정이니··?

범수 그냥 불안해··

동기 뭐가?

범수 드라마 한 편 완성하는 데 평균적으로 몇 번의 위기가 찾아온다고 생각하냐?

동기 큰 위기? 작은 위기?

범수 도합.

동기 3천6백 번.

범수 그치? 근데 좀 순탄하다 싶은 느낌이 드네.

동기 우린 왜 순탄하면 불안한 걸까·· 그래·· 드라마는 연애와 같은 거야·· 위기가 없으면·· 재미가 없지·· 재미가 없으면·· 조기종영··

범수 그래서·· 그게 불안해. 한 번에 몰려올까 봐.

동기 뭐 어때, 버티면 되지. 드라마 감독이 하는 게 뭐야? 버티는 거. 안 죽고 버티는 거. 하던 대로 버티면 돼. 드라마든 연애든. 나 봐. 얼마나 잘 버텨?

범수 어제도 연락 안 됐냐?

동기 응. 열 시부터 연락이 안 됐는데 잤대. 잤다면 잔 거야. 난 괜찮아. 아 열여섯 시간 연락 안 되면 뭐 어때? 위기가 없으면 재미가 없어요. 버텨. 일단 버티면 돼.

범수 (측은하게 바라보다…) 왜 이렇게 마른 거야‥

동기 괜찮아. 행복해. 너도 행복해야 돼‥

범수 왜 이렇게 마른 거냐구…

그러다 문득 환동의 빈자리를 보는

범수 재는 촬영 준비 때문에 안 들어오는 건가‥

동기 너 때문에 안 들어오는 거 같은데.

범수 ……

동기 너 보기 싫지 않겠냐? 버텨야지. 버티면 다 괜찮아져.

가만히 환동의 빈자리를 보는 범수‥

15. 아랑의 프로덕션 / 낮.

샌드위치를 먹고 있는 은정과 아랑.

병삼은 DSLR 카메라를 열어 상수의 인터뷰를 보고 있다.

화면 안에 나름 반듯하게 자세 잡고 앉은 상수의 모습.

은정의 목소리.

은정 (소리) 여자로서 사람으로서 배우로서 소민 씨에 대해 말씀해주세요.

상수 ……정직해.

은정 (소리) 반말로 하셔도 돼요?

상수 혼잣말 느낌이었는데?

은정 (소리) 아… 네‥

아무 말 않고 가만히 카메라를 보는 상수.

상수 다음 질문.

은정 …끝이에요?

상수 (끄덕)

은정 (소리) 정직해가 끝이에요?

상수 (끄덕)

은정 (소리) 후… 소민 씨랑 언제 처음 작업하신 거죠?

상수 ……….봄.

화면 정지시키는 병삼. 약간 짜증.

병삼 이 새낀 뭐 욕지거리 아니면 단답형이야. 일부러 이러는 거야?

은정 ….결명자차를 마셔.

병삼 결명자? 그게 뭐?

은정 왜 마시는지 알아?

16. 상수의 작업실 / 밤.

작은 오피스텔 내부. 상당히 지저분한.

커다란 테이블이 공간 대부분을 차지한.

겨우 자리를 만들어 앉아 카메라를 꺼내는 은정.

욕실에서 세수하고 나오는 상수. 목에 수건을 두른 채.

냉장고에 맥주 피처를 꺼내들고 머그잔 두 개를 챙겨 온다.

은정 앞에 잔 하나를 놔주고 뚜껑을 연다.

은정 전 근무 중이라··

상수 술 아니에요. (따라주며) 결명자차.

마주 앉아 시원하게 결명자차를 원샷하는 상수.

가만히 지켜보다 한 모금 마시는 은정.

상수 (진지하게 묻는) 내가 왜 결명자차를 마시는 줄 알아요?

은정 ····(어떤 사연이 있는 것인가···) ······모르··겠지만··

뭐·· 눈에 좋아서··?

아련해지는, 고독해지는, 결연해지는,

왜 그런지 모르겠는데 그러고 있는

상수 ·····(그러다 문득 은정을 바로 보곤 결심한 듯) ·

·····꼬소해.

17. 아랑의 프로덕션 / 낮.

굉장히 집중해서 듣고 있던

병삼 뭐야 그게?! 어쩌라고?!

옆에서 열심히 먹던 아랑, 입을 닦고

아랑 결명자는 좀 쓴맛 아닌가.. 꼬소한가 그게?
(카메라) 줘 봐. 내가 또 눈 감은자만 봐도 어떤 스타일인지 알지. 어디 보자.. (진지한) 잘나가는 CF 감독 작업실이 왜케 허름해?

은정 몰라.. 돈은 잘 벌 텐데.. 검소한 느낌은 아닌데.. 암튼 그래.

병삼 도박으로 다 날리나보지. 딱 그렇게 생겼구만.

아랑 몇 살이야?

은정 서른넷.

아랑 어깨가 넓은 거 같네?

은정 넓어.

아랑 키는?

은정 커.

아랑 어떤 스타일인지 딱 알겠어.

은정 언니 스타일?

아랑 응. 넘 잘생겼다. 이런 애가 꼬소하다면 꼬소한 거고. 도박이야 뭐, 내 돈만 안 갖다 쓰면 되지.

은정 언니 같은 여자들이 있어서 나쁜 놈들이 나쁜 걸 못 버리고 살아요. (일어서며) 자~ 일하러 갑시다.

18. 헤어숍 / 낮.

헤어숍 주차장으로 들어서는 소민의 승합차.

그 모습을 카메라에 담는 은정과 병삼.

소민이 차에서 내려 숍으로 들어간다.

Cut To

디자이너와 반갑게 인사하며 자리를 안내받는 소민의 모습.

그 모습을 은정과 병삼의 카메라가 따른다.

Cut To

펌 중인 소민의 모습을 옆자리의 은정이 직접 카메라를 들고 담아낸다.

소민 그냥.. 숍에 온다. 그냥.. 차에서 내린다. 그냥.. 인사한다. 그냥.. 머리한다.

은정 응?

소민 나 생각해봤는데. 이 다큐멘터리 너무 재미없지 않을까?

은정 왜? 걱정돼?

소민 나 생활하는 게 너무 뻔하잖아. 생각하는 것도, 일하는 것도, 맨날 오는 곳도 헤어숍 정도고. 뭐 뷰티 프로그램이면 모를까.

은정 재미를 생각할 필요는 없어.

소민 니가 뭔 말할지는 아는데, 아 난 상업적인 여자야.

은정 그걸 부정하고 싶은 마음도 없고. 그래서 뭐 어떡하고 싶은데?

소민 이렇게 너랑 나랑 둘이 있을 때.. 나 민준이 얘기도 막 하고, 우리 알콩달콩한 것도 좀 카메라로 기록하고. 그러면 어떨까?

은정 ……응? 어쩌려고.

소민 뭘 어쩌려고야? 여차하면 이소민의 로맨스도 삽입되는 거지. 멜로가 있어야 좋아해요, 사람들은.

은정 ….그래도 되나?

소민 안 되지. 근데 혹시 알아? 다큐 공개되기 전에 내가 민준이랑 결혼이라도 할지. 그럼 되지.

은정 와.. 너 민준 씨 많이 사랑하는구나?

소민 적당히 할 거면 안 만나지.

은정 아… (생각…) 그럼… 민준 씨와 관련된 첫 번째 공식 질문.

소민 아싸! 설렌다. 해. 빨리해.

은정 음.. 너네.. 방구 텄어?

소민 아.. 음… 응? 그게 첫 질문이야?

은정 (진지하게 끄덕)

소민 (진지하게 끄덕) 아… 정말 강렬한 질문이다. 음… 트구말구 할 게 없는데.

은정 응?

소민 나한텐 방구가 없으니까.

은정 아… 방구가… 없어?

소민 응.

은정 예상 못 했네.

소민 진짠데.

19. 소민의 승합차 안 / 과거 어느 날 / 낮.

아무 말 없이 운전하는, 뒷좌석 앉아있는, 민준과 소민의 그저 평범한 일상의 어느 시간. 아무 일도 벌어지지 않을 것만 같던 그 공간 그 시간…

슬쩍 엉덩이를 올려 무음의 방구를 끼는 소민.

금세 아련해지는 민준의 왕자 눈빛.

자연스레 차창을 내리는

민준 미안해… 화장실을 다녀왔는데도 안에서 벌어지는 일은 나도 어떻게 통제가 안 되네.

소민 차에선 좀 더 노력하자.

민준 응. 미안.

20. 헤어숍 / 낮.

경청하고 있는 은정. 그저 일상적 표정의 소민.

은정 방구를 인터셉트한다… 그건 일로써 한 거야 사랑으로써

한 거야?

소민 사랑.

은정 정말 강렬한 사랑이다.

소민 그와 함께라면 평생 방구 없이 살 수 있어.

은정 그래라. 그래, 이렇게 단장하고 소화할 오늘의 스케줄은?

소민 대표님이랑 싸우러 가게.

은정 대표랑 싸우는데 숍에 들렀다 간다고?

소민 내가 얼마나 대단한 사람인지 눈으로 먼저 확인시켜줘야지.

은정 ……(흥미롭다…)

21. 소민의 회사 소 대표의 사무실 / 낮.

열이 바짝 오른 30대 여배우 선미와 싸우고 있는 소 대표.

소 대표 넌 대단해. 알아! 내가 알지 그거!

선미 근데! 나 이제 겨우 서른둘이야! 왜 자꾸 엄마 역할만 들어와?!

소 대표 들어오는 걸 어떡해?! 내가 돌아다니면서 엄마 좀 주세요~ 그랬겠니?

선미 애기 엄마도 아니고! 애가 중학생이잖아!!

소 대표 학원 폭력을 다루는데 어떡해? 내가 작가님한테 가서 학원 폭력을 뭐 어린이집 폭력으로 바꿔달라고 할까?

선미 내가 왜 중학생 엄마냐고!!

소 대표 그럼 중학생 할래?!

선미　못 할 것도 없지!! 내가 얼마나 동안인데!!

소 대표　선미야.. 너 참 좋은 배우야.. 좋은 배운데.. 동안은 아니야.

선미　아아아악!!!!!

소 대표　알았어, 알았어! 알았어!! 못 하겠다고 할게!

선미　그게 대표가 할 소리야!!!

소 대표　그게 대표한테 할 소리야!!!

선미　아아아아악!!!!!

소 대표　아아아아악!!!!!

22.　소민의 회사 / 낮.

소 대표의 방 앞에서 몸을 풀고 있는 소민.

그런 소민을 흥미롭게 보고 있는 은정과 병삼의 카메라.

한창 소리 지르고 나온 선미가 숨을 고른다.

소민과 선미의 다부진 눈이 마주친다.

소민　(깍듯이 인사) 안녕하세요, 언니.

선미　응. 그래. 일 봐.

소민과 하이파이브 하듯 터치하고 나가는 선미.

23.　소민의 회사 소 대표의 사무실 / 낮.

선미와 대치 상황 그대로 소민과 대치하고 있는 소 대표.

소민 내가 며칠 있다가 연락하라고 했잖아!! 주인공도 아닌 걸 바로 한다 그러면 뭐라 생각하겠냐고 날!!

소 대표 그 역할 하겠다고 덤비는 신인들이 얼마나 많은지 알아?! 그것까지 빼기면 넌 날 뭐라 생각할 건데?!!

소민 내가 빼겨?!! 내가 신인만도 못하다고?!!

소 대표 그 말이 아니잖아!! 다른 애랑 덥석 계약하면 어떡하냐고!!

소민 그럼 주인공 하면 되지!!

소 대표 주인공은 천이슬이 한다니까!!

소민 걔가 한대도 내가 할 수 있게 해야지!!

소 대표 내가 감독이야?!! 그 드라마 내가 샀니?! 내 거니 그게?!!

소민 대표님이 그것도 못 해?!!

소 대표 소민아.. 넌 참 좋은 배우야.. 근데.. 내가 드라마를 사주진 못 해.

소민 아아아아악!!

소 대표 알았어! 알았어! 하지 마 그냥!

소민 그게 대표가 할 소리야?!!!

소 대표 그게 대표한테 할 소리야?!!!

소민 아아아아악!!!

소 대표 아아아아악!!!

24. 소민의 회사 / 낮.

소 대표의 사무실을 주시하고 있는 은정과 병삼.

병삼 매니지먼트 대표 안 하길 잘한 거 같아.

은정 저 대표님이 유독·· 불쌍한 쪽 같은데··?

25. 소민의 회사 휴게실 / 낮.

은정의 카메라 앞에 앉은 소 대표의 쓸쓸한 모습.

인터뷰.

소 대표 차라리 소리 지르고 싸우는 게 낫지. 어떤 배우는 네, 네, 괜찮아요, 괜찮아요, 나이스하다가 말없이 소속사를 옮겨. 마지막 인사를 문자로 해.

은정 아·· 그런 사람도 있어요?

소 대표 내가 이 바닥에서 20년인데 이거 아무것도 아니에요. 내가 담배를 안 피워도 속이 씨꺼먼데·· 아무것도 아니야·· 그냥·· 아·· 씨·· 외로워.

은정 ····울어요?

26. 포장마차 / 밤.

마주 앉은 혜정과 인종. 일상적인.

안주 두어 개. 소주 두 병.

인종 촬영 얼마 안 남았는데 이러고 있어도 되는 거야?

혜정 (이 새끼가··) 국장님이 불렀잖아.

인종 어떻게 부를 때마다 다 나와?

혜정 (이 새끼가…)

인종 그래도 환동이가 준비 잘하지?

혜정 너무 완벽하게 하려고 해서 문제야. 그러다 한 번 부러지지. 조언도 좀 해주고 그래.

인종 요즘 애들은 조언 싫어해. 우리 세대를 존경하지 않거든.

혜정 우리 보조 작가들은 나 존경하는데?

인종 농담이 꽤 슬프네.

혜정 외롭구만..

인종 외롭지..

혜정 강아지 두 마리나 키우.. 면.. 서.. (말하다가 문득 인종을 보는)

인종 아 우리 애들! 밥 줘야지. (일어선다) 나, 간다.

혜정 (아.. 저 개놈에 새끼 저거…)

인종 (주인에게) 여기 얼마에요?

주인 오만 사천 원이요.

인종 사이다 계산했어요?

주인 네.

인종 소주 두 병 아니에요, 세 병이야. 아까 빈 병 하나 가져갔어.

주인 아, 아.. 맞다. 오만 팔천 원이요.

인종 그래요. 계산 잘해서 받아야지. (혜정에게 손 흔들며) 갈게~

혜정 아오 저.. 샹..

돈 안 내고 그냥 나가려는 인종.

그때 입구를 열어젖히고 들어오는 소 대표.

자리를 찾다가 혜정과 눈이 마주친다.

소 대표　어? 작가님!

혜정　어? 대표님~

나가려다 돌아보는 인종.

소 대표　이야·· 혼자 계세요?

혜정　네 일행이 방금 가버렸어요.

소 대표　아. 저도 혼자 왔는데 앉아도 돼요?

혜정　그럼요. 왜 혼자에요?

슬금슬금 나가며 슬쩍슬쩍 돌아보는 인종.

소 대표　(앉으며) 놀아주는 사람이 없어요.

혜정　사람이 혼자 노는 걸 잘해야 돼··

소 대표　잘하고 말고 할 게 없어요, 어차피 혼자니까.

혜정　(인종 잔 치우고 새 잔 건네며) 한 잔 드릴게요.

소 대표　아이고 감사합니다.

이미 나간 상태에서 빼꼼 안을 들여다보고 있는 인종.

소 대표　아니 근데 작가님 입맛이 없으세요?

혜정　아니요. 왜요?

소 대표 근데 왜 나이를 안 드세요? 그대로야.

혜정 에이 무슨… 주름이 자글자글한데.

소 대표 토끼가 주름 생겨봤자 토끼지.

혜정 토.. 끼?

소 대표 토끼 닮으셨잖아.

눈에 하트 생성되는 혜정.

주저 없이 들어와 다시 합석하는 질투의 인종.

소 대표 어? 뭐야? 씨피님! 아 방금 나간 분이 씨피님이었구나!

인종 (하트로 소 대표를 보고 있는 혜정이 거슬리는) 화장실 갔다 왔어.

소 대표 씨피님 몇 년 만이죠 우리? 아니 왜 이렇게 늙으셨어요?

인종 어디가?

소 대표 전체적으로. 이야~ 이제 사장님 하셔야겠다! 하하하!

인종 (개새끼가..)

혜정 근데 대표님 나이 드니까 잘생겨진다. 안토니오 반데라스 같아.. 오, 나의 조로..

소 대표 (젓가락으로 Z를 그리며) 조로는 어디에나 있죠. 토끼는 내 눈 앞에만 있고..

인종 미쳤나..

왜일까.. 서로 그윽한 눈빛을 마주하며 잔을 비우는 혜정과 소 대표.

27. 포장마차 앞 거리 / 밤.

깡충깡충 날뛰는 행복한 만취 토끼. 혜정.

토끼를 에스코트하며 따르는 만취 조로. 소 대표.

혜정 오~ 조로~ 날 잡아 보라구요~

소 대표 오~ 나의 아름다운 악당 몬테~로 토끼~

혜정 깡충~ 깡충~

소 대표 깡충이란 표현은 어울리지 않아! 그러기엔 너무 아름답잖아! 지금까지 이런 뜀뛰긴 없었다. 이것은 사슴인가 토끼인가··

혜정 깡충~ 깡충~ 오호호호호~~~

먼발치에서 뒤따르며 토끼와 조로를 바라보는 외로운 인종.

28. 은정의 편집실 / 밤.

장시간 편집에 몰두한 듯 피로한 눈을 부비고 마른 세수를 하는 은정. 다시 편집을 시작하고, 모니터에 집중한다.

뒤에 소파에 홍대가 앉아있다. 모니터에서 시선을 떼지 않는 은정의 모습 위주로 보인다.

홍대 어때? 재밌는 거 같아?

은정 음… 난·· 끝까지 최선을 다할 거야.

홍대　　재미는 없나 보구나?

은정　　음… 재미가 없다기보다.. 음.. 뭔가 빠진 것 같은데 뭐가 빠진 건지 모르겠어.

홍대　　너가 너무 잘하고 있어서, 사실 빠진 게 없어서, 따로 더 할 게 없어서, 그게 허전한 걸 수도 있어.

은정　　그럴 리가.. 완벽해서 허전함을 느끼는 거라니..

홍대　　난 너 일할 때 보면 가끔 그렇게 느꼈거든. 다 잘 될 거야. 넌 잘하니까.

은정　　잘.. 하고 있는 건가..

홍대　　왜 내 말을 안 믿어? 잘 믿었었잖아.

은정, 잠시 손을 멈추고 모니터에서 시선을 거둔다.
그리고 천천히 돌아본다. 아무도 없다.
고개를 숙이고 눈을 감는 은정. 깊고 떨리는 한숨.

29. 은정의 집 / 밤.

거실에 앉아 혼자 맥주를 마시고 있는 한주.
효봉, 주방에서 맥주 한 캔을 들고 와 합류.

효봉　　은정 씨는?

한주　　편집.

효봉　　진주 씨는?

한주　　방으로 맥주 가지고 들어갔어.

효봉 뭐야? 설마 막 영상통화하고 그런 거 아니야? 아하하.

(표정 없는 한주를 보곤 웃음기 사라지는) 아… 진짜?

그렇구나… 그렇다면… 나도 해야겠다.

문수에게 영통하며 일어서 방으로 들어가는 효봉.

뭔가 쓸쓸한 한주. 마침, 욕실에서 나오는 졸린 눈의 인국을 보곤 반기는

한주 인국 씨 잘 거야?

인국 자자…

한주 ….응.

30. 범수의 집 / 밤.

주방에서 맥주를 꺼내들고 소파로 향한다.

진주와 영상통화 중.

범수 설레고 뭐 그런 거 없어요? 배우 미팅 처음이잖아요.

31. 진주의 방 / 밤.

침대에 걸터앉아 맥주를 마시며 범수와 영상통화 중인

진주 뭐 설레기까지야… 근데… 나보다 예쁘겠죠?

범수 (맥주를 마시는·· 오래 마시는···)

진주 ······다 마신 거 같은데··?

범수 (맥주를 마시는·· 오래 마시는··)

진주 다 마신 거 같은데 뭘 삼키는 거야··?

범수 아~ 시원하다. 천이슬 확정되면 바빠질 거예요.

진주 나보다 예쁘겠죠?

범수 (갑자기 맥주를 마시는··)

진주 (웃으며) 죽는다, 진짜··

32. 홍미유발 엔터 앞 거리 / 낮.

기분 좋은 진주의 걸음걸이.

저 앞에 기분 좋은 얼굴의 범수가 기다리고 서있다.

두 사람의 기분 좋은 걸음걸이.

33. 홍미유발 엔터 / 낮.

범수와 진주가 들어서면, 기다리고 있던 재훈이 환하게 웃으며 소진의 사무실로 안내한다.

34. 홍미유발 엔터 소진의 사무실 / 낮.

소진과 한주, 천이슬과 그의 매니저가 앉아 담소를 나누고 있다. 범수와 진주가 들어서면, 모두 일어나 인사를 나눈다.

형식적이지만 밝은 표정으로 양쪽을 소개하는 한주.

한주 오셨어요? 이쪽은 감독님. 여기 작가님.

범수 안녕하세요.

진주 안녕하세요.

한주 아시겠지만 이쪽은 천이슬 씨.

이슬 안녕하세요.

범수 반갑습니다. 앉으시죠. 저희가 늦은 거 아니죠?

이슬 저희가 일찍 왔어요.

Cut To

소진, 한주, 범수와 진주, 천이슬과 매니저가 대본에 관련된 이야기를 나누고 있다.

이슬 저는 약간 시트콤 같아서 좋았어요. 아, 좋은 뜻으로.

진주 네 저희도 그런 방향으로 기획을 한 거라. 잘 봐주신 거예요.

이슬 캐릭터도 너무 재밌고 대사도 다 재밌는데.. 사실… 좀 걱정되는 게.. 제가 주인공인데 너무 아픔이 없는 거 같아서.. 철없어 보일까 봐.

진주 아 그건.. 주인공이 추구하는 목표가 명확하거든요. 작가로서의 외면적 목표가 있고, 그것으로 이루려는 내면적 목표도 있기 때문에 오히려 극을 이끄는 인물이자 또 화자로써 주변 인물들의 아픔을 소개하고 이해하면서 성장해가는 모습을 보여주는 게 후에 더 담백한 감동을 주지 않을까..

이슬 　아 맞다, 감독님 저는 왼쪽 얼굴이 잘 나와요.

범수 　…네? 갑자기 뭐‥

이슬 　그냥 갑자기 생각나서‥

범수 　아‥ 갑자기 생각이 났구나‥ 왼쪽이 잘 나오는구나‥

대화가 끊긴‥

어색한 상황에서 카메라 밖으로 빠지며 디졸브.

35. 홍미유발 엔터 / 다른 날 / 낮.

문을 열고 들어오는 촬영감독과 조명감독.

안쪽에 있던 범수가 나와 둘을 한주와 재훈에게 소개한다.

범수 　오셨어요? (한주에게) 여기 촬영감독님. 조명감독님.

한주 　안녕하세요. 회의실로 갈까요?

범수 　그냥 뭐 인사하러 온 건데요 뭐. 휴게실로.

한주 　아 그럴까요?

Cut To

휴게실. 인사하러 온 촬영감독에게 폰으로 레퍼런스를 보여주고 있는 범수.

범수 　봐봐. 봐봐. 여기. 여기요. 차 안에서 원 테이크로 다 찍잖아.

촬영 　(짜증) 아~ 감독님 또 이러시네. 이거 장비 애네가 특수 제작한 거라니까.

범수　우리도 만들면 되지!

촬영　이 영화 예산이 2천억이야. 아 왜 헐리웃 영화 보여주면서 이래? 로맨틱 코미디 찍는데 왜 액션 영화를 보여주냐고.. 여기 드라마 예산이 얼만데? (한주에게 따지듯) 얼마에요?

한주　음… 그 영화보다 쪼오금 적죠.

촬영　쪼오금 한 천구백억 정도 적죠?

한주　그거보다 아주 쪼오금 더 적죠.

촬영　(범수에게) 우리가 이걸 어떻게 해?

범수　왜 못 해?! 우리가 어떤 민족입니까?!

촬영　뭘 어떤 민족이야, 배달의 민족이지.

범수　아.. 씨.. 배고프네..

카메라 옆으로 빠지며 디졸브.

36.　진주의 작업실 / 낮.

캐스팅 디렉터와 회의 중인 진주, 범수, 한주, 재훈.

보드 판에 천이슬 사진을 붙이고 있는 수희.

캐디　박서준. 장기용. 남주혁. 박보검. 정해인. 양세종.

범수　그 배우들 캐스팅이 돼요?

캐디　아니요 안 돼요. 스케줄도 있고, 또 여자가 주인공이니까.

범수　뭐야.. 근데 왜 말해?

캐디　그냥. 그렇다고요.

범수　…아니 그냥 그런 얘긴 왜 해…

캐디　정우성, 강동원, 하정우, 이병헌‥

범수　캐스팅이 된다고?

캐디　안 되죠.

범수　아니 안 되는 얘기 왜 하냐고…

캐디　뭔가 이런 이름을 말하고 일을 시작하면 기운이 좋아지더라고.

범수　그게 뭔 소리야…

카메라 옆으로 빠지며 디졸브.

37. 제이비씨 회의실 안 / 다른 날 / 낮.

미술 콘셉트 회의 중.

범수와 촬영, 조명감독, 한주, 재훈, 연출팀 두 명, 미술감독, 미술 스태프. 모니터에 연결된 레퍼런스 사진들을 넘기고 있는

미감　일단 주연이 집 콘셉트. 레퍼런스고요. 의견 주시면 반영해서 수정하도록 하겠습니다.

범수　이건 수정이 아니라 처음부터 접근을 다시 해야 될 거 같은데요?

미감　아 일단 레퍼런스라서‥

범수 아니 다 버려야 될 것 같다고요. 이 생각 자체를.

주연이 변덕스러운 캐릭터랑 어울려요 이게?

주연이처럼 개성 있는 친구가 이런 소파 가구들을 골랐을까?

이거 뭐 인테리어 잡지책 아무 데나 펼치면 나오는 건데.

미감 일단 레퍼런스니까…

범수 아니 자꾸… 뭔 일단 레퍼런스에요…

미감 아… 그러니까 일단 참조한다. 그런 뜻이죠.

범수 아니… 아 씨… 내가 영어 뜻을 모른다는 게 아니라… 아…

머리를 싸매는 범수의 모습에서…

38. 진주의 작업실 / 낮.

열심히 대본 작업 중인 진주. 막힘이 많은… 골 아픈데…

자료조사 프린트를 한 뭉텅이 진주 앞에 내려놓는 수희.

진주 …뭐지…?

수희 그… 정신과 치료, 심리상담 치료에 대한 자료 조사.

진주 아니… 요약해서 줘야지.

수희 한 게 그건데…

진주 아… (펼쳐보며) 이걸 다 보고 나면… 내가 의사 되겠어.

수희 환자가 될 확률이 좀 더 높다고 봐…

38-1. 진주의 작업실

Cut To

열심히 자료를 읽는 진주. 눈에 피로·· 안경을 썼다 벗었다··

39. 제이비씨 회의실 / 낮.

테이블과 의자를 뒤로 밀고 있는 연출팀.

범수, 촬영, 조명, 한주, 재훈이 멀뚱히 서있고.

무술 감독과 무술팀 한 명이 마주 보고 자세를 잡는다.

무감 자, 감독님 봐요. 경재랑 동우랑 격투 씬.
영상으로 만들어 오려고 했는데 컨펌받고 하는 게 좋을 거 같아서. 일단 느낌만 보여드릴게. 자~ 잘 봐요.

갑자기 주짓수 기술을 걸어 무술팀을 조이는 무감.

무감 자, 여기서 동우가 저항을 한다. 빠져나간다. 그럼 다시 잡아서··

팔이 부러질 것 같은 무술팀이 무감의 어깨를 툭툭 치면 풀어주고 일어나는

무감 자, 이렇게 제압하고 경재가 이긴다.

범수 (머리 아픈) 후… 감독님. 무술감독님.

무감 (숨찬) 네.

범수 경재랑 동우랑 직업이 드라마 감독인데.. 얘들이 갑자기 왜 주짓수를 해..

무감 요즘 취미로 주짓수 하는 사람들 많은데?

범수 후… 왜 그래요 진짜…

무감 그래 좀 과한 것 같다는 생각은 했어요. (무술팀에게) 했잖아? 그치? 그래서 다른 설정으로 더 만들어 왔는데. 꺼내.

무술팀, 난데없이 죽도 두 개를 꺼내 하나씩 나눠 든다.

무감 얘들이 검도를 배웠다, 뭐 그런 설정인데.

범수 와.. 씨… 와아..

재훈 하하.. 그래도 양궁이나 사격 아닌 게 다행인..

범수 아.. 씨…

무감 자, (머리 공격) 머리! 머리! (배 공격) 배~!

범수 후.. 이거 꿈이야 뭐야 이거?! (어우.. 두통..)

40. 도로 / 한주의 차 안 / 낮.

운전석 재훈. 조수석 한주.

뒷좌석 머리 아픈 범수.

한주 감독님. 머리 아프신 와중에 죄송하지만.. 음악감독을 정

해주셔야 되는데··

범수　아·· 네.

한주　김태성 감독님은 아무래도 스케줄상 어려울 거 같아서··

범수　아·· 네. 리스트 좀 뽑아주시겠어요?

한주　네. 어·· 근데 혹시 전조문수 감독님은 어떠세요? 최근 작품들 평이 좋았는데··

범수　(생각…) 아·· 전조문수 감독이면… 플랜 디?

한주　네, 맞습니다.

범수　(생각…) 아… 그쵸… 생각 좀 해볼게요.

한주　네.

41.　진주의 작업실 / 낮.

거실 테이블에 모여 앉은 진주, 범수, 한주, 재훈.

관자놀이 누르며 두통을 진정시키는 범수.

그에게 7부 대본을 건네는 진주.

범수　아·· 드디어 7부 수정고가 나왔구나·· 수정이 더 오래 걸리는 거 같아요?

범수, 대본을 가져가려 손을 뻗는데 그보다 빠르게 대본을 덮치는 진주의 손.

범수　(뭐야··? 왜…?)

진주　　하루키는 대단해요.

범수　　뭐 하루키가 갑자기‥

진주　　규칙적인 생활. 아침에 일어나 클래식을 듣고 낮에 달리며 록 음악을 듣고, 하루에 정해 놓은 원고량을 꼭 채우고. 일을 마친 후 마시는 맥주 한 잔에 행복을 느끼며 재즈를 듣고. 잠들기 전에 내일 아침에 들을 클래식 음반을 챙겨 두고. 어느 정도까지는 몰라도 최고의 경지를 위해선 철저한 자기관리가 필요하죠.

범수　　길게 말씀하셨는데 말씀의 의도를 모르겠어요.

진주　　나도 음악을 좋아하고, 운동에 대한 의지가 있고, 맥주 한 잔의 행복도 아니까. 하루키처럼 규칙적인 생활을 해봤어요.

범수　　축하합니다.

진주　　하지만 이틀 만에 깨졌어요. 맥주를 너무 마시는 바람에. 한 잔의 행복을 너무 느낀 나머지 다음 잔을 부르고‥ 또 부르고‥ 규칙적인 생활이란 게 보통 어려운 게 아니더라고요. 그래서 다짐했어요. 아… 그렇다면‥ 최고의 경지까진 가지 말자. 어느 정도만 하자.

범수　　그걸 뭐 다짐까지 해‥

진주　　(다시 대본을 내밀며) 어느 정도까지만 한 대본이에요. 최고를 생각하지 마요.

한주　　(어색하게 웃으며) 와‥ 기대된다. 어느 정도까지만 한 대본이라니‥

재훈　　잘 읽겠습니다~~

대본을 펼치고 읽기 시작하는 모두.
시간의 흐름··
피곤한 눈을 부비며 대본을 덮는 범수.
감독님이 어떤 리뷰를 꺼내놓을까 아주 약간의 긴장…

범수　후… 그거 알아요?
진주　(또 뭔 말 하려고….)
범수　대본이 좋으면 어떻게 찍어도 재밌는 거.
후… 어떻게 찍어도 재밌겠다. 두통이 사라졌어요.

동의한다는 듯 그제야 환하게 웃는 한주와 재훈.

진주　(기분 좋게 털고 일어서며) 자 밥을 먹어봅시다!
한주　(일어서며) 어디로 모실까요? 맛난 거 드시죠.
진주　(시계 가리키며) 여섯 시. 나 퇴근. 우린 따로 가도 되지?
한주　그러무닙셔.

42.　도로 / 한주의 차 안 / 밤.

운전석 한주. 조수석 재훈.

재훈　작가님 감독님 두 분 참 멋진 거 같아요.
한주　음·· 여러모로 멋있죠.
재훈　겉으로 보면 두 분 다 좀 허당끼 있어 보이는데··

가만히 보고 있으면 일도 연애도·· 뭐랄까·· 튼튼하달까.

한주　그쵸. 같이 일하면서 불편할 법도 한데, 고민을 마치고 난 후엔 자기감정에 거짓 없이 선택하고, 그 결정에 책임질 줄 알고. 흔들림도 없고. 그래서 감출 필요도 없고.

재훈　그게 서로 존중해주는 모습 같아서 그게 멋져요.

한주　그거보다 더 멋진 게 뭔 줄 알아요?

재훈　?

한주　그 멋진 걸 해내고 있다는 걸 본인들은 잘 모른다는 거예요.

잠시 이해하는 데 시간 걸린 재훈의 웃음.

재훈　아하·· 아·· 그래서·· 꼰대 기운이 없으시구나··

한주　어떻게 보면 순수하죠.

재훈　아··· (생각이 많아지는·· 창밖을 내다보며·· 혼잣말하듯 흘리는··)
근데·· 순수한 건·· 잘 깨지지 않나··?

금세 그늘지는 재훈을 살피는 한주.

43.　진주의 본가 / 밤.

진주와 범수. 진주의 가족들과 함께 저녁식사.

편하게 뜨라고 손짓해주는 진주 모.

하지만 뭔가 안쓰러워하는.

편하게 뜨라고 손짓해주는 진주 부.

하지만 뭔가 안쓰러워하는.
편하게 밥은 뜨지만‥ 어색하게 웃어 보이는 범수.
그런 범수를 보며 순간 숙연해지는 지영.

진주 부　‥다시 한번 생각해보게.
범수　네?
진주 모　다시 한번 생각해보라고 하셨습니다.
범수　아‥ 네‥ 같이 일을 하고는 있지만 문제없게 잘 처신하도록 하겠습니다.
진주　(싱끗) 우리 어때 보여?
지영　가해자와 피해자로 보여.
진주　(싱끗) 내가 가해자구나?
지영　물론이지.
진주　(싱끗) 고마워.
범수　제가 할게요, 가해자.
제가 한번 사랑의 가해자가 되어 보겠습니다.

재밌는 농담이었다는 듯 풉- 웃어보는 범수. 하지만‥
시선을 피하고 숙연한 자세로 밥이나 먹는 가족들.
그저 천진하게 웃고 있는 진주. 그저 어색하게 웃는

범수　이렇게나 반겨주셔서 정말 감사합니다.

더욱 외면하고 밥이나 먹는 가족들.

Cut To

주방. 식탁에서 과일을 깎고 있는 진주 모.

그 앞에서 과일 먹고 있는 진주.

거실. TV를 켜놓고 마주 앉아 바둑을 두는 진주 부와 범수.

범수 진주 씨 어렸을 때 맞을 짓 많이 했을 거 같은데··

아버님 뵈니까 별로 안 맞았을 거 같네요.

진주 부 엄마한테 맞았지. 많이 맞았어.

범수 아·· 근데 정신을 못 차린 케이스구나··

주방에서 듣던 진주가 흘겨본다.

진주 부 아홉 살 땐가·· 엄마한테 뒤지게 맞고 나선 짐 가방을 싸더라고·· 그래서 내가 가출하게? 물었더니 그렇대. 맞고는 못 살겠대. 그래서 내가 날도 추운데 맞을 짓 안 하고 여기서 사는 게 낫지 않겠냐·· 그랬더니 맞을 짓 안 하고 살 자신이 없대.

범수 와아·· 명확하네. 그래서 가출을 했어요? 아홉 살에?

진주 부 응. 두 시간 만에 지 발로 들어와서 또 맞았어.

범수 (재밌게 웃는) 아하하하·· 아·· 왜 그 표정이 훤히 다 보일까·· 아·· 재밌다··

거실. 거실 대화에 삐죽거리는 진주.

그러다 문득 엄마를 보곤

진주　(속삭이듯) 엄마.

진주 모　응?

진주　껴봤어?

진주 모　뭐.. 그거?

진주　응.

진주 모　(거실 쪽 슬쩍 살펴보곤 작은 소리로) 껴봤지. 열심히 껴봤지.

진주　뭐 열심히 씩이나..

44.　플래시백 몽타주.

- 진주의 본가 안방. 밤.

침대에 반쯤 누워 스쿳니어링 자서전을 읽고 있는 진주 부.

화장대에 앉아 크림을 바르고 있는 진주 모.

그러다 문득 진주의 말이 떠오르기도 하고.. 마침 내장된 가스도 있다 싶어… 엉덩이를 살짝 들어 뽀옹—

가만히 반응을 살피는 진주 모.

하지만 아무런 반응이 없는 진주 부.

왜 반응이 없는 것인가..? 뭔가 심심한 진주 모.

- 세탁소. 낮.

세탁과 다림이 끝난 옷에 비닐을 씌우고 있는 진주 부.

점심으로 싸온 도시락 통을 정리하고 있는 진주 모.

남편을 살펴보다가 또 문득 떠올라. 뽀옹—

아무런 반응이 없는 진주 부.

뭐야? 이젠 뭔가 오기가 생기는 진주 모.

진주 모 (V.O) 아니 사람이 방귀를 뀌는데 이거 너무 반응이 없으니까… 그럴 일은 아닌데 뭔가 서운하대?

- 진주의 본가 주방. 밤.

설거지하고 있는 진주 모. 옆으로 물 한 잔 따라 마시고 있는 진주 부. 역시나 뽀옹— 역시나 무반응.

- 거실. 밤.

소파에 앉아 드라마를 보고 있는 진주 모.

아래서 바둑 책을 보며 바둑돌을 두고 있는 진주 부.

뽀옹— 역시나 무반응.

- 침실. 밤.

침대에 누워 잠을 청하는 진주 모.

불을 끄고 옆으로 눕는 진주 부.

역시나 뽀옹—

진주 모 (F) 나중엔 오기가 생겨서 없는 방귀도 만들어서 뀌었어.

45. 현재 / 진주의 본가 주방 / 밤.

거실 남자들 슬쩍 눈치 보고 대화를 이어가는 진주 모와 진주.

진주 그걸 뭐.. 만들어서까지..

진주 모 그 정도 꼈으면 속 안 좋냐, 아니면 화났냐, 뭐 그런 거라도 물어봐 주는 게 정상 아니야?

진주 너무 깊게 빠지는 거 같아.

진주 모 맞아. 아주.. 깊게 빠졌어. 니 아빠가.

진주 응?

진주 모 그렇게 며칠을 껴대다가 이제 안 끼는 게 어색할 지경에 이른 어느 날..

46. 진주의 본가 거실 / 플래시백 / 밤.

진주 모 (V.O) 아 술도 못 마시는 양반이 한잔 걸치고 와서는..

소파에 늘어지게 앉아 진주 모에게
안내 책자를 건네는 진주 부.

진주 모 (뭐지? 하고 받아보면) 뭐야..?

인서트

건강검진센터 안내 책자.

진주 모　……뭐.. 뭐야?

진주 부　예약했어.. 하.. 우리 약속했잖아.. 애들 다 시집가면..
시골 내려가서.. 우린 자연인이다~ 하고 살기로..
근데 둘 중에 하나가 없으면.. 그게 우린 자연인이다~ 가 안 되잖아.. 나는 자연인이다~ 지.
난.. 너 없으면 의미 없다 그거..

진주 모　.....

47.　현재 / 진주의 본가 주방 / 밤.

꿈뻑꿈뻑… 엄마 한 번, 아빠 한 번 쳐다보는 진주.

진주 모　아 얼마 전에 아빠 친구 부인이 암으로 죽었는데..
그렇게 방귀를 뀌고 냄새가 독하고 그러더래..
병 생긴 것도 모르고 구박만 했다고..
아.. 씨.. 방귀 몇 번 꼈다가 죽음을 논하게 될 줄이야..

진주　.......

진주 모　아 우리 나이가 그렇잖아. 야, 그냥 끼고 살어. 오래 볼 거면.

진주　.......

48. 플랜D 스튜디오 안 / 밤.

악보를 고정하고 기타를 고쳐 잡는 솔비.

마주 앉은 효봉도 기타 음 테스트..

정식 녹음 아닌.

솔비 자.. 제가 불러 보겠습니다.

솔비의 기타. 효봉의 합주.

솔비의 노래가 시작된다. '냄새는 난다'

49. 한적한 산책로 / 밤.

솔비의 노래가 이어진다.

기분 좋은 얼굴로 걷는 범수와 진주.

범수 아.. 너무 많이 먹었다. 한 바퀴 더 돌까요?

진주 좋아요.

범수의 손을 잡는 진주. 한층 더 기분이 좋아지는 범수.

서로 편안한 미소로 바라보다 말없이 걷는. 그렇게 몇 발자국 걸었을까. 뽀옹—

표정 변화도 없는 그들인지라 누가 꼈는지 모를..

그러다 기분 좋은 표정, 그 편안함 그대로 진주를 바라보는 범수 왜 이래요?

그냥 기분 좋은 표정, 그 편안함 그대로 걷는 진주.

멀어지는 그들의 모습에서.

뽀옹—

걷는 것 외 별 미동이 없는지라 누가 꼈는지 모를··

범수 ···· 적당히 할까요, 우리. 뭔지 알겠는데·· 알 것 같은데·· 적당히··

진주 아··· 오늘은 공기가 좋다.

범수 음·· 그래요. 좋아요. 그럼·· 우리 연타는 하지 말기로 해요. 연타로 하는 건 좀 그렇잖아. 뭔가 공격받는 거 같고··

진주 알았어요.

범수 네, 고마워요.

진주 나두요.

더 멀어지는 그들의 모습.

50. 플랜D 녹음 부스 안 / 밤.

노래를 마치는 효봉과 솔비.

51.　　홍미유발 엔터 복도 / 낮.

띵— 엘리베이터 소리.

엘리베이터에서 내린 한주 바쁘게 걸으며 시계를 본다.

한주　　아. 안 늦었구나..

천천히 걸어 들어가는 한주.

52.　　홍미유발 엔터 소진의 사무실 / 낮.

빈 사무실. 소파에 앉아 시계를 보는 한주.

53.　　홍미유발 엔터 복도 / 낮.

띵— 엘리베이터 소리.

엘리베이터에서 내리는 소민.

뒤따르다 앞서가 문을 열어주는 동구.

카메라를 들고 소민을 따라가는 은정.

54.　　홍미유발 엔터 복도 / 낮.

띵— 엘리베이터 소리.

엘리베이터에서 내리는 진주. 안을 들여다보며 걸어간다.

55. 홍미유발 엔터 / 낮.

소진의 사무실에서 나오는 재훈.

마침 엔터 안으로 진주가 들어온다.

재훈 안녕하세요, 작가님.

진주 안녕하세요 재훈 씨.

재훈 들어가세요. 감독님만 아직 안 오셨어요. 커피 가지러 가는데, 뭘로 하시겠어요?

진주 커피요.

재훈 네~

하곤 소진의 사무실로 들어가는 진주.

56. 홍미유발 엔터 소진의 사무실 / 낮.

들어서는 진주.

앉아있던 한주가 일어서 싱끗 웃어 보인다.

이어 일어선 소민. 어색한 듯 싱끗.

한쪽엔 은정이 카메라를 설치하고 있다. 진주를 보곤 싱끗.

진주 아.. 오랜만이네.

소민 안녕. 음.. 혹은.. 안녕하세요?

진주 안녕으로 하자.

소민 안녕.

진주 …안녕.

네 여자의 어색한 싱긋.

"‥안아줄까요?

안으면…

……포근해."

_상수의 말 중

·14부·

14

1. 은정의 집 전경, 풍경 / 아침.

익숙한 핸드폰 알람이 한참 울리다가.. 멈춘다.

그리고.. 익숙한 아파트 단지 내 아침 풍경이 보인다.

지하 주차장을 빠져나오는 차량들. 짹짹. 지저귀는 참새들.

초딩의 손을 잡고 등교 중인 엄마 혹은 아빠의 하품.

늦었는지 뛰어가고 있는 여중생.

아침 운동을 마치고 돌아온 느긋한 노인들.

청소하는 관리 아저씨 등… 아침의 풍경들..

2. 한주의 방 / 아침.

따사롭게 파고든 아침 햇살. 아직 기분 좋게 잠들어있는 한주와 인국의 판타지적인 목소리.

한주 (V.O) 인국아.. 이상해.. 이럴 리 없는데.. 이상하게 몸이 가벼워.

인국 (V.O) 그렇겠지. 늦잠 잤으니까.

한주 (V.O) 그렇구나… 오늘이 주말은 아니지?

인국 (V.O) 응.

한주 (V.O) 공휴일도 아니고.

인국 (V.O) 응.

팟— 하고 눈을 뜨는 한주. 시계를 확인한다. 뜨학!!!!

3. 은정의 집 거실 / 아침.

한주의 방 문이 보이는 가운데 그녀의 다급한 목소리.

한주 (V.O) 꺄아아악!!! 야 황인국!! 너 알람 소리 들었지!!
왜 안 일어나?!!!

인국 (V.O) 그러게.

한주 (V.O) 왜 안 깨웠냐고?!! 일부러 안 깨웠지?!!
지각할라고?!

인국 (V.O) 글쎄.

문을 박차고 나오는 한주.
일어날 생각 없이 축 늘어진 인국을 들쳐업고 욕실로.

4. 흥미유발 엔터 / 아침.

하나 둘 출근하는 직원들. 자리에 앉아 사들고 온 밴드를 턱 밑 긁힌 상처에 붙이는 재훈. 작은 거울에 비친 자신의 얼굴을 물끄러미 바라본다. 피곤하다.

5. 재훈의 집 / 플래시백 / 아침.

침대. 외출복 차림 그대로 잠에서 깨는 하윤.

숙취에 괴로운. 앞을 보면 엉망인 집을 치우고 있는 재훈의 모습. 책장에 책들이며 살림이 모두 바닥에 떨어져 있다.

미안한 마음이 드는

하윤 내가 치울게.

말없이 집을 치우는 재훈.

하윤 출근해야 되잖아. 잠도 못 잤지?

재훈 (익숙한 한숨)…… 걱정해주는 거야?

하윤 미안해‥ 내가 치울게, 내가 한 거. 출근해‥

6. 홍미유발 엔터 / 아침.

생각이 많은 재훈.

그때 소진이 들어오고 직원들의 인사를 받는다.

재훈 안녕하십니까.

소진　　안녕. 황 실장 출근 전인가?

재훈　　아… 그…

소진　　오전 중에 회의 좀 하자.

재훈　　네.

7. 아랑의 프로덕션 편집실 / 아침.

밤샘 작업한 듯 소파에 잠든 은정. 부스스 눈을 뜨면.

책상 의자에 앉아 그녀를 걱정스레 바라보고 있는 홍대.

홍대　　급한 것도 아닌데 왜 밤을 새.

은정　　그냥.. 분량이 많아지니까 스트레스도 쌓이고.
머리가 좀 아파서.

홍대　　머리가 아파서 일을 하다니.. 그건 중독인데.. 일 중독.

은정　　도박이나 마약보다 낫지.

홍대　　보통은 휴식이라는 방법을 사용하지.

은정　　아… 그러네…

한숨을 내쉬며 마른 세수를 하는 은정.

그리고 다시 앞을 보면 홍대가 보이지 않는다.

그저 가만히 그 빈자리를 바라보는 은정. 옅은 한숨.

8.　　한강 공원 / 낮.

트레이닝복 차림으로 러닝하는 소민.

하기 싫은 러닝으로 그녀를 따르는

민준　아니 왜 하지도 않던 달리기야… 너 잠도 많이 못 잤잖아.

소민　그러게 왜 사람 잠을 안 재워.

민준　누가 들으면 야한 생각하겠네. 안 피곤해?

소민　걔네랑 넷이 있는데 뭔가 찝찝해.

민준　걔네?

＊플래시백 - 13부 마지막 씬.

소파에 앉은 진주, 은정, 한주, 소민.

뭔가 마음에 들지 않는 표정으로 한 명 한 명 살펴보는 소민.

무릎에 손을 짚고 숨을 고르는

소민　생각보다 안 늙었어.

민준　(숨찬) 뭐… 니가?

소민　걔네가.

민준　그게 뭐? 그게 왜?

소민　생각보다 예뻐.

민준　뭐라는 거야… 그게 뭐? 니가 더 예뻐!

소민　그건 당연한 거고!

민준　근데 왜?!! 뭐?!!

소민　내가 더 예쁜데… 뭔가 압도적이지가 않아.

민준 아이구 이런··

소민 내가 배우잖아. 내가 관리받고. 그거 아니어도 내가 원래 더 예뻤고. 그럼 내가 압도적으로 예뻐야 되는데 뭔가 압도적인 느낌이 없어.

민준 아·· 그니까 이기긴 이겼는데 우세승 정도다··?
케이오가 아니라 판정승 정도다? 그래서 찝찝하다?

소민 아니 대결 자체가 성립이 안 돼야지.

민준 그 대결을 니가 스스로 성립시키고 있는 거 같은데?

그때 뒤늦게 카메라를 들고 따라와 쓰러지는 병삼.
토 나올 것 같다.

병삼 많이 뛰신 거 같은데요··

소민 네버 스탑. 저스트 두 잇.

달리는 소민. 힘겹게 따르는 민준.

민준 잠 못 자고 뛰면 더 늙어!

소민 내가 늙었다는 거야?!

병삼 안 해·· 안 해··

9. 진주의 작업실 / 낮.

타이핑을 하다가 다시 지워버리는 진주.

머리가 아픈. 짜증이 이는. 이를 앙 물어보는.
그러다 포기하는. 긴.. 한숨. 마주 앉은 수희.
힘겨워하는 진주를 물끄러미 바라보다가

수희 언니… 힘들지..?
진주 응? 아니. 그냥.. 조금 죽을 것 같은 정도.
수희 아직 괜찮구나. 많이 죽을 것 같진 않으니까.
진주 응. 행복해.

싱긋 웃다가 급 표정이 사라지며 테이블에 엎어지는 진주.

수희 좀 쉬어.
진주 그래 쉬어야겠어.. 어떻게 쉴까?
수희 앉아서.

바로 앉는 진주.

수희 대본 쓰면서.

키보드에 손을 올리는 진주.

수희 응. 그렇게. 좀 쉬어.
진주 응.. 니가 참.. 힘이 된다..
수희 다행이다.

힘없이 타이핑해보는 진주.

10. 제이비씨 드라마국 / 낮.

각자의 책상에 엎어져 자고 있는 환동과 동기.
피곤한 낯으로 피곤함 쌓이는 통화하며 들어서는 범수.

범수 아니 한참 글 쓰고 있는 작가한테 갑자기 안마의자를 대본에 넣어달라니..! 아 피피엘도 좋은데 아무리 그래도..

소리에 부스스 잠에서 깬 환동이 범수를 보곤 다시 누워버린다. 그런 환동이 신경 쓰이면서도 짜증을 이어가는

범수 아 몰라! 아무튼 8부 나올 때까지 작가님 건드릴 생각하지 마요. 그리고 안마의자는 무슨! 내가 안 해 그거. 됐죠?

전화를 끊고 피곤한 몸을 의자에 파묻는 범수.
하품하며 깨어난 동기가 그런 범수를 물끄러미

동기 아침부터 왜 빡쎄?
범수 니 얼굴이 더 빡쎄. (환동 보며) 여기 뭐 여관이야?
동기 재는 촬영 얼마 안 남아서 저런 거고. 나는 연애하느라 그런 거고. 질적으로 달라.
범수 자랑이다. 연애가 아주 뜨겁나 보네?

동기 응. 야, 다미가 하도 술 먹으러 나가면 연락도 안 되고 그래서 내가 빡쳐가지고 어제 한 번 나도 똑같이 했어.

범수 아·· 그런 식으로 뜨겁구나···

동기 응. 밤새 폰도 안 보고 술 퍼마시고 놀았어. 그랬더니 어떻게 된 줄 알아?

꽤 흥미롭게 얘기하는 동기에게 잠시 관심 갖게 되는 범수.

범수 어·· 어떻게 됐는데?

동기 (머저리같이 웃으며) 피곤해. 흐흐흐흐···

범수 (이·· 이·· 불쌍한 새끼····)

동기 그리고 더 중요한 일이 벌어졌어.

범수 ····뭐?

동기 다미한테 전화 한 통도 안 왔어. 흐흐흐흐흐···

범수 (이·· 이·· 불쌍한 모자란 새끼) 자··· 자 이 새끼야···
(일어서며) 작두콩 차나 마셔야겠다··

하품. 다시 책상에 엎드리는 동기.
범수가 없는 걸 실눈으로 확인하고 일어서는 환동.
피곤한 듯 마른 세수를 하며 등받이에 늘어지면,
반대쪽에 바짝 붙어 앉아있는 범수가 보인다.
깜짝 놀라 앉은 채로 자빠질 뻔한 환동.

범수 이 또한 예상치 못했던 건 아니고, 감수하고라도 이행하고 싶은 감정이 있었다. 오늘날 너와의 어색함 때문에 그 감정을 저버린다면 그게 더 유치한 코미디라고 생각했다. 너에게 이해를 구해야 한다면 그리하도록 하마.

환동　이해가 필요한 일은 아닙니다. 심려치 마십시오. (일어선다)

범수　계속 피할 거냐?

환동　피하지 않았습니다.

범수　솔직한 말인가?

환동　외면한 겁니다.

범수　비슷한 말이군. 그래.. 뭐든 강요할 순 없지. 우선 알겠다.

인사하고 돌아서 가는 환동.
그러다 문득 걸음을 멈춘다. 그리고 돌아선다.
그리고 마냥 범수를 바라본다. 강렬한 듯 오묘한 환동의 눈빛이 무엇을 의미하는지 범수는 알 수 없다.

환동　저랑 팔씨름 한 번 하시겠습니까?

범수　팔씨름…? 전혀 예상치 못한 전개구나.

환동　감독님을.. 하나 이겨버리고 싶습니다. 힘으로.

범수　이길 수 있을 거라 생각하나?

환동　어렵게 느껴지진 않습니다.

여유 있게 빙긋 쪼개는 범수.
그 비슷하게 한 번 쪼개보는 환동.
약간 유치해 보이기도.

11. **제이비씨 휴게실 / 낮.**

팔씨름 대형으로 선 범수와 환동.

자다 말고 심판을 보게 된

동기 무엇을 위한 결투인가. 돈? 명예? 사랑?

질 생각이 전혀 없는 환동과 질 생각을 전혀 못하는 범수

손을 맞잡는다.

동기 (두 사람의 손을 잡고) 자… 무엇이 됐든 핑계 없는 단판.

리턴 매치 요구에 거부해도 비겁하다 말하기 없기.

손모가지 나가도 병원비는 본인 보험으로 처리.

준비하시고‥

터질 듯 손에 힘주는 범수와 환동.

동기 고우!

바들바들 떨리는.

좌우 어느 방향으로도 움직일 생각이 없는 두 남자의 힘

대결. 생각보다 쎈 서로를 보며 당황하는 둘.

씨뻘개지는 얼굴. 결과는…

12. 혜정의 방 / 낮.

작업 중인 혜정.

앞에 무언가가 계속 신경 쓰인다.

그 앞에 무언가는 인종이다.

올곧이 앉아 그냥 바라보고 있다. 그냥.

혜정 (일이나 하려다 결국 포기) 하…. 왜 그러고 있는 건데?

인종 일하고 있는 건데?

혜정 그러고 그냥 앉아있는 게 일이야?

인종 낼모레 촬영인데 작가가 나가서 술이나 먹고 말이야. 그것도 매니지먼트 대표랑. 그것도 남자랑.

혜정 매니지먼트 대표인 게 문젠 거야? 남자인 게 문젠 거야?

인종 그냥 그 새낀 게 문제야.

혜정 국장님 혹시 질투해?

인종 ……나 이 드라마 씨피야. 내 작가 내가 지켜야지. 원래 촬영 앞둔 작가는 술 안 먹는 거 아니야? 박해영 작가는 날것도 안 먹는댔어. 혹시라도 탈 날까 봐. 그게 작가로서의 책임감이라는 거야.

혜정 아… 그냥 보고 있는 것만으로 피로감을 주다니.. 그것도 능력이다.

밖에서 초인종 소리가 들린다.

13. 혜정의 작업실 / 낮.

사랑이 문을 열어주고

소 대표가 음료 박스를 들고 들어온다.

소 대표 안녕하세요~ 작가님 약속하고 왔습니다.

사랑 네 들어오세요.

혜정이 나와 반긴다.

소 대표 해장하셨습니까~

혜정 응 어서 와요~ 들어와.

14. 혜정의 방 / 낮.

들어오는 소 대표, 경계 어린 눈빛의 인종과 눈이 마주친다.

소 대표 어? 왜 여기 계세요?

인종 나 이 드라마 씨피야. Chief Producer. 몰라?

넌 왜 여기 있냐?

혜정 아, 마실 거 뭐 드릴까?

소 대표 시원한 거 아무거나 주십시오.

혜정 (주방으로) 오케이.

인종과 마주 앉은

소 대표　아 오늘 배우들 프로필 드리기로 해서. 캐스팅 아직 완료 안 됐다고.

인종　그걸 대표가 직접 가져와? 매니저 시키지.

소 대표　에이~ 저는 제가 직접 해요. 그래야 오디션이라도 불러주지.

인종　감독한테 주면 되지 왜 작가 작업실 와서 작업 방해해?

소 대표　오라고 하셔서 왔습니다. 하하.

인종　열심히 하는 거에 비하면 별로 못 나간다, 소 대표.

소 대표　(천진한) 하하. 네. 그래서 더 열심히 합니다.

인종　기분 상하라고 한 말인데 왜 웃어?

소 대표　(천진한) 기분 상합니다. 하하.

인종　그게 기분 상한 얼굴이야?

소 대표　하하하. 기분 상한 얼굴입니다.

괜히 더 기분 나쁜 인종. 삐친 것 같기도 하고..

인종　너 못생겼어.

소 대표　(웃음기 사라지고. 손으로 자신을 가리킨다. 저요?)

인종　(끄덕)

소 대표　저… 외람되지만.. 씨피님이.. 한.. 두 배에서 아니 세 배에서 네 배 정도 더 못생기셨어요. 저보다.

그때 음료를 들고 들어오는 혜정.

소 대표에게 음료를 건네고 앉는다.

소 대표　감사합니다. (프로필 꺼내 건네며) 여기 프로필.

혜정　응. 내가 감독님이랑 잘 상의할게요.

소 대표　잘 부탁드립니다.

인종　(혜정에게) 누가 더 못생겼어?

혜정　응?

인종　(소 대표와 자신을 번갈아 가리키며) 누가 더 못생겼어?

혜정　뭐라는 거야… 소 대표는 잘생긴 쪽이지.

인종　충격적이네.. 그럼 나는 못생긴 쪽이란 거야?

혜정　충격적이네.. 그걸 몰랐단 거야? 무려 47년 동안?

소 대표　아.. 이게.. 무슨 일이야 도대체..

빼친 인종. 나가버린다.

소 대표　진짜 모르셨던 거 같아요?

15.　홍미유발 엔터 소진의 사무실 / 낮.

한주와 재훈, 소파에 앉아있다.

책상에서 서류를 정리 중인 소진을 기다린다.

재훈의 턱 밑에 반창고를 발견한 한주.

소진의 눈치를 보며 속삭이듯

한주　이거 뭐에요?

재훈　아… 어.. 아 면도하다가..

한주 아…

피피엘 리스트를 들고 소파로 와 앉는 소진.
회의 모드.

소진 확실히 배우 캐스팅되니까 피피엘이 꽤 들어온다.
한주 잘 됐네요.
소진 문제는 우리 감독님인데. 피피엘 안 받아주기로 유명하다지 아마.
한주 아.. 그런가요?
소진 유명세답게. 마케팅팀에서 바로 까였어.

소진, 리스트를 한주에게 건넨다.

한주 아… 안마기… 주인공이 가난한 작가라서.. 들어갈 데가 없긴 하죠..
소진 요새 정신없이 바쁜 거 아는데, 마케팅 8년 경험자로서 황실장이 해결 좀 해. 감독님 편 들어주기엔 금액이 너무 쎄.
한주 아…. 네..

가만히 지켜보던 재훈이 나선다.

재훈 제가 하겠습니다.
소진 응?

재훈	실장님 요즘 업무량이 너무 많으세요. 이 정돈 제가 하겠습니다.

소진	음.. 무시하고 싶은 마음은 없지만.. 마케팅 8주 경험자로서 이 정도라고 표현할 만한 건이 아닌데?

재훈	(한주를 보며) 그 8주를 누구한테 배웠느냐가 중요하죠. 할 수 있습니다.

재훈을 의아하게 쳐다보는 한주.

16. 흥미유발 엔터 회의실 / 낮.

범수와 재훈이 나란히 앉아 태블릿으로 영상을 보고 있다. 범수의 손목에 파스가 붙여져 있고, 영상은 솔비와 효봉이 연주하며 부르는 '냄새는 난다' 노래가 끝나고..

범수	노래가… 좋네…

재훈	플랜 디에서 작업한 곡인데 음악감독님이 드라마랑 어울릴 것 같다고 감독님이 원하면 삽입곡으로 쓸 수 있는 곡이라고 합니다. 꽤 적극적이세요. 미팅을 잡아볼까요?

범수	(잠시 고민…) 그래요. 잡아주세요.

재훈	네, 미팅 잡겠습니다. 근데 손목은 왜 그러세요?

범수	아.. 컴퓨터를 오래 해서.

재훈	아.. 힘드시죠? 그 와중에 죄송하지만.. (피피엘 리스트를 건네며) 이건 피피엘 들어온 건데요..

혹시나 하고 보면 역시나 안마의자. 피곤해지는

범수　아니·· 그래·· 피피엘 없이 드라마 제작하는 거 현실적으로 힘든 건 알아요, 내가 왜 모르겠어. 전 작품에선 심지어 내가 작가님도 설득해주고 막 그랬었어. 근데 갑자기 안마의자는 좀 그렇지. 세트도 작은데 이걸 어디다가 놔?

재훈　딱 한 회만 사용하는 거 보여주고 빼셔도 됩니다.

범수　손 안마기도 아니고, 이 무거운 걸 하루 쓰고 빼는 게 말이 되나?

재훈　그에 맞는 에피소드를 만들면 됩니다. 생뚱맞게 개연성 없이 한 씬만 들어가도 됩니다. 쉽습니다.

범수　그게 쉬워?

재훈　쉽습니다. 이를테면.

17.　은정의 집 거실 / 판타지 / 낮.

뭔가 평소와 다른 판타지적 조명 아래.

뭔가 평소와 다른 착한아이 표정의 인국이 달려온다.

한주는 홈드레스 착용. 인국은 꼬마 정장에 나비넥타이.

살갑게 한주에게 안겨선 얼굴을 부비는

인국　엄마, 엄마. 나 걱정이 있어요.

한주　말해보렴 우리 아가.

인국　너무 심심해요.

한주　그게 걱정이었구나. 그렇다면 엄마가 미리 준비한 것을 이용해, 뜻깊은 시간을 보내보기로 해.

거실 한 쪽으로 인국의 손을 잡고 데려가는 한주.
이전에 본 적 없는 안마의자가 놓여있다.

인국 엄마, 엄마. 이 커다란 물건이 무엇이죠?
한주 호호호. 알면서 묻긴.

Cut To
안마의자에 앉아 안마를 받고 있는 행복한 표정의 한주.
옆에서 해맑은 얼굴로 서서 한주를 보고 있는

인국 엄마, 엄마. 난 상관없지만 내가 심심하다는데 왜 엄마가 여기 누워계시죠?
한주 어차피 맥락은 없는 거잖니?
인국 그게 무슨 말인지 모르겠어요. 엄마. 그리고 우리 집에 갑자기 안마기라니? 조금 뜬금없는 것 같아요.
한주 세상엔 여러 가지 삶의 방식이 존재하고 때론 거부할 수 없는 이유들이 우리의 신념을 바꿔놓기도 해. 15초 노출되어야 하니까 잠시만 기다리렴.
(시계를 보다가) 됐어. 15초가 지났으니 이제 내려갈게.
인국 하는 김에 끝까지 하세요. 전 기다릴 수 있어요.
한주 그럼… 그럴까?

18. 홍미유발 엔터 휴게실 / 낮.

되레 웃음이 나오는 범수. 굉장히 진지한 재훈.

범수 아… 그렇게‥?

재훈 네… 그렇게‥

범수 ….천재네.

재훈 고맙습니다.

범수 (일어서며) 자, 그럼 연출팀 회의 준비합시다.

재훈 그럼 이거 넣어주시는 거죠?

범수 아 했잖아요. 한 거잖아 지금.

재훈 (일어서며) 고맙습니다! 수고하셨습니다!
수고하셨으니까 한 모금하고 가시죠.

음료수를 건네는 재훈. 별생각 없이 마시는 범수.
문득‥ 자신이 마시고 있는 음료를 내려다보는 범수.
토레타. 음료수 한 번‥ 재훈 한 번 쳐다보는데‥
의미를 유추할 수 없는 묘한 미소.

범수 와아… 와아… 씨… 엄청나다.

재훈 네, 됐습니다. 가시죠.

피곤한 범수. 피곤한 재훈.

19. 음식점 / 낮.

작지만 사람이 가득 찬 밥집.

마주 앉아 메뉴판을 보고 있는 효봉과 문수.

문수 뭐 먹을까‥?

효봉 여긴 김치찌개지.

문수 그치‥ (직원에게) 여기 주문할게요.

카운터 쪽 사장에게 뭐라 얘기를 듣고 난감한 표정으로 오는

직원 저기‥ 그‥ (문수에게) TV 나오셨던‥

문수 아‥ 네‥ 한 번 나갔는데 알아보시네.

직원 저‥ 죄송하지만‥ 나가주시겠어요? 저‥

효봉 ?

직원 저는 아닌데‥ 그‥ 사장님이‥ 나가주셨으면 한다고…

사장을 보면, TV 채널이나 돌리고 있는.

아~ 무슨 의미인지 알겠는 효봉과 문수.

20. 거리 / 낮.

식당 앞거리. 별 느낌 없이 나란히 걷는 효봉과 문수.

효봉의 기분을 체크하는

문수 기분 안 좋아?

효봉 안 좋지. 맛집 하나 잃었는데.

문수 저기 맛집이야?

효봉 응.

문수 아… 아쉽네.

효봉 쌀국수 먹을까?

문수 그래.

대수롭지 않은 두 사람.

21. 거리 / 낮.

한적한 거리. 어딘가로 걸음을 옮기는 은정.

하릴없는 느낌. 결국 뒤로 돌아 목적지를 바꾼다.

22. 심리 상담실 / 낮.

일례와 마주 앉아 편안하게 차를 마시고 있는 은정.

은정 요즘에는 꿈에도 자주 나타나요. 보통… 아무 말을 하지 않거나… 지독하게 화를 내거나… 그런 모습으로.

일례 그런 모습을 이전에 본 적이 있나요?

은정 전혀요. 그런 사람이 아니에요. 항상 웃고. 응원해주고. 재미없으리만치 헌신적이고.

일례　서운해할까 봐 걱정돼요?

은정　네?

일례　은정 씨가 그분을 잊으려고 노력하는 모습처럼 보일까 봐. 그래서 그분이 서운해할까 봐·· 그런 걱정.

은정　아니요·· 내가·· 그 사람을 이용하는 것 같아요.

일례　?

은정　서운한 게 아니라·· 미안해요. 난 여전히 그 사람이 필요하고·· 그 사람이 보고 싶어요·· 그래서·· 나한테 화내는 건가·· (눈물이 날 것 같은) 미안해요··

일례　울고 싶으면 울어도 돼요. 여기선 괜찮아요.

일례가 건네준 티슈를 받는 은정.
은정을 잠시 기다려주는 일례··

일례　음·· 근데 이상하다. 은정 씨 잘못이 아닌데 왜 은정 씨가 미안해요? 너무 배려하는 거 아니에요? 그게 더 기분 나쁘겠다. 다음에 또 그러면 지지 말고 더 화내버려요. 소리 지르고. 싸워본 적 없어요?

은정　……싸워본 적이… 없네요…

일례　이번에 싸우면 되겠네. 대판 싸우세요.
자기가 잘못해놓고 왜 은정 씨 나쁜 사람 만들어.

은정　(피식·· 웃음이 새는) ……남자 새끼들이 다 그렇죠··

일례　(웃음) 맞아요. 그리고 은정 씨한테 중요한 미션 하나 드릴게요.

은정　미션이요?

일례　네. 꼭 지키셔야 돼요.

은정　네.

일례　일을 잠깐 쉬세요.

은정　아… 그건…

일례　보통 '여행이라도 한번 다녀오지 그래?'라는 말 많이 하죠? 괜히 그런 게 아니에요. 꼭 여행이라 칭하지 않더라도.. 다른 환경에서 시간을 보내기.

은정　다른 환경이…

일례　음.. 은정 씨 기부했다고 했죠?

은정　네..

일례　기부처에 가본 적 있어요?

은정　아니요.. 저는 그냥.. 재단에 한 거라..

일례　더 편하겠네요, 그럼. 휴식 삼아 한번 다녀오시는 것도 나쁘지 않을 거예요. 휴식은 집에서 하는 게 아니래요.

잠시 생각하는 은정.

23.　거리 / 낮.

한적한. 보통의. 생각에 잠긴 은정. 걷는다. 어디로 갈까. 시계를 보고. 생각. 목적지를 바꾼다. 뒤로 돌아 걷는다.

24. 플랜D 스튜디오 / 낮.

문을 열고 들어오는 효봉. 은정이 혼자 앉아있다.

효봉 어쩐 일? 다행히 도시락은 없네.

누나를 살펴보는데 슬쩍 웃음 짓는 게 오히려 쓸쓸해 보인다. 옆으로 가 앉는다.

은정 배고파서.

효봉 배고프다고 온 적은 없는 거 같은데.

은정 그냥·· 걷다가·· 그냥,,,, 생각해 봤는데. 우리가 상당히 불쌍한 남매처럼 느껴져서.

효봉 불쌍해서 배가 고파?

은정 불쌍한 거 이거 체력전이야.

효봉 그건 그렇지.

은정 밥 좀 먹게 동생이랑.

효봉 뜻에 따를게.

효봉을 살펴보는 은정. 녀석도 뭔가 그늘진.

은정 뭔 일 있어?

효봉 응. 점심을 쌀국수 먹었어.

은정 …그런 일이 있었구나·· 그럼 월남쌈 먹자.

효봉 응.

일어서는 둘. 누나에게 안기는

효봉　　피곤해. 업어줘.

은정　　업혀. 어디 싸개 없나.

나가는 두 사람.

진주　　(V.O) 피곤하다.

25.　진주의 작업실 / 밤.

다소 침침한 조명. 글을 쓰고 있는 진주와 엎드려 잠이 든 수희. 글을 써내려가는 진주의 표정에 서서히 슬픔이 깃들고·· 이내 훌쩍·· 훌쩍·· 잠결에 훌쩍거리는 진주를 본 수희. 이건 또 뭔가··

수희　　…뭐지?

진주　　(대본을 가리키며) 슬퍼.

수희　　자기 글 쓰면서 자기가 우는 거야?

진주　　넌 대본 쓰면서 웃고 울고 대사 쳐보고 안 해?

수희　　하지.

진주　　그거야.

수희　　하·· 참·· 내 인생 살아내기도 바쁜데 작가는 드라마 인물 감정까지 따라가야 돼·· 그렇다면 작가 노동시간은 남들에

절반으로 줄여야 되는 거 아니야?

수희의 말을 듣고 순간 뭔가 떠올라 타이핑을 하는

진주　대사 좋은데? 써먹어야겠어.

수희　하… 좋아서 일한다지만 작가 성격 이상한 거 다 이해해줘야 돼 이거!

진주　어? 그 대사도 좋아.

열심히 타이핑하는 진주.

진주　(V.O) 피곤해.

음악 인.

26.　흥미유발 엔터 / 밤.

회의실에서 기지개 켜며 나오는 재훈.
자리로 돌아가 앉으면 책상 위에 전기면도기
박스가 놓여 있다.
한주를 보면, 책상에 엎드려 잠든 건지 어쩐 건지 모를 한주.
한주의 책상 위에 살며시 홍삼을 올려놓는 재훈.

27.　제이비씨 드라마 국장실 / 밤.

손거울로 자신의 얼굴을 유심히 살피는 인종.

인종　이해가 안 되네… 팔자주름 탓인가…

인터넷을 열어 '팔자주름 피부과' 검색해보는 인종.

28.　제이비씨 구내식당 / 밤.

밥을 먹고 있는 동기와 환동.

불쑥 환동에게 포크 숟가락을 건네는 다미.

응? 하다가 건네받는 환동의 오른손에 붕대가 감겨 있다.

싱긋 웃어 보이고 가는 다미를 시기 어린 눈빛으로 갈구는 동기. 그 눈빛은 엄한 환동에게로.

동기　팔씨름 한번 할까?

환동　…제가 팔목을 잃어서.

29.　쌀국수집 / 밤.

마주 앉은 은정과 효봉. 테이블에 월남쌈.

라이스페이퍼를 물에 적시고 접시로 가져오는 은정.

페이퍼가 말린다. 펴내려는데 더 말린다.
효봉도 같은 모양으로 말린 페이퍼를 들고 있다.
마주 보는…

은정 우리 혹시 이거 처음 먹어 봐?
효봉 응.

30. 재훈의 집 / 밤.

밥을 차려놓고 식탁에 멀뚱히 앉아있는 하윤.
문을 열고 들어오는 재훈.
그의 손에 들린 전기면도기가 신경 쓰이는

하윤 누가 사줬어?
재훈 (피곤해질 것 같은) 내가 샀어.
하윤 너 수염 약해서 전기면도기 안 쓰잖아.
재훈 ·······

31. 은정의 집 / 밤.

아무도 없는 집. 인국이 뛰어 들어와 방으로.
무거운 몸을 이끌고 들어오는 한주. 소파로. 엎어져 잠들기세. 그때 오는 문자 음. 확인해보면. '재훈'.
어쩐 일이지 하고 보면.

'저 하윤이에요. 재훈이 여자친구. 제 남자 제가 챙길게요.'

낭패다 싶은 한주. 소파에 얼굴을 파묻는다.

32. 재훈의 집 / 밤.

씻고 나온 재훈. 식탁 위의 핸드폰을 본다. 왜 저기 있지?

자신의 핸드폰을 들여다보는 재훈. 이내 절망.

소파에 앉아 재훈을 노려보고 있는 하윤.

머리를 쥐어짜는 재훈.

33. 한강 공원 / 밤.

여전히 달리고 있는 소민과 민준.

카메라를 연결한 자전거를 타고 따르는 병삼의 하품.

민준 이러다 죽어!!!

달리는 그들의 모습에서

진주 (V.O) 피곤해도. 행복하고 싶어.

페이드아웃. 음악 아웃.

34. 진주의 작업실

진주, 한주, 범수, 재훈. 대본을 읽으며‥ 모두 피곤한 모양새.

재훈 (진주를 보며) 많이 피곤하시죠?

진주 잠은 잘 자요. (범수를 보며) 촬영 준비 때문에 힘들죠?

범수 쉬웠던 적은 없어요. (한주를 보며) 스태프들 계약하는 게 만만치 않죠? 예산은 그대론데 물가나 인건비는 오르니까.

한주 넉넉하게 일해 본 적도 없어요. (재훈을 보며) 피곤하죠? 잘 생겨서.

정적‥ 갑자기 분위기 드립에 한주에게 주목.

한주 다들 피곤해 보이셔서 농담 친 건데. 농담 쳐놓고 재훈 씨 얼굴 보니까 잘 생겨서 농담이 아닌 게 됐네요. 쏘리.

재훈 (진주에게 토레타를 건네며) 피곤하시니까 이거 드세요.

직접 뚜껑을 따서 진주에게 토레타를 건네는

재훈 가볍게~

범수 (재훈의 팔목을 잡으며) 적당히 해라‥

다시 정적‥‥ 피곤한 모습의 세 사람을 살피는 진주.

진주 우리. 놀아요.

응? 뭔 소린가 일동 진주에게 주목.

진주　이렇겐 안 되겠어요. 어디 가서 놀자고. 일 그만하고.

한주　아… 뭔가… 따르고 싶은 마음과 그렇지 않은 몸이 분리되는 느낌이다.

재훈　맘을 따를 것인가 몸을 따를 것인가…

모두, 가장 큰 결정권자인 범수를 쳐다본다.

진주　여행에서 찾으려 했던 건 집에 돌아와 찾아진다는 말도 있죠. 어디든 다녀와요.

범수　(일어서며) 고작 이 정도밖에 못 왔나 싶어 또 스트레스 받지 말고. 화끈하게 멀리 갑시다!

진주　옳거니!

한주　얼쑤!

재훈　지화자!

35. 보육원 앞 버스 정류장 / 낮.

버스 한 대가 선다. 문이 열리고 문이 닫히고 이내 출발한다.
아무도 없던 정거장에 우두커니 서있는 은정.
DSLR 한 대 들고 있다. 건너편 먼 곳에 무언가를 찾는다.

36. 보육원 가는 길 / 낮.

길을 따라 걷는 은정. 어딘가로 전화를 건다.

37. 보육원 앞 / 낮.

보육원 입구 앞. 인상 좋은 40대 남자(복지재단 직원)가 은정을 기다리고 있다. 멀리 오는 은정을 알아보고 손을 흔들어 반긴다.

재단 안녕하세요~~

꾸벅 인사하는 은정.

38. 보육원 안 / 낮.

보육원으로 들어서는 재단과 은정.

널찍한 앞마당에 뛰노는 아이들 몇몇.

제법 규모가 있는 건물. 천천히 둘러보며 걷는

재단 말씀하신 대로 미리 연락은 하지 않았습니다.
원래 후원자가 온다고 하면 우르르 나와서 인사하는데··

은정 아니요, 그런 건··

재단 네, 그러신 것 같아서. 하하.
천천히 둘러보시고 아이들하고 얘기도 좀 하시고, 뭐 오신 김에 봉사 좀 하고 가겠습니다~ 하시면, 여기 일거리는 아주 뭐 넘치니까요, 원하시는 만큼 드릴 수 있습니다. 받은 만큼 드려야죠.

은정　아··

재단　아·· 말이 좀 이상했죠? 농담이었는데·· 죄송합니다.

은정　아니에요. 재밌었어요.

재단　하하·· 근데 사진 찍으실 건가요?

은정　안 되나요?

재단　아니요. 뭐 애들이 단체사진엔 익숙한데··
여기 장애가 있는 아이들도 같이 있는 곳이거든요.
근데 얼마 전에 국회의원이 와서는 그 아이들 중 한 명을 굳이 목욕을 시키겠다고·· 에이 젠장·· 그걸 그대로 사진 찍어다가 SNS에다가 올려버리네? 그게 또 뉴스까지 나오네? 알게 모르게 좀·· 거부감이 있어요. 저희가.

은정　안 찍을게요.

재단　아니·· 그냥·· 조~ 금의 주의만··

은정　네.

39. 보육원 식당 / 낮.

식당으로 들어서는 은정과 재단.
네댓 명의 아이들이 빠져나가고 열댓 명의 아이들이 식사를 하고 있다. 낯선 곳을 둘러보는데··
식당 한가운데 어울리지 않게 어른 남자 한 명이 홀로 앉아 밥을 먹고 있다. 뒷모습이지만.. 어디서 많이 본 듯한..
그 남자 앞에 장난꾸러기 남자 녀석 두 명이 조용히 밥 먹는 남자를 놀리고 있다. 남자는 아랑곳하지 않다가.. 숟가락을 들어 꼬마 녀석들을 치운다.

상수 확 씨..!

헉! 아이들을 쫓아내며 드러난 상수의 얼굴을 보고 놀란 은정, 휙 뒤돌아선다.

재단 (무슨 일인가 싶은) 가시게요?

은정 아니.. 저기.. 저 남자..

재단 (상수를 한 번 보고) 네. 아세요?

은정 그.. 저 사람 여기서 뭐 그런 거 해요? 사회봉사.. 뭐 죄짓고 와서 하는 거.

재단 아.. 무서워하실 거 없어요. 그런 사람 아니에요. 우리 기부천사 김 회장님.

은정 처.. 천사?

재단 우린 그냥 회장님이라고 해요. 그냥 버는 족족 기부를 하셔서 뭐 먹고 살라 그러나.. 했는데, 여기 와서 먹더라고. 일 없으면 여기서 사는 양반인데?

뭐 하는 놈이지.. 천천히 돌아보는 은정. 상수는 여전히 꼬마들에게 놀림을 받으며 묵묵히 밥을 먹고 있다.

40. **월미도 / 낮.**

파도 소리·· 바닷바람을 맞으며 나란히 선 진주와 범수.

진주 고작 이 정도밖에 못 왔나 싶어 또 스트레스 받지 말고 화끈하게 멀리… 월미도 왔네요.

화면 멀어지면 알 만한 사람은 다 아는 월미도.

범수 멀어요. 지하철로 따지면 스무 정거장이 넘는데.

진주 좋아요. 바다도 있고·· 먹거리도 놀거리도 볼거리도 다 좋아요. 근데·· 일하러 온 거잖아.

범수 네? 그게 무슨…

진주 왜… 우리 대본에 있는 장소로 왔어요? 촬영 장소 미리 보러 온 거잖아·· 장소 헌팅.

범수 (딴청과 딴말) 월미도는 참 멋진 곳이에요.
(뒤를 가리키며) 저거 봐요·· 얼마나 좋아해··

저 뒤 먼발치·· 신나서 방방 뛰고 있는··
한주와 재훈이 보인다.

범수 다음엔 같이 좀 더 멀리 가요. 여행. 많이 걷고·· 많이 생각하고 많이 느끼고··

범수, 감성적으로 말을 이어가려는데 진주를 보면 자신과 느낌이 많이 다르다.

범수 ····뭐지? 왜 여기서 앞섶을 과장되게 가리며··
날 변태 보듯 보는데·· 입꼬리는 올라가 있지?

진주 음~ 여행이요? 둘이? 음~ 변태.

도망가는 건지 나 잡아봐라 하자는 건지
실실 쪼개며 뒷걸음질 치는 진주.

범수 저기요·· 무슨 생각하는 겁니까?

진주 음~ 여행 가재, 멀리. 둘이. 많이 느끼재··

범수 !!! (따라가며) 이것 봐요! 왜 여행이란 순수한 단어에 그런 추접한 생각으로 때를 묻히는 겁니까?!

진주 음~ 몰라 몰랑~

범수 아니 왜 여기서 교태를 부려···

진주 이잉~

범수 그만두세요!! 그거 어디서 배운 겁니까?!!

41. 보육원 식당 / 낮.

혼자 밥 먹고 있는 상수의 테이블에 식판을 들고 와 합석하는 재단.

재단 안녕하십니까, 회장님.

상수　아, 아저씨.

재단　아 나도 직책이 있는데 자꾸 아저씨래. 손님 한 분 소개해 드릴게요.

그리고 재단의 옆으로 식판을 가져와 앉는 은정.

상수　(놀란) 어…. 어…. 욕쟁이 할머니..

은정　욕쟁이까진 알겠는데 할머니는 또 왜 붙는 거지?

재단　(번갈아보며) 어…? 두 분이 아세요?

상수　내가 이 사람을 구했지. 난 정의로웠어.

은정　가는 길 막아서 치운 느낌 아니었나?

재단　그게 무슨.. 아, 그러니까 여긴 이은정 후원자님. ..인데.. 아시는 거죠?

상수　후원자?

재단　왜 그.. 우리 얘기 나눈 적 있는데? 그 다큐 감독님. 전 재산 기부.

상수　아… 그… 아…. 그 사람이 이 사람? 오.. 몰랐네. 진작 말하지. 근데.. 또라이야? 그걸 다 기부하면 어떡해?

은정　(죽을라고 이게…) 뭐? 또라이?

재단　그게 또라이면.. 저는 지금 또라이 양대 산맥을 보고 있는 거네요.. 영광입니다. 하하하..

서로 또라이 보듯 바라보는 은정과 상수.

42. 월미도 / 낮.

핫도그를 양손에 들고 달려오는 한주와 재훈.

한주가 범수에게 재훈이 진주에게 핫도그를 건네준다.

뭔가 행복한 진주와 범수.

나란히 걷는 네 사람의 들뜬 발걸음.

한주 이런데 오면 핫도그 하나씩 먹고 시작하는 거죠.

재훈 근데 여기선 뭐하고 놀아요?

범수 설마 처음 와보는 건가?

재훈 설마 처음인데요.

진주 아니 수도권 거주하면 월미도 정도는 10세 이전에 떼야 되는 거 아닌가?

재훈 아 제가 남쪽에서 자랐는데 그쪽엔 더 좋은…

진주 아하.

한주 핫도그로 좋은 시작을 하고 있어요.

범수 놀이기구는 선택이고.
우리가 여기서 고민 잘하고 계획을 짜야 될 게 있어.
조개구이를 먹을 거냐 회를 먹을 거냐, 아니면 여기선 참고, 근처 차이나타운으로 가서 만두를 먹을 거냐‥

재훈 아‥ 중요한 문제네요‥ 근데 차이나타운이면 자장면 아니에요?

범수 그렇긴 한데 손 만두 맛집이 있어요.

재훈 아… 심각해지네‥ 그럼 어떡해요?

범수 같이 고민을 해야지.

남자 둘의 대화를 이해하지 못하겠다는 표정으로 바라보고 있는 여자 둘.

진주 그게 왜 고민 거리지?

한주 다 먹는 거죠. 다 먹을 거야 난.

진주 당연한 거 아니야? 한 시간 먹고 한 시간 소화시키고, 한 시간 먹고 한 시간 소화시키고.

범수 아… 아… 그걸 몰랐네… 아.. 좋아! 우리 편짜서 게임하고 지는 팀이 먹는 거 쏘기.

한주 콜.

재훈 콜.

범수 어떻게? 성 대결로 가나? 파트 대결로 가나?

진주 엎어라 뒤지퍼라지.

핫도그 들고 한데 모여 엎어라 뒤집어라 하고 있는 어른 네 명.

43. 보육원 조리실 / 낮.

식판이 쌓인 커다란 양동이에 주방세제를 붓고 휘젓는 상수. 목욕탕 의자에 쪼그려 앉아 식판을 수세미로 닦고, 그 식판을 옆에 쪼그려 앉아있는 은정에게 건네면 호스로 물을 뿌려 씻어내는 은정. 뭔가 기계적인.

은정 굉장히 하기 싫은 표정인데 손놀림은 굉장히 익숙해.

상수　　하기 싫어.

은정　　근데 왜 해요?

상수　　해야 되니까.

44. 보육원 마당 / 낮.

아이들이 뛰노는 마당.

한쪽 빨래터. 이불 빨래를 하고 있는 상수와 은정.

각자의 커다란 양동이 안에서 이불을 발로 밟으며‥

은정　　그럼 일반적인 표정으로 하든가. 그렇게 하기 싫은 표정으로 이런 건 왜 하는 거예요? 안 어울리게.

상수　　어떻게 하면 어울리는 건데?

은정　　말투, 표정, 다 반대로 하면 어울리죠.

상수　　멋없어.

은정　　왜 자꾸 반말하지?

상수　　혼잣말을 누가 존댓말로 하나‥

은정　　아‥ 여태 혼자 말씀하셨구나‥

상수　　균형.

은정　　에?

상수　　일만 하면 지루해. 놀기만 하면 지루해. 균형.

은정　　먼 소리야‥ 알아듣게 말하면 지루해서 그러는 거예요?

상수　　난 이게 노는 거야. 노는 건 중요해. 균형을 위해서.
균형이 없으면 어떻게 되는지 알아?

은정 어떻게 되는데요?

상수 (갑자기 행동을 멈추고 은정을 강렬하게 쳐다본다)

은정 (뭐? 어쩌라고··)

상수 넘어져.

은정 후···

상수 넘어지면 어떻게 되는지 알아?

은정 (짜증) 아프겠죠!

상수 맞췄어.

은정 아·· 나·· 말 계속 반만 쓰네?

상수 혼잣말을 누가 존댓말로 하나··

은정 ······(죽여 볼까 이거··)

45. 월미도 게임장 / 낮.

풍선 다트. 풍선에 다트를 던지고 있는 한주와 재훈.

빵. 빵. 빵. 빵. 빵. 빵··

던지는 족족 풍선을 맞추는 한주와 재훈.

Cut To

풍선에 다트를 던지고 있는 범수와 진주.

빵. 탁. 빵. 탁. 빵. 탁. 빵. 탁. 빵. 탁. 탁.

벽에 맞아 탁 소리는 범수. 풍선 터트려 빵 소리는 진주.

진주, 던지려다 짜증.

진주　　벽이 아니고 풍선을 맞추라고‥

범수　　이게 영점이 안 맞는 거 같은데‥

진주　　손가락에 영점이 어딨어?!

Cut To

농구. 림에 농구공을 던지고 있는 한주와 재훈. 호흡도 척척.

골. 골. 골. 골. 골.

Cut To

림에 농구공을 던지고 있는 범수와 진주. 엇박자.

공에 공이 맞아 튕겨 나오길 반복. 결국 공을 집어던지는

진주　　돌아가면서 던져야지‥

범수　　알았어요, 알았어… 내가 맘이 급해서 그래.

Cut To

사격. 진중한 범수. 진중하게 한 발… 한 발…

벽 명중. 벽 명중‥ 뒤에서 우두커니 보고 있는 진주.

괜히 미안하지만 슬쩍 쪼개고 있는 한주, 재훈.

진주　　(돌아서며) 나와! 나와! 하지 마! 내가 살게! 됐어! 그만해!

곧바로 따라나서는

범수 같이 가요.

범수가 두고 간 총을 잡는 재훈. 적중. 적중. 적중.

46. 조개구이집 / 낮.

바다가 보이는 한적한 조개구이집.
뜨거운 불판 위에서 입을 벌리기 시작하는 조개들.
구운 소라에 이쑤시개를 쑤셔 넣고 입을 벌리기 시작하는 범수와 재훈. 재훈, 소라 내장까지 뽑아내지 못하고 실패.
범수, 소라 내장까지 완벽하게 뽑아내곤 세상 다 가진 승자의 모습으로..

범수 내가 이겼어!!! 내가 이겼어!!

기특하다 박수 쳐주는 진주와 한주.

진주 기특하네.. 응.. 이겼어.. 먹어. 초장 찍어 먹어.
범수 헤헤헤헤헤...

재밌게 웃는 네 사람.

47.　보육원 앞마당 / 낮.

그늘진 곳에 앉아 하드를 빨고 있는 은정과 상수. 마당에 뛰노는 아이들 네댓 명. 무색하게 아이들을 보고 있는 상수를 무색하게 보고 있는 은정.

상수　(시선 느끼고) …왜요?

은정　무슨 사연 있어요?

상수　?

은정　뭐 아리고도 먹먹한 종류의 지난 사연.

상수　멀쩡한 놈이 여기서 이러고 있으면 꼭 뭐 사연 있는 줄 알더라.

은정　멀쩡하지 않아보여서 물은 건데.

상수　사연… 있지. 난 모자라지도 넘치지도 않은 중산층 가정에서 태어나 행복한 유년시절을 보내고, 열심히 공부해서 대학가고 성공했어.

은정　…….

상수　…….

은정　…….끝이에요?

상수　그치.

은정　아리고 먹먹해 그게?

상수　그치. 저 애들 사연 한번 들어놔 볼까?
내가 그 정도 사연뿐인 게 얼마나 아리고 먹먹한지 알아?
여튼 애들 괴롭히는 어른 새끼들은 싹 다 갈아 마셔야 돼.

은정　…….

할 말 없는 은정. 아이들을 바라보다 생각에 잠긴다.
그런 은정을 슬쩍 보는 상수. 가만히 살피다가…

상수 ‥안아줄까요?
은정 뭐‥ 뭐라는 거야‥ 당신이 날 왜 안아?
상수 힘드니까.
은정 내가 힘들다 그랬어? 그리고 내가 힘든데 당신이 날 왜 안아?
상수 안으면…
은정 ……
상수 ……
은정 …… (아 썅‥ 답답해…)
상수 ……. 포근해.
은정 (짜증) 아‥ 씨‥ 아니 왜 말을 그렇게 하는 거예요?
안으면 포근해. 붙여서 하면 되지.
왜 주어와 서술어 사이에 시간을 그렇게 끄냐고.
상수 내가 그래요?
은정 (또라이야 이 새끼 이거?)

앞에 놀고 있는 남자아이와 눈이 마주친 상수.
손가락으로 까딱까딱하면
아이가 달려와 상수에게 폭 안긴다.
상수, 포근하게 아이를 안으며 은정을 노려본다. 계속.

은정 (뭐‥ 뭐‥ 숨 막힌다‥ 뭐 또?)

상수 …포근해.

은정 (숨 트인다) 와‥ 씨…

상수 (아이에게) 이제 떨어져. (안 떨어진다) 떨어지라고.
(떨어질 생각 없는 아이) 떨어지라고!!!

상수, 벌떡 일어서지만 계속 매달려 있는 아이.

상수 뭐 하는 짓이야! 떨어지라고!!

놀이기구처럼 뱅글뱅글 돌리는 상수. 떨어지지 않는 아이.
그 모습을 본 아이들이 자기도 해달라며 와아아아~ 달려
든다.

상수 아‥ 나… 안 꺼져?!! 꺼지라고!!!!
어딜 만져 인마!! 수치심을 모르네, 이것들이‥

상수가 소리 지를수록 더 좋아하는 아이들.
으아아악!!! 진심으로 짜증 난 것 같은 상수의 모습.
그 모습을 보며 뭔 감정을 가져가야 되나 모르겠는 은정.

48. 월미도 / 해 질 녘

부른 배를 두드리며 걷는 행복한 진주, 한주, 범수, 재훈.

한주 칼국수는 먹는 게 아니었다 싶어.

진주 아.. 이 사악한 글루텐.

범수 만두 먹어야 되는데..

재훈 인천엔 자장면 위에 계란 후라이가 올려져 있다는 게 사실입니까?

범수 사실일세. 기름에 튀겨낸..

한주 못 먹겠어..

진주 젠장.. 인정.

범수 그래도 여기까지 왔는데.. 삼치골목 가서 삼치에 소주 한잔은 해야지 않을까요? 배부를 땐 간단하게 생선구이.

한주 그래. 그건 생선이니까 괜찮을 거야.

진주 그래 갑시다. 소라 빼기도 이겼는데 들어줘야지.

재훈 아.. 풍성한 도시로군요.

49. 동인천삼치골목 전경 / 밤.

범수 (V.O) 이모님~ 여기 삼치구이 하나 찜 하나 고추장찌개 하나 계란말이 하나 주세요!

진주 (V.O) 뭐야 말이 다르잖아. 몇 개를 시키는 거야?

범수 (V.O) 두 당 하난데요 뭐.

50. 삼치구이 안 / 밤.

삼치구이. 삼치찜. 고추장찌개. 계란말이. 한상 가득 차려진 음식들. 테이블 위 가득.

배부른 와중에 설레는 범수, 진주, 한주, 재훈.

범수의 젓가락에 의해 잔인하게 찢기는 삼치구이.

삼치구이 한 입.. 만족스런 미소의 한주, 재훈, 진주.

진주　음… 소주 친구네. (한 잔 마시고) 크…

51. 보육원 마당 / 밤.

조용해진 보육원 마당을 가로질러 걷는 은정과 상수.

상수　차 가지고 왔어요?

은정　아니요.

상수　태워줄까요?

은정　음.. 뭐..

52. 보육원 앞 버스 정류장 / 밤.

무색한 표정으로 나란히 앉아있는 은정과 상수.

은정　버스는 보통.. 태워줄까요.. 가 아니라 같이 탈까요.. 라고 해요.

상수　그런가.

은정 차는 없어요?

상수 대중교통은‥ 매력 있어.

은정 ….?

상수 환승이‥ 무료니까.

은정 …..

멀리 버스 불빛이 보이자 일어나 택시 잡듯 손을 드는 상수. 조금 촐싹맞게.

은정 (일어서며) 그냥 있어도 서요. 뭐 택시야?

상수 그냥 간 적 있어.

53. 도로 / 버스 안 / 밤.

창가에 앉아 정면을 보며 무념무상의 상수.
그 옆에 앉아 정면을 보며 무념무상의 은정.

은정 전‥ 이번에 내립니다.

상수 이 동네 사나?

은정 아니요, 환승.

상수 환승은…

은정 (짜증) 무료!

잠시 정적.

상수 ....당신은 오늘 값진 여행을 한 거야. 이제 집에 돌아가 선물을 받아.

은정 선물?

상수 가면 있어. 그러기 위해서 지금 뭘 해야 할까?

은정 .....

상수 (벨을 누르며) 삐이이~

은정 와··· 도대체 감독은 어떻게 하는 거지·· 이게 정상 생활이 가능하다고?

54. 은정의 집 단지 앞 / 밤.

멀리 한주의 차가 다가와 단지 앞에 선다.

진주와 범수가 내리고 이내 출발하는 차에 손 인사를 해준다.

55. 은정의 집 단지 안 / 밤.

천천히 단지 내 길을 걷고 있는 범수.

두어 발자국 뒤에서 범수의 뒷모습을 바라보며 걷는 진주.

진주 (V.O) 피곤해도·· 행복하고 싶다.

피곤한데·· 행복하다.

오늘 하루만큼은 완벽한 성공의 날.

그러나 저절로 하품이 나는 진주.

범수　노는 게 더 힘들죠?
진주　그렇진 않아요.
범수　그치. 말이 그렇단 거지.
진주　그치. 노는 게 더 좋아, 언제든.
범수　자, 이제 집에 돌아가 여행에서 찾으려던 걸 찾을 시간이네요. 뭐 좀 짧은 여행이었으니까 뭐 안 나와도 서운해하진 말고.
진주　난 벌써 찾았는데.
범수　그래요?

걸음을 빠르게 옮겨 범수를 뒤에서 안는 진주.
안은 채로 걸어가는 범수와 진주.

진주　요깄네~~ 요 등짝.
범수　아이구 널찍한 거 찾으셨네.
진주　요거 공짜죠?
범수　뭐요? 지금 안고 있는 거요?
진주　응.
범수　아이구 공짜 아니라 웃돈을 얹어줄 수도 있어.
진주　헤헤. 변하지 마요.
범수　네.
진주　(새끼손가락 내밀며) 약속.
범수　와… 나도 뭐 하나 찾았네. 이런 모습도 보고.
진주　약속하라니까.

범수　　아 뭐 나야 하는데, 그런 약속을 믿는 사람이었던가.

진주　　아 오늘만 믿을래, 잔말 말고 걸어.

안은 채로 새끼손가락 고리 걸고 꼭꼭 약속하고 걷는 두 사람. 기분 좋은. 적당히 오그라드는.

56. 도로 / 한주의 차 안 / 밤.

운전석 한주. 조수석 재훈.

재훈　　아‥ 정말 괜찮은데.

한주　　늦었어요. 오늘 고생했잖아.

재훈　　고생이요? 이렇게 재밌게 놀았는데?

한주　　그른가‥ 큰 길에 세워줄게요, 괜히 또 하윤 씨가 볼 수도 있으니까.

재훈　　아‥ 하하‥ 죄송해요. 그날 밤 문자.

한주　　에이~ 뭔 말씀. 안 그래도 재훈 씨한테 사과할까 하다가‥

재훈　　에이~ 뭔 말씀.

한주　　그니까. 뭔가 좀 애매하더라고, 절대 하윤 씨 탓하지 마요. 여잔 그럴 수 있어.

재훈　　네‥ 이제 탓하고 말 것도 없어요. 그리고 하윤이도 실장님한테 미안해했어요. 아주 경우가 없는 애는 아니… 라고 해야 되는데‥ 아‥ 아닌 경우를 이미 보셔서‥ 참‥ 이게‥

기분 좋은 얼굴에서 다시 고민에 빠지는 재훈을 살피는

한주 밉죠?

재훈 네?

한주 하윤 씨가.

재훈 …..

한주 그 사람이 사과해도 풀리지 않을 거예요. 이해할 수 없는 행동들을 했고 여전히 이해가 되지 않은 상태에서 어떻게 마음이 풀려? 다 그래. 밉지. 미울 수밖에 없어. 그럴 땐‥ 용기를 내 봐요. 미워하지 않을 용기.

재훈 미워하지 않을 용기‥?

한주 그게 다른 게 아니고 용기가 필요한 거더라고. 해봐요. 미워하는 마음보다 사랑하는 마음이 더 귀한 거잖아.

재훈 …….

57. 재훈의 집 / 밤.

문을 열고 들어오는 피곤한 걸음의 재훈. 어둑한 방 안.
TV도 무엇도 틀어놓지 않은 채 침대에 앉아있는 하윤.
현관에 가만히 서서 자신을 쳐다보지도 않는 하윤을 바라보는 재훈.
천천히 재훈을 돌아보는 하윤. 노기 가득한.

하윤 누구랑 있었어?

재훈　　….(한숨.. 이지만 익숙한)….

하윤　　….아니야. 미안해.

들어가 침대에 걸터앉는 재훈. 하윤을 가만히 바라보다가.

재훈　　…오늘 뭐했어?

하윤　　…너 기다렸어.

재훈　　(안아주며) 미안해. 늦었어.

재훈을 꼭 끌어안는 하윤의 노기 띤 얼굴이 서서히 풀린다.
페이드아웃.

58.　　은정의 집 / 밤.

문을 열고 들어오는 은정.
모두가 잠 들었는지 조용하고 어둑한 거실.
오늘은 어쩐 일로 일찍들 주무시는군..
조용한 집안을 둘러보다 방으로 들어간다.

59.　　은정의 방 / 밤.

아무렇게나 외투를 벗어두고 의자에 앉아 책상에 엎드리는 은정. 그대로 잠들어버릴까 하는 순간에 들리는 홍대의 목소리.

홍대 (V.O) 피곤하지?

은정, 기대 없는 표정으로 천천히 돌아보면 아무것도 보이지 않는다. 다시 엎드리려는데 문득 어떤 생각이 스친다.

홍대 (V.O) 니가 그래라고 할 때.

＊플래시백 - 9부 26씬.

홍대 나 부지런히 우리를 기록하고 있거든. 사진도 찍고·· 글도 쓰고·· (핸드폰 열어 보여주며) 봐봐. 사진이랑 짧은 메모할 수 있는 어플인데·· 지금은 비공개지만·· 결혼할 때? 공개할게.

수납장에 홍대의 물건과 사진이 든 박스를 열어보는 은정.
홍대의 핸드폰을 찾아 전원을 켜지만 켜지지 않는다.
재빨리 충전기를 찾아 연결하는 은정.
조급한 마음에 전원을 켠다. 핸드폰 액정의 불빛이 찾아든 은정의 얼굴. 무언가를 한참 찾다가 생소한 어플 하나가 눈에 들어온다.
'세 줄 일기'
어플을 열어보면·· 은정과 홍대가 함께 웃고 있는 사진이 메인화면. 넘겨보면, 과거 은정과 함께한 사진 아래 세 줄짜리 짧은 글.

홍대 (V.O) 우리가 처음 같이 찍은 사진인데 너가 싫어해. 미안 다음부턴 머리 앞으로 내밀게. 처음이라 설레는 지금 사진. 시간이 흘러 설레일 나중에.. 웃으면서 같이 보자.

심호흡.. 천천히 넘겨본다..

60. 과거 몽타주.

- 1부 36씬. 홍대의 카페.

은정과 홍대 마주 앉은.

서로를 흥미롭게 바라보는

- 1부 36-3씬. 고급 주택가 앞.

커다란 주택 문에서 뛰쳐나와 차에 올라타는 홍대.

- 1부 36-5씬. 한강 공원 해 질 녘.

벤치에 앉아 서로를 바라보는 홍대와 은정.

홍대 (V.O) 처음부터 그랬어. 아, 이 사람과 조금 더 있고 싶다. 조금 더 얘기하고 싶다. 오늘도 어김없이 그래서, 헤어질 때 마음속 심술이 이만큼 났는데 참았어. 아.. 참지 말걸.

- 과거. 어느 골목.

손을 잡고 걷는 홍대와 은정. 서로 말이 없다.
어느 지점에서 멈춰 선다. 쭈뼛거리다 마주 본다.

홍대 뭔가‥ 벌어질 거 같지 않아요?

은정 뭐요?

홍대 모르겠어요.

은정 알려줄까요?

가만히 바라보는 두 사람.

홍대 (V.O) 우리 키스했어. 처음. 다른 건 내가 다 기억할게.
넌 이거 하나만 기억해.

홍대에게 입 맞추는 은정.

홍대 (V.O) 키스… 니가 먼저 했다.

- 현재. 은정의 방.

게시물을 넘겨보며 웃음 짓는 은정의 눈이 젖어있다.
계속해서 넘겨 보는…

- 9부 29씬.

토라진 얼굴로 홍대를 보며 뒤로 걷고 있는 은정.
그 모습을 기분 좋게 바라보는 홍대.

홍대 (V.O) 오늘 너의 토라진 모습을 처음 봤어. 큰맘 먹고 같이 토라져볼까 잠깐 생각이 스쳤지만 그게 안 되더라. 니가 넘 예뻤거든. 어떡하지? 나 얼굴 보는 놈인가 봐.

- 대형 병원 앞.
입구에서 걸어 나오는 홍대.
무덤덤한 듯 아닌 듯.. 잠시 멈춰 생각에 잠겼다가..
다시 걷는다.

홍대 (V.O) 병원에 다녀왔어.. 니가.. 보고 싶어.

- 현재. 은정의 방.
멈칫. 가만히 핸드폰을 보는 은정. 글 위에 사진은 없다.
결국 흐르는 눈물..

홍대 (V.O) 볼수록 믿음직스런 우리 이은정. 내가 없어도 넌.. 분명 힘내줄 거라 믿어 의심치 않아.

- 1부 40씬. 홍대의 병실.
침대에 누워 서로를 바라보는 홍대와 은정.

홍대 (V.O) 넌 내가 사랑하고.. 사랑할 사람이니까..
널 믿어. 믿는데.. 음.. 믿는데.. 아… 못 믿겠어.

- 현재. 은정의 방.

하염없이 흐르는 눈물. 그리고 애쓴 미소.

홍대　　(V.O) 날 위해서·· 부디·· 너를 지켜줘.

눈물을 닦아내는

은정　　(V.O) 그럴게. 할게. 내가·· 해낼게.

····· 사랑해.

"뭐지… 죽을 뻔 했는데 큰 노력하지 않고
살아난 기분이야."

"내가 그런 사람이야. 복 받은 줄 알아."

"아… 진주 씨 만나고 내가 전생에
나라 정도 구했겠거니… 했는데…
내가 뭘 더 구했나 봐?"

_ 범수와 진주의 말 중

·15부·

15

1.　재훈의 집 / 14부 57씬 / 밤 / 낮.

하윤　누구랑 있었어?

재훈　····(한숨·· 이지만 익숙한)····

하윤　····아니야. 미안해.

들어가 침대에 걸터앉는 재훈. 하윤을 가만히 바라보다가.

재훈　···오늘 뭐 했어?

하윤　···너 기다렸어.

재훈　(안아주며) 미안해. 늦었어.

재훈을 꼭 끌어안는 하윤의 노기 띤 얼굴이 서서히 풀린다.

페이드아웃.

페이드인.

아침. 부스스 잠에서 깨는 재훈. 부스럭 소리에 옆을 보면.

뭐지? 침대에 걸터앉는 재훈.

작은 트렁크 지퍼를 닫고 식탁에 앉는 하윤.

나갈 채비까지 끝낸.

재훈 …뭐해?

하윤 이제‥ 나갈게.

재훈 ….응?

하윤 이제‥ 안 올게.

재훈 (머리가 아프다… 마른 세수…) 무슨 말이야‥

하윤 이제‥ 나 괜찮아. 헤어질게.

이를 앙 물고… 인내하는 재훈‥

재훈 그럼… 여태‥ 여기 왜 있었는데‥

하윤 마지막으로‥ 따뜻하게 안아주는 너‥ 한 번 기대했어.

재훈 아… 하… 아… 그래서‥ 이제 됐어?

하윤 응. 고마워.

재훈 후우…. 그만해‥ 적당히‥ 내가 미안해.

하윤 아니야. 너 힘들잖아. 그만할게.

재훈 으….

하윤 갈게. (일어서는)

일어서 불같이 화를 내지르고 마는

재훈 이게 뭐 하는 짓인데!! 왜 그렇게 끝까지 다 니 맘대로야?!! 왜?!! 사람 그렇게 힘들게 하더니! 그렇게 힘들게 헤어지고!
그렇게 힘들게 다시 와서는!! 며칠을 힘들게 같이 있다가!! 이제 됐어? 왜 뭐든 다 니 맘이야?!! 왜?!! 왜?!!!

미안함인지 허탈함인지 명확한 감정이 느껴지지 않는

하윤 ....미안해.

재훈 뭐가 미안해 뭐가!!!! 미안하다면서 왜 또 미안한 짓이야?!!! 매번.. 왜... 내가... 우스워?

하윤 난 너 소리 지르는 게 싫었는데.. 또 내가 이렇게 만든 건가보네. 널 우습게 생각하는 거... 아니야. 미안해.

침대에 털썩 주저앉아 숨과 함께 분노를 억누르는 재훈.
가만히 그를 바라보는 하윤.

진주 (V.O) 처음 사랑할 때.. 우린 상대에 대해 많은 것을 알지 못한 채 시작한다. 몰랐던 사실 중엔 좋은 점도 나쁜 점도 있겠지만 좋은 점이 더 많은 경우란 결코 쉬운 일이 아니고..

뒤돌아 나가는 하윤.
분노를 누르며 하윤의 뒷모습을 노려보는 재훈.

진주 (V.O) 심지어 나쁜 것들은 대개 모양새도 화려해서 눈에 더 잘 띈다는 당연한 진리.. 실망은 어찌 보면 당연한 수순.

2. 진주의 작업실 / 낮.

홀로 작업 테이블에 앉아 열심히 타이핑 중인 진주.

진주 (V.O) 타협, 결렬, 타협, 결렬. 격렬하게 결렬되는 과정의 연속. 상대를 알아간다는 것 또한 어쩌면 변수의 연속.
사랑은 결국 변수와의 싸움. 그리고… 드라마도.

페이드아웃.

3. 은정의 집 / 밤.

그녀들과 효봉. 여느 때처럼 모여 앉아 맥주를 마시며 드라마 시청. 이내 드라마가 끝난다.
이들 모두 아쉬워하고 있다.

한주 아… 이제 2회밖에 안 남았어. 말도 안 돼..
은정 요즘 볼 것도 없는데.
한주 이거 끝나고 보좌관 하지 않나?
은정 아 맞다. 다행이네.
효봉 (채널 돌리며) 아.. 왜 16부작인 거야. 연장했으면 좋겠다.

진주 (발끈) 어이.. 글 쓰는 사람은 생각 안 해?

16부작이면 회당 35페이지만 잡아도 560페이지야.

기획안에 시놉까지 하면 600페이지가 넘어!

수정고까지 합치면 무한대야! 너네 글 쓰다가 손목 나가봤어?

효봉 왜 흥분을 해?

진주 …몰라. 갑자기 그렇게 됐어.

채널을 돌리던 효봉. 뉴스에서 멈춘다. 시선이 간다.

타이틀 '배우 정지연 승마 연습 중 낙마 다리 골절'

엉? 그녀들의 시선이 몰린다.

앵커 오늘 오후 배우 정지연 씨가 승마 연습 도중 말에서 떨어져 다리 골절을 당하는 큰 부상을 입었습니다. 소속사 측은 드라마 준비 과정에서 승마 씬을 소화하기 위해 열의를 불태우던 정지연 씨가 연습 도중 낙마했고, 다리가 골절돼 한 달 이상 깁스를 하게 됐다고 전했습니다. 한편 정지연 씨가 준비 중이던 드라마는 제이비씨에서 방영하는 정혜정 작가의 차기작으로 다음 주부터 촬영에 돌입할 예정이었던 것으로 알려졌습니다.

이에 제작진은 배우 하차는 생각할 수 없는 일이며 정지연 씨가 회복할 때까지 촬영을 무기한 연기하겠다고, 입장을 발표했습니다.

멍한 진주와 한주.

진주 어떻게 되는 거야‥?

한주 편성이 뒤로 밀리겠지.

진주 그 자리는?

한주 ……

4. 제이비씨 방송국 전경 / 낮.

5. 제이비씨 드라마국 / 낮.

패배자의 모습으로 책상에 멍하니 앉아있는 환동.

휴게실에서 음료를 마시다가 그런 환동을 보고 한숨짓는 범수. 환동에게 다가가 책상에 걸터앉는다.

범수 야. 니가 지금 이런 얼굴을 하고 있으면 어떡해?

환동 적절한 얼굴 아닙니까? 주연배우 다리를 해먹었는데.

범수 장난하나. 니 잘못 아니야, 최종 책임은 감독이지만 니 잘못이라 벌어진 일은 아니야.

환동 네? 이상한데요‥

범수 감독은 원래 그래. 원래 이상해. 배우들 스태프들 현장에서 다 니 얼굴만 본다고. 감독이니까. 어떤 표정인가 어떤 말을 하나 니 얼굴 니 입만 보고 있는데, 니가 자고 있으면? 아니‥ 그‥ 잘 수는 있어. 어‥ 피곤하니까.

그니까 니가 패배자의 얼굴로 있으면? 니 배우, 니 스태프들 싸그리 패배자 만드는 거야. 그걸 몰라? 감독이라는 놈이 말이야..

그때 범수의 핸드폰 문자 음. 확인하면 인종의 호출.
'내 방으로'

6. 제이비씨 드라마 국장실 / 낮.

범수, 흥분 상태로 인종과 대치.

범수 뭔 소리에요 그게?!
인종 뭘 뭔 소리야. 환동이 거랑 니 거랑 편성 자리만 바꾸자는 건데.
범수 촬영을 어떻게 두 달을 땡겨요?! 이제 겨우 스태프 꾸리고 캐스팅해서 세트 완공도 안 됐는데 촬영을 시작하라니!
인종 야외부터 찍으면 되잖아.
범수 아니 준비가 아예 안 됐다니까!
인종 하면서 해!
범수 그게 하면서 될 일이에요?
인종 그럼 어떡해? 주연배우가 다쳐서 촬영을 못 나가는데!
범수 깁스 한 달이라며? 다른 배우 먼저 찍고 있으면 되지!
인종 깁스 풀어도 한동안 제대로 못 걸어. 그리고 주인공이 매 씬 나오는 데 한계가 있지.
범수 우리 한계는? 지금 편성 땡기고 촬영하면 우리 완전 생방이야!
인종 드라마 생방 안 해봤어? 왜 이래.

범수　그때랑 환경이 같아요? 주 근무시간 안 지킬 거예요?
이제 좀 사람답게 일하는데, 어떻게? 우리가 나서서 법을 다시 바꿔볼까? 주 100시간 일하게 해주세요, 개처럼 일하다 죽게 해주세요, 시위라도 할까?!

인종　말을 그렇게 무섭게 하니.

범수　누가 겁에 질려 있는지 안 보여요?

인종　아 몰라! 위에서 내린 결정이야. 너 같은 베테랑이 이럴 때 회사를 위해서 좀 해줘야지.

범수　시청률 애매하다고 무시할 땐 언제고.

인종　빈말이었어.

범수　이제 와서? 후… 아 나도 몰라! 될 걸 말해야지. 난 못 해요!

인종　난 못 해요! 입은 말하지만 몸은 움직이는 게 조직 생활이지. 내기할까? 니가 하게 되나 안 하게 되나?

범수　아… 씨… 아우….

7.　제이비씨 드라마국 / 낮.

책상에 가만히 앉아 좌절 중인 범수.

누가 봐도 환동이보다 더 패배자의 얼굴.

책상에 앉아 여전히 패배자 모드의 환동.

그 둘을 번갈아 보는 동기.

동기　(범수를 살피며) 이건 패배자 정도가 아니라… 시첸데?
니 얼굴 보고 있는 니 배우 니 스태프들 싸그리 조문객 만들겠어.

갑자기 벌떡 일어나 환동에게 짜증 내는

범수　니 잘못이야!! 니가 배우 다리 해먹은 거야!! 다 니 잘못이야!! 배우가 말을 탄다는데! 승마기를 사주든가!
진짜 말을 태워?! 감독이 어떻게 그럴 수 있어?! 넌 패배자야!!

멍하니 표정 변화 없는 환동.

8.　혜정의 방 / 낮.

나름 여유 있는 혜정. 자신의 책상.
근심이 적지 않은 인종. 티 테이블 소파.

인종　그러게 왜 주인공 취미를 승마로 해가지고.. 안전하게 꽃꽂이나 잔디 깎기나..

혜정　사람이 다치자고 치면 잔디라고 안전할까? 쯔쯔가무시 안 물려봤지?

인종　(근심) 그래.. 뭐 대본 다 뽑아놓고 가면 나쁠 것도 없지.

혜정　시청자 반응 보면서 수정하는 게 익숙해 난.

인종　(근심) 쯧.. 대본 진행은?

혜정　여유 생겼지.

인종　(근심) 지연 씨 병원은?

혜정　다녀왔지.

인종　(근심) 소 대표 이 자식은?

혜정　소 대… 응? 뭐?

인종　응? 뭐? 왜?

혜정　아니 드라마 걱정하다가 갑자기 왜 소 대표 얘기가 나와.

인종　그… 뭐… 작가님이랑 요즘 자꾸 술 마시니까.

혜정　그게 뭐? 시간 여유 생겨서 그건 좋네.

인종　(!!) 아니 큰일 앞두고 있는 사람이 왜 자꾸 그런 놈이랑 술을 마셔?

혜정　그런 놈이 어떤 놈인데?

인종　소 대표 그런 놈! 걔가 좋아?

혜정　좋지.

인종　뭐가 좋아?!

혜정　화를 내고 난리야! 잘해주니까 좋다 왜?!

인종　잘해 줘? 그놈이야 여기서도 헤헤 저기서도 헤헤 그러고 다니는 게 일이야! 작가한테 잘해주는 거? 감독한테 잘해주는 거? 그게 일이라고! 그걸 몰라서 이래?!

혜정　알아서 이런다!

인종　알아서 이래? 알아서? 알고도 잘해주면 다 좋아?
잘나가는 작가님인데 잘해주는 사람 많으니 세상 다 좋겠다.
그럼! 아니 우리 정도면 사람 가릴 줄 아는 나이 아니야?!
그놈이 잘해주는 게 그게 좋은 거야?!

혜정　그럼 니가 잘해주든가!!

순간 정적. 어색해질 수도 있는 기운을 잘 견뎌보는 두 사람.

9. 혜정의 작업실 / 낮.

밖에서 오롯이 들리는 두 사람의 사랑 다툼(?).

뭔가 감정 노선 잡기 애매한 싸움에 보조 작가들도 애매한 표정.

미영 (무표정 유지하며 거의 복화술) 어떻게 해석할까··?

사랑 (무표정 유지하며 거의 복화술) 국장님이 먼저 나오면 그냥 단순한 개싸움, 작가님이 먼저 나오면 로맨스. 투정 어린 다툼 끝에 몰라 몰랑~ 하고 도망가는 거··

미영 아·· 그러면 남자가 따라가서 안아주는 거··?

사랑 그러면 여자가 남자 가슴 투닥투닥 치다가 못 이기는 척 안기는 거··

미영 오호···

두 사람 혜정의 방, 문을 주시한다. 묘한 긴장감··

누가 먼저 나올 것인가···

10. 혜정의 방 / 낮.

어색한 기류··· 혜정의 눈빛이 못 이기는 척 투정으로 바뀌고 삐친 듯 일어서려는 그 순간.

인종 에잇!!

성질내고 일어서 나가는 인종.

11. 혜정의 작업실 / 낮.

휙 하고 나와 슝 하고 나가버리는

인종 국장한테 니?! 니?! 니가 뭐야? 니가!! 에잇!!

겸허하게 고개를 주억거리는 미영과 사랑.

12. 혜정의 방 / 낮.

뭐랄까… 저 먼 창밖 어딘가를 보고 있는 듯한 혜정.

아주 옅은 읊조림… 욕을 하는 듯하다.

13. 소민의 집 주차장 / 낮.

소민의 승합차 앞에서 동구의 인터뷰를 따고 있는 병삼.

동구 솔직하게요?

병삼 네 그냥, 소민 씨에 대해서, 같이 일하면서 느끼는?

그냥 편하게 솔직하게 말씀해주시면 돼요.

동구 솔직하게요?

병삼 네. 솔직하게.

동구 헤헤. (천진하게 웃으며) 짜증 나요.

병삼 ??

동구 요즘엔 뭐 안 좋은 일 있나.. 차에서 맨날 씩씩거리는데 지 기분만 있나? 짜증나 죽겠어요. 헤헤.

천진한 얼굴로 너무 솔직한 동구를 이상하게 보는

병삼 그렇게 솔직하면 어떡해요?

동구 ……솔직… 하라고.. 하셔가지고.. 이.. 이거 다큐에 나가는 거예요?

병삼 그럼 이걸 뭐 개인 소장하려고 찍겠어요?

동구 헉.. 죄송해요! 지워주세요!

14. 소민의 집 거실 / 낮.

소파에 앉아 '서른 되면 괜찮아져요' 대본을 읽고 있는 소민.

트라이포트에 카메라를 켜고 마주 앉은 은정,

소민을 살펴보는데 대본 보는 표정이 왜인지 뾰루퉁하다.

은정 심각하네?

소민 촬영이 예정보다 빨라져서.

은정 그 문제로 그 표정이 나올 거 같지 않은데. 대본이 맘에 안 들어?

소민 (대뜸) 민준이가 맘에 안 들어.

은정 응?

소민 이 자식이 자꾸 자기네 소속 여배우랑 놀아나.

은정 뭘까··? 굉장히 진지한데 신빙성은 느껴지지 않아.

소민 아니 이 자식이 글쎄··

15. 소민의 집 거실 / 지난밤.

지난밤. 현재의 그 자리 소민의 얼굴로 장면 전환.

주방 쪽에 둔 시선이 무언가를 집요하게 좇는다. 집요하게 노려본다. 소속 여배우와 통화 중인 민준.

소민의 눈치를 보고 있다.

민준 그렇죠. 아무래도 회사 입장에선 작품이 돋보이는 것보단 선주 씨가 돋보이는 게 우선이니까··

소민 (노려보며···) 선주·· 씨? 씨이?

다른 곳으로 장소를 옮겨보려 하는 민준.

하지만 소민의 강력한 검지가 그 자리에 머물 것을 명한다.

어쩔 수 없이 주방에서 통화해야 하는

민준 아·· 그치·· 그치··

16. 현재 / 소민의 집 / 낮.

은정　그건 일이잖아.

소민　누가 일하면서 여자한테 예쁘네 어쩌네··

17. 소민의 집 / 지난밤

민준　난 시나리오 잘 봤고, 선주 씨가 그 역할에 딱이지. 무용과 출신이니까 따로 배울 필요도 없고, 꾸준히 운동해서 오히려 지금 라인이 더 예쁘잖아.

소민　(미쳤구나·· 저 새끼····)

순간 눈 마주치는 민준. 아차 싶다.

민준　음··· 그렇지··· 괜찮아.

소민　말 놓네?

민준　아니 나야 선주 씨 편이지.

소민　편?

더 이상 참을 수 없는 소민, 얼굴이 울그락불그락···
소리 지르기 일보 직전. 소민을 파악한 민준이 급해진다.

민준　음·· 나는 어쨌든 드라마 영화 중에 고르라면 영화할 타이밍이 맞는 거 같고, 제작사 쪽에선 어차피 일 순위로 준거니까 아직 시간 있어.
급하게 생각할 거 없고 (소민 눈치 보며 점점 빨라지는)
계속 자신 없는 소리 왜 해? 잘하고 있고, 이번에도 좋은 기회가 두 개나 온 거니까 이번 주까지 같이 잘 생각해보자고

소민 결국 소리를 지르는

소민 야아아아아아!!!!

그 타이밍에 나이스하게 몰래 통화 종료 버튼을 눌러 버리는 민준, 계속 통화하는 척

민준 생각해보자고! 내가 몇 번이나 말해!!!!! 몇 번 말했어!!!
그거 가지고 한밤중에 전화나 해대고!! 그게 고민이야?!!
니가 배우야?!! 밤에 전화하지 마!!!! 끊어!!!

끊어버리고 아무 일도 없었다는 듯 소민을 향해 빙긋 웃어 보이는 민준. 분이 삭지 않는 소민.

18. 현재 / 소민의 집 / 낮.

은정 그게 놀아난 거구나…

소민 분명히 일적인 느낌보다 더 줬어 그년한테.

은정 잘 모르겠지만.. 민준 씨는 믿어도 되는 부류 아니야?

소민 그 자식이 은근히 끼쟁이야. 여자가 가만있겠어?
내가 그년 잡아 죽인다.

은정 민준 씨가 끼쟁인데 왜 여자를 잡아 죽여?

소민 나한테 이성적인 대화 시도하지 마.
아.. 씨.. 짜증 나. 내가 이 생각을 못 했어..
거기도 당연히 여배우가 있지.. 아.. 씨.. 다시 데려와야 되나.. (핸드폰 꺼내며) 이 자식 지금도 같이 있는 거 아니야?
(열심히 카톡 보내는…)

그때 은정의 카톡음. 확인하면…
'기부천사 김회장'이 사진을 보냈다. 뭐지? 싶은.. 열어보면, 상수의 말도 안 되게 깜찍한 포즈의 셀카 열전. 열 장쯤.
이게 뭔 일인가 당황스러운 그때, 상수의 카톡.
'당장 지워'

은정 뭐.. 뭐야…

답장하는 은정. '뭐 하는 짓이에요?'
상수의 톡 '지우라고'
은정의 톡 '뭔 짓이냐고?!'
상수의 톡 '조카한테 보내려던 거였어. 조카 이름이 은정이야'
어처구니없는 은정.

상수의 톡 '지우라고 당장'

은정의 톡 '왜 이래라저래라야? 지웠어요!'

상수의 톡 '안 지웠어'

은정의 톡 '누가 잘못 보내래?'

상수의 톡 '누가 이은정이래?' '당장 지워'

은정의 톡 '지웠다고!!'

상수의 톡 '안 지웠어'

은정 뭐라는 거야… 쯧…

읽씹하는 은정.

소민 왜? 뭔데?

은정 응? (어떤 생각이 스치는…) 아니야, 그냥 일.

(깨톡 소리에) 잠깐만.

은정, 다시 폰을 열면.

상수의 톡 '당장 지워'

은정의 톡 '앞에 소민이 있는데 보여줄까요?'

상수의 톡 '아니'

은정의 톡 '지워주세요 해봐요'

상수의 톡 '지워주세요'

은정의 톡 '고맙습니다 해봐요'

상수의 톡 '고맙습니다'

은정의 톡 '앞으로는 이 말투를 씁니다.'

상수의 톡 '네' '지우셨죠?'

은정의 톡 '확 까버려?'

상수의 톡 '잘못했어요'

후후— 웃음이 새는 은정.

소민　일이 재밌나 봐?

은정　응. (상수의 사진을 보여준다) 야 감독.

소민　(와우!!) ....대박!! 미쳤어.. 이거 뭐야? 야 감독 약해?
잠깐.. 너랑 왜 이런 사진을 주고받아?

은정　조카한테 보내려다 잘못 보냈대. 조카 이름이 은정이래.

소민　아니 어쨌든 그럼 니 이름이 최근 목록 윗부분에 있었다는 거잖아.

은정　음.. 그거는.. 인터뷰했잖아.

소민　아.. 맞다. 야 나 그 사진 보내주면 안 돼?
완전 미쳤네, 그 사람이 혀 내밀고 뿌이를 한다고?

은정　아이들 좋아하던데.. 버는 족족 기부하고 쌀 아깝다고 보육원 가서 밥을 먹어.

소민　역시 이상한 사람이야..

은정　이상하게 좋은.. 아니.. 이상한데.. 착한.. 아니.. 그냥 이상하다.

소민　사진 보내줘 빨리. 놀려먹어야지.

은정　안 돼. 가만있다가 약점이 굴러들어 왔는데. 인터뷰 하나 제대로 따고 보내줄게.

소민　아 했다며?

은정　죄다 단답형으로 해서 쓸 게 하나도 없어.

소민　빨리해 그럼. 소리 지를 때마다 그거 꺼내 들게.

은정　오케이.

19. 진주의 작업실 / 낮.

회의 모드로 앉아있는 진주, 범수, 한주, 재훈, 수희.

진주　촬영 전에 10부까지는 가능할 것 같고요. 사실 저희야 옛날에 일했던 생각하면, 그래도 여유가 있는 거라 상관없는데 촬영이 걱정이죠 뭐.

범수　바쁘게 한다고 만듦새 허투루 안 해요. 걱정 말고, 촬영 절대 신경 쓰지 말고, 작가님은 지금 페이스대로만 해주시면 돼요. 잘 해요 나.

기운 내서 웃어주는 범수를 보며 안도의 미소를 짓는

진주　(V.O) 구걸하지 않아도 자연스레 전달되는 신뢰…
같지만, 변수의 경험치가 이미 있지.

진주　피티 때도 그랬죠.

범수　에이… 그것만 못해 그것만.

한주　전체 회의 지금 이동하셔야 할 것 같습니다.

범수　갑시다.

한주 (재훈에게 차 키 건네며) 재훈 씨 먼저 갈래요?

저는 작가님과 대본 얘기를 좀 더 해야 해서.

재훈 넵.

한주 작가님 괜찮으시죠?

진주 그러시죠.

Cut To

진주, 수희와 마주 앉아있는 한주.

진주는 한주가 준 프린트를 심각하게 검토 중.

한주 내부 조감독이 내일부터 출근할 거고 보조 작가님한테 계속 요구할 사안들인데요, 저희가 급한 대로 대본 체크를 좀 했어요. 어차피 대본 심의 들어가면 나올만한 내용들이라.

진주 아니.. 욕을 다 빼면.. 맛이 안 사는데.. 나도 해봐서 아는데, 멍멍이 새끼 이건 괜찮지 않나?

한주 사람을 상대로 하면 안 돼요.

진주 그냥 혼잣말은 되고?

한주 되는데 계속하면 안 돼요.

진주 이 자식. 이 바보. 이 나쁜 녀석아! 그래야 돼?

한주 욕 없는 깨끗한 세상 만들기에 한마음 한뜻을 담아..

진주 초딩들 욕하는 거 못 들어봤어? 변성기도 안 지난 것들이 어른 사람보다 더해! 걔들이 욕 안 나오는 TV 보고 그래 됐을까? 이럴 거면 그냥 드라마에서 TV에서 욕 살벌하게 하자고! 혐오스럽게. 그럼 나가서 안 하지 않을까?

수희　왠지 그럼 이 사회가 좀 더 깨끗해질 것 같기도··

진주　그래! 이 사회를 깨끗하게 하기 위해 우리, TV를 포기하자고. TV에서만 욕하자고! 응?!

한주　그건··· 저한테 말씀하실 게 아니라·· 뜻이 맞는 사람들을 모아·· 방통위든·· 청와대든·· 국회든·· 가셔가지고 시위를 하시든·· 국민 청원 게시판에 청원을 하시든·· 그쪽이 빠를 거예요.

진주　아·· 방송에서 욕하게 해달라고 국민 청원 게시판에 올려서 사회적 이슈가 되면 얼마나 동의할까?

수희　다른 청원이 올라올 거야. 임진주 작가 제명시켜주세요. 하고. 그건 20만 넘는 동의를 얻어 청와대의 답변이 나오겠지.

진주　나 제명이구나?

수희　응.

진주　아·· 왠지 해보고 싶어.

한주　촬영이 낼모레에요. 무서운 생각하지 마시고·· 그리고 시간이 촉박한 만큼 대본 일정을 잘 지켜주시면 저희가 매우 감사하는 마음으로 일하겠습니다. 또··

진주　또··

한주　(다른 프린트물을 건네며) 이건 피피엘 들어온 건데요, 대본에 녹일 수 있는지 검토를 부탁드리면서, 꼭 해주시리라 믿음을 던져봅니다.

진주　(괜히 심술) 싫어.

한주　작가님··

진주　싫어.

한주 우리가 어떤 친구지?

진주 세상에 둘도 있는 친구.

한주 셋도 없으니 저는 믿고 갑니다.

진주 퉤.

한주 아이 좋아.

진주 에잇!!

20. 진주의 작업실 앞 / 낮.

전화 통화하며 바쁜 걸음을 옮기는 한주.

한주 네 음악감독은 전조문수 감독님으로 픽스 했고요.
개런티는 아직 협의가 안 돼서 지금 플랜 디로 이동 중이고요, 헤드 스태프들 계약 이번 주 내로 마무리 짓겠습니다.
……네, 네. 알겠습니다.

전화를 끊자마자 울리는 진동.
발신자를 확인하고 잠시 멈칫.
보면, '인국이 아빠' 뭐지? 걸어가며 받는

한주 여보세요? …왜? …인국이 이번 주 시간 안 돼.
왜 맨날 갑자기 전화해서 그래? 우리도 바빠.
……응?

21. 진주의 작업실 / 낮.

진주와 수희, 노트북을 펼쳐 놓고 각자의 자리에 앉아 작업 모드. 약간 산만한 기운의

수희 바쁘다고 생각하니까 더 안 써지는 거 같아··

진주 그치·· 나도 좀 그래·· 맘에 안 들어··· 너무 평범해··

수희 아·· 이제 진짜 시작인가 봐·· 떨리지?

진주 나 여유 있는 척 되게 잘하지 않냐?

수희 응. 안 들키고 있어. 그건 잘하고 있어.

진주 나 요즘·· 정 작가님 생각이 많이 난다. 이럴 땐 어떡할까? 작가님이라면 어떻게 할까··? 작가님은 어떻게 했었지?

수희 그래·· 얄미워도 꽤 그럴듯한 잔소리는 많이 해줬어.

진주 음·· 상기해보자·· 상기해보자··

함께 생각해보는 진주와 수희.

22. 과거 / 혜정의 작업실 / 낮.

진주, 수희, 사랑, 미영, 각자의 자리에 작업 모드. 혜정은 진주의 뒤에서 연설 모드.

혜정 쓸 땐 그런대로 괜찮아서 써 내려가지. 다 쓰고 다시 봤더니? 어우~ 평범해. 특별하다고 느끼면 니 눈이, 니 감각이 잘못된 거야.

넌 특별하지 않아. 평범해. 무조건 그래. 딴 생각하지 마. 틀렸어. 자, 그럼 붙잡고 어떻게 할까? 수정해야지. 글은 수정하면 무조건 좋아져. 수정했는데 이상해졌다? 그건 작가하면 안 되는 거야. 자질이 없는 거야. 때려쳐. 자, 그럼 이제부터 필요한 건 뭐다?

진주 ....작가 개인의 능력.

혜정 그건 너무 당연한 거잖아. 1차원 적인 얘길 하려는 것 같아?

진주 ...포기의 당위성?

혜정 (확 씨...) 시간이 필요해. 다시 쓸 시간. 시간을 더 확보하기 위해선 뭐가 필요할까?

진주 ....바지런함?

혜정 그리고.

진주 음... 음.. 어려워요.

혜정 깡.

진주 깡...?

혜정 감독이고 나발이고 쪼아도 쫄지 마. 개기라고. 어차피 쫄리는 건 걔네나 너나. 쫄 시간에 어떻게 고칠까 생각이나 더 해. (돌아서 가며) 나한텐 쫄아야 돼.

23. 진주의 작업실 / 낮.

쩝... 생각을 접는 진주와 수희.

진주 쓰자 그냥‥

수희 응‥

진주 감독을 믿고 가자. 우리 감독님.

24. 제이비씨 회의실 / 낮.

벽에 붙은 스케줄 달력에 가득 찬 스케줄을 멀거니 보고 있는 범수. 뭔가 벌써부터 힘겨운‥

뒤로 테이블 자리마다 프린트와 음료를 놓으며 회의 준비 중인 재훈. 이내 수많은 스태프들이 우르르 밀려들어온다. 촬영, 조명, 미술, 섭외, 의상, 분장, 소품, 연출팀 등등…

Cut To

회의실을 가득 메운 스태프들을 지나

범수에게로 다가가는 카메라.

미술 감독이 모니터 화면에 세트 도면을 띄우고 설명 중.

미술 세트 도면 말씀하신 대로 수정했고요, 오늘 픽스를 해주셔야 날짜를 맞출 수 있을 것 같아서요.

범수 저기 주연이 집. 집에 들어왔을 때 한눈에 거실이 보이게끔 해달라고 했었는데.

미술 한눈에 어디까지요?

범수 어디까지라뇨? 집이 한 오만 평 됩니까? 거실이 한눈에.

미술 아~ 거실이 한눈에‥

Cut To

피곤한 범수에게로 다가가는 카메라.

거의 줄을 서다시피 컨펌을 받는 스태프들.

연출1 (프린트 건네며) 차량 씬 리스트튼데요, 렉카에서 찍으실 건지 세트에서 찍으실 건지?

범수 대사 많은 씬은 세트.

연출1 다 많은데요.

범수 더운 날은 세트.

연출1 여름인데요.

범수 세트.

컷.

의상 (프린트 건네며) 주연이랑 신애 쪽 스타일리스트가 보낸 의상 컨셉입니다.

범수 (훑어보며) 깔롱 부리지 말고 내추럴하게 다시.

의상 노 깔롱 내추럴 오케이.

컷.

분장 이건 헤어 컨셉인데 어떠세요?

범수 깔롱 부리지 말고 내추럴하게 다시.

분장 노 깔롱 내추럴 오케이.

컷.

연출2　1부 24씬이랑 25씬은 같은 날인 거죠?

범수　같은 날.

연출2　34씬이랑 35씬은 다른 날인 거죠?

범수　다른 날.

컷.

소품　1부 40씬 꽃다발의 꽃은 무슨 꽃인가요?

범수　예쁜 꽃.

소품　몇 송이로 할까요?

범수　적당량.

소품　포장재는 비닐로 할까요, 종이로 할까요?

범수　.. 어려운데?

컷.

분장　(가발 사진 두 개를 보여주며) 신애 변장할 때 가발 어떤 걸로 할까요?

범수　오른쪽.

분장　(문신 사진들 건네며) 경재 등에 문신은 어떤 디자인으로 할까요?

범수　트렌디한 스타일로 손가락 두 마디 크기의 아담한 문신을 하기로 마음먹었으나 야쿠자스러운 디자인을 보고 흔들려 그 중간지점의 타협점을 찾은 듯한 디자인.

분장 ……(혼란….)

컷.

제작 점심은 무슨 메뉴로 할까요?

범수 너 먹고 싶은 거.

컷.

연출3 2부 33씬에 감독이 욕하는 씬 대사를 수정하실 건지, 삐 처리 하실 건지.

범수 묵음 처리.

연출3 어느 정도 느낌으로 하실 건지..

범수 욕인 거 뻔히 다 들리는데 아사 모사하게 묵음 처리해서 심의위원들이 판단하기 굉장히 애매한데 이걸 경고를 해 말어? 이러고 오락가락하다가 16부 다 끝나버리는 정도의 느낌.

컷.

섭외 3부 6씬 동우가 가로질러 내달리는 도로는 편도 몇 차선인가요?

범수 (머리를 쥐어짜는) 6차선.

섭외 그 정도는 허가가 어려울 것 같아서..

범수　5차선.

섭외　그것도…

범수　4차선.

섭외　……

범수　3차선.

컷.

소품　아까 말씀하신 예쁜 꽃의 예쁜 꽃이란 어떤 꽃을 말씀하신 건가요?

범수　…….(노려보는)

소품　아까 말씀하신 적당량의 적당량이란 몇 송이 정도를 말씀하신 건지?

범수　…….(노려보는)

소품　포장재는 종이로 하겠습니다.

범수　…….(노려보는)

컷.

제작　저녁 메뉴는 뭐로 할까요?

범수　너 먹고 싶은 거 먹으라고…

25. 진주의 작업실 / 낮.

노트북을 펼쳐놓고 골똘히 생각 중인 진주.

또 무슨 생각하나 골똘히 지켜보는 수희.

그러다 핸드폰을 보고.. 아무것도 연락 온 것이 없고..

깨톡에 손 감독 톡 창을 열어보려다가 내려놓고..

다시 생각에 잠기고..

진주 수희야…

수희 응.

진주 뭔가 이상해..

수희 이번엔 뭘까?

진주 내가 하루에 다섯 페이지를 쓰겠다 다짐을 했어.

수희 응.

진주 그럼 한 회에 40페이지를 잡아도 8일이면 한 회 대본이 나와야 되잖아.

수희 그치.

진주 근데… 왜 난 15일이 지나도 안 나오는 거야?

수희 언니가 그 다짐을 안 지켰으니까.

진주 아하! 오케이.

일어나는 진주. 몸에서 뿌드득— 자단 깬 뼈 소리.

기지갠지 스트레칭인지 힘겹게 몸을 푸는

진주 근데.. 오늘은 내가 몇 시간을 앉아있었는데.. 왜 한 페이지도 못 쓴 거야? 왜 대사 한 줄 붙잡고 하루가 다 가?

수희 그런 생각만 하고 있으니까.

진주 아하.. 여섯 시다 퇴근해야지.

수희 거 다섯 장 채울 생각은 안 하고 시간만 채워?

진주 (노트북 끄고 가방 챙기며) 여섯 시 퇴근하기로 다짐했단 말이야.

수희 왜 그 다짐만 지키냐고!

진주 하는 데까진 해봐야지.

수희 뭔 말이야 그게?!

26. 진주의 작업실 앞 / 밤.

털레털레 걸어 나오는 진주. 핸드폰을 확인한다.

진주 (V.O) 이거.. 이거.. 바쁘다고 나를 방치하네, 이거..

27. 제이비씨 회의실 / 밤.

지쳐있는 범수.

연출1 방송국 직원들 사원증을 할까요?

범수 해야죠.

소품 아 그럼 사진도 넣나요?

범수 넣어야죠.

연출2 증명사진으로 넣을까요?

범수 그럼 가족사진을 넣을까? 후…

그때 범수의 전화 진동이 울리고‥

범수 우리 5분만 쉬죠.

거짓말처럼 우르르 나가버리는 스태프들.
어느 정도 스태프들이 나가는 것을 확인하고 앉은 채로 몸을 숙여 전화를 받는

범수 여보세요.

28. 진주의 작업실 앞 제이비씨 회의실 교차 / 밤.
걸어가며 범수와 통화하는

진주 나 범수 땡기는데.
범수 아우‥ 좋은 현상이네요.
진주 그쪽 마음엔 그런 현상이 일어나지 않나 봐?
범수 에이‥ 나 지금 안달 났어요. 목소리 막 초조한 거 안 느껴져요?
진주 안달은 아닌데?
범수 에이‥ 아침엔 당 떨어져서 손 떨리고 지금은 진주 떨어져서 손 떨리고 내가 수전증을 안고 살아 내가.
그래도 어떡해? 일은 해야지.

우리의 일인데.

진주 거 빼꾸기로 상황 메꾸는 거 하지 맙시다.

범수 에이..

진주 에이~ 맨날 에이~ 아 알았어요, 회의해요.

범수 알았어요. 밥 챙겨먹구~ 꼭꼭 씹어먹구~

뿌잉뿌잉 방구대장~ 대장 노릇도 하구~ 뿌잉…

바로 앉으려 고개를 슬쩍 드는 순간 맨 끝에 나가지 않고 앉아있던 연출팀 막내와 눈이 마주치는 범수.

아무런 표정이 없는 연출팀 막내.

범수 네. 저녁식사.. 네.. 그렇게 맛있게 하세요. 이따 전화드리겠습니다.

전화를 끊는 범수. 아무 표정 없이 계속 범수를 보고 있는 연출팀 막내. 계속 눈을 마주쳐야 하는가 싶은..

범수 웃든가.. 뭐.. 왜 그러는데..

29. 진주의 작업실 앞 / 밤.

전화를 끊고 잠시 멈춰서 쇼윈도에 비친 자신의 모습을 감상하는 진주 (V.O) 이게 안 보고 싶다고? 그게 가능하다고?
좋아 남자답게 접근해주겠어.

30. 홍미유발 엔터 앞 거리 / 밤.

건물에서 걸어 나오는 한주. 앞에 무언가를 보고 잠시 멈춰 선다. 멀리서 외근 후 돌아오는 재훈, 한주를 발견하고 반갑게 손을 흔드려는데··

길가에 세워진 외제차에서 내리는 한 남자.

멈칫 서서 바라보는 재훈.

외제차에서 내린 남자를 고깝게 쳐다보는

한주 회사 앞으로 오지 말라니까.

싱긋하고 웃어 보이는 남자는

승효 오라고 했으면 안 왔을 텐데. 아직도 나를 그렇게 모르니··

한주 내가 널 왜 알아야 되는데?

재훈이 서있는 쪽과 반대로 걸어가는 한주.

승효 어·· 저기·· 내가 가까운데 조용한 카페를 알아.

한주 나도 알아.

승효 어··· (차를 놓고 가기 애매한) 여기 딱지 떼나? 어··

에라 모르겠다, 차에서 모자를 꺼내 푹 눌러쓰고 한주를 따라가는 승효.

31. 카페 / 밤.

별로 조용하지 않은, 사람도 꽤 있는, 그래서 불편한 승효.
그러든지 말든지

한주 오래 못 있어. 빨리 말해.

승효 커피는 좀 식히고 얘기하자.

한주 얘기하면서 식혀.

고개를 끄덕이며 긴 숨을 내쉬는 승효.
잠시 창밖으로 바라보다 핸드폰을 꺼낸다.
사진첩을 열어 웬 2층짜리 전원주택 사진을 한주에게 보여준다. 한 장.. 한 장..
이걸 내가 왜 보고 있나 싶은

한주 집 자랑.. 하려고 불렀어?

승효 음.. 제주도에.. 집을 하나 지었어. 여긴 미세먼지가 너무 심하잖아. 이런 데서 인국이가 숨 쉬고 뛰 논다고 생각하니까.. 그건 아니더라.

한주 인국이 데려가겠다는 거야? 죽고 싶어? 여기서 죽여줄까?

승효 하.. 너도 많이 변했다. 좋아 보여.

한주 (노려보는)

승효 내가 어떻게 너한테서 인국이를 데려가니. 난.. 그니까....
우리가.. 같이 살면 어떨까..?

한주 뭐?

승효 그니까.. 내 지난 잘못들 입으로 사과하고 풀릴 문제가 아닌 거 알아. 그래서.. 앞으로 남은 시간 안에서 어떻게든.. 만회라는 걸 해볼 수도 있지 않을까? 물론 니가 나에게 마지막으로 기회를 준다는 전제하에.

한주 ....왜 그러는데? 갑자기.

승효 갑자기는 아니야. 오랜 시간 생각한 거야.

한주 왜 오랜 시간 그런 생각을 했냐고. 난 오빠한테 신뢰가 없어. 최대한 진솔하게 말해야 들어보기라도 할까 말까야.

승효 음..... (망설이다가...) 그.. 솔직히 말하자면... 내가.. 조금... 아파..

굳어가는 한주의 얼굴. 설마....

승효 치료가.. 될까... 잘 모르겠는데..

한주 뭐야... 너 정말.. 최악이다.. 아프니까... 이제야?

승효 미안하다... 참.. 뻔뻔하지..

한주 (눈물이 날 것만 같은) 이제 간병인 필요하니?

승효 그런 거 아니야.. 간병인 들일 돈 정도는 있어!

한주 그래 들어나 보자. 뭐? 무슨 병인데? 죽니?

승효 후.... 그...

한주 도대체 나한테 왜 이래?! 너 정말 내 인생에 뭐니?!
내가 뭘 그렇게 잘못했니? 너한테!!

사람들 시선이 굉장히 신경 쓰이는

승효 치료 잘할게. 하면 돼. 비염이라는 게 체질이 바뀌어야 된대. 완치가 잘 안 되는‥
한주 비염…… 비… 비염?
승효 ….으응. 이게 점점 더 심해져 가지고 두루마리 휴지는 먼지가 많아서 아예 쓰지도 못하고 각 티슈만 써야 되는 지경이야. 세 겹짜리 부드러운 거 있잖아. 그 돈도 만만치가 않아. 미세먼지 때문이라는 생각이‥
한주 ……(이… 개새끼가….) 후….

거의 흐를 뻔했던 눈물을 잽싸게 훔치고 일어서는

한주 내가 당신이란 사람이랑 대화를 너무 길게 가져갔지‥?
내 잘못이지‥ 그래‥ 갈게.

돌아서 가는 한주. 놀라서 일어나 한주를 따라가는 승효.
사람들 시선이 부담스러워 모자를 푹 눌러쓰고‥

승효 저기, 우리 얘기 안 끝났잖아. 왜 이래 갑자기?
합치자고 한 거 진심이야.

한주의 팔목을 잡아 돌려세우는 동시에 한주의 따귀가 날아온다. 휙— 반사적으로 피하는 승효.
더 열받는 한주, 쉬지 않고 왼손 오른손 따귀를 날리는데,
휙— 휙— 반사적으로 다 피하는 승효.
이 사람이 왜 이러는지 이해를 못함. 후…. 한숨 쉬곤
그냥 나가버리는 한주. 포기하는 승효.
저렇게까지 화낸 영문을 모르겠는. 돌아서는데
그의 앞을 가로막고 서는 키 큰 남자. 재훈이다.
뭐지? 왜? 승효가 피해가려는데 다시 가로막는 재훈.
승효의 따귀를 후려갈긴다. 쫙—!!!
이번엔 미처 피하지 못하는 승효. 얼마나 세게 맞았는지 바닥에 나뒹군다. 충동적이었는지 본인의 손을 보고 놀라는 재훈. 어안이 벙벙한 승효 앞에 쪼그려 앉아 명함을 꺼내 건넨다.

재훈 황한주 실장님 회사 부하직원인데요. 실장님이 미처 처리하지 못하신 거 처리하는 게 제 일이라서.
‥고소하세요.

재훈 일어서는데 창밖에서 지켜보고 있는 놀란 한주와 눈이 마주친다. 도망치듯 걸음을 옮기는 한주.
낭패다 싶은 재훈, 잽싸게 한주를 쫓는다.

32. 거리 / 밤.

복잡한 한주와 미안한 재훈이 나란히 걷는다.

재훈 죄송해요.. 괜히 걱정이 돼서 따라갔어요..

한주 뭐가 걱정이 됐는데요?

재훈 그냥.. 실장님 앞에 있는 이상한 모든 것들이요.

한주 이상한 거.. 맞긴 맞지..

재훈 죄송합니다. 그래도 인국이 아부지한테 제가.. 충동적으로..

한주 아니에요. 정말 잘 피하고 잘 도망가는 사람인데..
정말 때리기 힘든 사람인데.. 잘했어요.
근데.. 진짜 고소하면 어쩌려고..

재훈 하면 하는 거죠 뭐.

한주 아니.. 어떻게 때리면 사람이 그렇게 엎어져요?

재훈 그… 턱… 주가리..

한주 아… 턱주가리…

재훈 요.. 아갈머리 아래쪽을..

한주 아하…

재훈 저는 아무튼.. 그러니까 제 입장은 그래요. 음.. 못 보내요
실장님.

한주 (피식) 고맙네. 꽉 잡아. 못 가게.

재훈 네.

33. 은정의 집 / 밤.

엘이디 마스크를 쓰고 소파에 앉아있는 진주.

그 앞 거실 바닥에 모여앉아 맥주를 마시는 은정과 효봉.

효봉의 무릎을 베고 잠든 인국.

효봉 그게… 남자답게 접근한 방법이야?

마스크를 벗어 버전을 바꾸는 진주.

진주 응. 남자는 예쁜 거에 약하잖아. 이미 충분히 예쁘지만 상황이 상황이니 만큼 좀 더 예뻐지게.

효봉 상황이 어떤 상황인데?

진주 일에 남친을 뺏기는 상황.

다시 마스크를 쓰는 진주.

효봉 아.. 심각한 상황이군.

은정 그게 심각한 거야?

효봉 응. 남자는 자기가 일한다는 것에 엄청난 명분을 부여해. 일하는 거니까 좀 그래도 된다. 그게 되게 쎄고 당연해.

은정 왜 그러는 건데?

효봉 사냥해서 먹고 살던 시절에 본능 같은 거랄까?

은정 왜 본능엔 시대정신이 없을까.. 그놈에 본능한테 시대 좀 따라오라 그래.

효봉 응. 말은 해볼게.

그때 털레털레 들어오는 한주. 방으로 직행.

효봉 인국이 재웠어.

한주 고마워.

은정 맥주 안 해?

진주 걔 뭐 고민 있는데? 맞지?

한주 (소파 뒤쪽에 멈칫 서서) 맞아. 있는데. 내 생각을 정리 좀 하고 털어놓을게.

진주 응.

방으로 들어가는 한주.

34. 진주의 방 / 밤.

마스크를 침대에 던져놓고 드러누워 버리는 진주.
핸드폰을 본다. 아무것도 오지 않은‥ 실망.
다시 일어나 책상으로 향한다.

진주 (V.O) 참내‥ 자기만 일하나‥

노트북을 켜고 일을 하려다가… 전화를 건다.

35. 제이비씨 회의실 / 밤.

노트북으로 영화를 보고 있는 범수.

핸드폰 진동이 울리고.. 받는다.

범수 어이구 진주 씨.

진주 여태 회사에요?

범수 아, 촬영 레퍼런스 될 만한 영상 좀 찾아봤어요.

(시계 보며) 아, 늦었네. 뭐 했어요?

진주 몰라용.

범수 뭐 했는지를 몰라용?

진주 잘래용. 끊어용.

범수 아~ 피곤하구나? 그래요 잘 자요~

36. 진주의 방 / 밤.

전화를 끊고.. 꺼진 핸드폰을 노려보는 진주.

계속 보지만.. 울리지 않고..

진주 (V.O) 아… 이거 참.. 그래..

그래.. 내가 오늘 백 번 양보했다.

핸드폰을 엎어놓고 한글 파일을 여는 진주.

일을 좀.. 해보려다가.. 순간 짜증이 올라와 침대로 점프.

진주 에잇! 멍청한 놈!

37. 제이비씨 전경 / 낮.

38. 제이비씨 회의실 / 낮.

수많은 스태프들 가운데 범수. 똑같은 컨펌 모드.

섭외팀이 모니터에 장소 사진을 넘겨가며 설명 중.

섭외 우선 저희가 야외부터 촬영을 시작해야 한다고 해서 급하게 장소를 찍어 왔는데.. 여기가 주연이 집 앞 골목으로 본 곳입니다.

범수 잠깐. 저거 저번 드라마 때 본 사진 같은데? 재활용하는 거야?

섭외 아.. 저희가 폴더를 잘못 열었네요.

범수 뭘 잘못 열어? 서른 되면 괜찮아져요 폴더 여는 거 봤는데 내가.

섭외 아.. 저희가 폴더명을 잘못 써놨네요..

범수 (저… 샹….)

컷.

촬영 우리 촬영 컨셉 얘기 좀 해야 되는데..

범수 그건 따로 시간을 잡죠.

컷.

재훈 소민 씨 현재 다큐멘터리 찍고 있는 게 있어서요,
소민 씨 스케줄 시에 카메라 동반해도 될까요?

범수 방영 전에 유출하지 않는다는 조건 하에.

재훈 네. 그리고 촬영 일정상 삐 팀 활용을 해야 할 것 같은데,
생각하신 분이 있는지··

범수 있어요.

39. 제이비씨 드라마국 / 낮.

세월아 네월아 멍 때리고 있는 동기.

그의 책상에 '서른 되면 괜찮아져요' 대본 네 개를 던져놓고 자리로 돌아가는 범수.

범수 야 너 삐 팀해.

동기 뭐야·· 진짜 해? 내가 어떻게 삐 팀을 해?

범수 해 새끼야 시간 없어.

동기 아니··

범수 짜증 나게 하지 마. 조용해.

동기 날 인정해주는 건 좋은데··

범수 그래. 너 인정해. 너 시간 많은 걸 인정해. 그니까 조용해.
나 지금 정신병 걸릴 거 같으니까 건들지 마.

동기 후··· 알았어.

의자에 등을 기대고 눈을 감는 범수.
그런 범수 눈치를 보다가

동기 그럼.. 나 고민 하나만 들어죠.
범수 아 뭐?! 너 다미 얘기할 거지? 세상 고민이 다미밖에 없어?
동기 응.
범수 하…
동기 알고 싶어. 도대체… 왜… 왜 그렇게 밤에 연락이 안 되는 거야?
범수 후…. 직접 물어보면 될 거 아냐.
동기 잤대.
범수 그럼 잔 거지.
동기 아니.. 자기 전에 통화 한 번 할 수 있는 거 아닌가. 한 번은 문자는 하는데 전화를 안 받아.
범수 그건 또 뭐야.
동기 몰라. 그냥 말도 안 되는 트집을 잡아서 삐졌대. 통화하기 싫대.
범수 트집 안 잡히게 잘하면 될 거 아냐..
동기 …완벽해야 되는 거구나.
범수 응. 아니면 물어봐, 왜 그러는지 대화를 해.
동기 대화를 시도하면 내가 무조건 말려. 항상 내가 잘못한 걸로 사과하고 끝나. 아.. 그냥 왜 전화 안 받는지만 알고 싶어.

혀를 차며 일어서는 범수.

범수 후…. 몰라. 내가 어떻게 아니.. 너나 나나 여기서나 감독

소리 들으며 대접받고 살지, 나가면 그냥 찌질이 동네 형, 흔한 남자 새끼일 뿐이야.

동기 그래도 니가 나보단 낫잖아. 넌 에이고 난 삐니까.

범수 그럼·· 다미한테 가서 내가 말한 고민인 척하고 물어봐. 그거 왜 그러는 거냐고. 내 얘기라고 하면 혹해서 자기 얘긴 줄도 모르고 막 털어놓을 거야.

동기 에이·· 아무렴 자기 얘긴 걸 모를까.

범수 말하기 좋아하는 다미라면 충분히 가능성 있어.

40. 제이비씨 구내식당 내 다미의 사무실 / 낮.

책상에 업무 중인 다미. 옆에 앉아 눈치 보던 동기.

동기 나 범수 삐 팀 하기로 했어.

다미 …그래도 괜찮아?

동기 촬영 당겨져서 미쳐가는 판에 신뢰감 있는 삐 팀이라도 확보해야겠지.

다미 어떤 신뢰를 말하는 거지··

동기 정신없을 텐데 연애도 속 썩이고 그런가 봐.

다미 (하던 일 자동으로 스톱)

동기 그러게 왜 작가랑 감독이 작품 끝나기도 전에 눈이 맞아가지고··

다미 (흥미로움. 급 관심) 왜? 왜? 문제 있대? 뭐? 뭐가 문제래?

동기 아니야·· 남에 연애사 뭐··

다미 남이라니? 남이라니? 친구 연애사지. 내가 잡지만 월 스물여섯 권을 봐. 내가 박사야, 말해 봐.

동기 별거 아니야. 그냥 밤에 그렇게 연락이 안 된대. 한두 번이면 잤다 치는 건데..

다미 흔해. 흔해. 흔한 일이야. 뻔한 거야.

동기 그래?

다미 그냥 못 받는 건 없어. 못 받는 상황이 있어서 안 받는 건데, 밤에 전화를 받지 않아도 정당한 상황은 3중 말곤 없어.

동기 3중?

다미 병중, 상중, 아웃 오브 안중.

동기 ·······(포커페이스···) 질병··· 장례··· 안중에 없음··?

다미 그치. 근데 뭐 상습적으로 아파? 상습적으로 누가 죽어? 사귀는데 안중에 없어? 말이 안 되지.

동기 그럼··· 뭐야?

다미 뭔가 좀 말하기 꺼림칙한 딴짓을 했다는 거지. 나가서 남자친구들이랑 술을 먹었다거나 클럽을 갔다 거··· 나···

신나서 얘기하다가 가만히 자신을 보고 있는 동기와 눈이 마주치는 다미. 뭔가··· 말린 것 같은..

다미 나 말렸지 지금?

동기 ·····뭐·· 느끼기 나름이지.

무너지지 않고 곧바로 자신 있게 자백해버리는

다미 응. 그게 나야. 나가서 술 먹었어. 내가 분기별로 약속을 몰아서 잡아 놓거든. 그걸 다 취소할 순 없고 감독님이랑 만난 지 얼마 안 됐는데 계속 그러고 돌아다니면 초반부터 이미지 이상해질 거 같고 그래서 전화 안 받고, 구라 쳤어. 미안. 이제 안 그럴게.

동기 ····응···· 뭐···· 괜찮아. 그럴 수 있지.

다미 응. 실망하지 마.

동기 응.

다미 이제 가서 일해. 삐 팀.

동기 응.

미련 없이 돌아서는 동기.

동기가 나가고 나서 뭔가 후련한 다미.

다미 아·· 찝찝한데 후련하다.

41. 제이비씨 구내식당 앞 복도 / 낮.

좋은 건지 나쁜 건지 애매한 표정으로 걷는

동기 아·· 뭔가··· 후련한데·· 찝찝해.

내가 이긴 건데··· 왜 졌을 때 느낌인 거지···? 아·· 씨··

42. 진주의 작업실 / 낮 / 밤.

작업 중인 진주와 수희. 시간 여섯 시.

진주, 핸드폰을 본다. 살짝 망설이다가 범수에게 깨톡.

'바쁘죠?' 금세 답장이 온다. '회의 중. 끝나고 전화할게요'

슬쩍 기분 상하는 진주. 폰을 덮어버린다.

수희 여섯 신데?

진주 나도 일할래. 난 뭐 일 없는 줄 아나.

수희 뭔 말이야?

시간의 흐름. 밤. 혼자 남아 작업하는 진주.

이내 전화가 온다. 범수다. 슬쩍 뾰루퉁하게 받는

진주 네, 감독님.

범수 (F) 뭐해요 작가님.

진주 일해요.

범수 (F) 미안해요.

진주 뭐가요?

43. 제이비씨 회의실 / 밤.

노트북을 펴놓고 혼자 앉아있는

범수 그걸 이제 물어서.

진주 (F) 알긴 아는 게 더 기분 나빠.

범수 그렇죠. 그럴 수 있어요. 내가 적극적으로 사과할게요.

진주 (F) 됐어요. 그래서 뭐 하는데?

범수 오디션 영상 좀 보고 있었는데 시간이 이렇게 된 줄 몰랐네. 밥 먹었어요?

진주 (F) 아직이요.

범수 오.. 말도 안 돼.. 우리 맛있는 거 먹고 산책할래요?

진주 (F) 긍정적으로 검토해 볼게요.

범수 고맙습니다.

44. 상수의 작업실 / 밤.

작업실 현관문이 열린다. 문 앞에 은정이 서있다.
문을 열어준 상수의 표정이 여느 때완 다르게 친절하다.
눈을 피하며 갑자기 수줍은 연기까지..
그 수줍음은 불편한

은정 친절하기만 하면 돼요.. 수줍은 건 필요 없어요.

상수 (수줍은 기운은 빼고 친절하게) 아 그래요? 들어와요.

Cut To

카메라를 보고 친절하게 인터뷰에 응하고 있는

상수 소민 씨 눈을 보고 있으면 뭔가 계속 질문을 하고 있는 것 같아요. 순수한 호기심이 가득한데 어른한테 물어보기보단 자기가 직접 알아내고 싶어 하는 똑똑한 어린이 같은 느낌. 기본적으로 순수하고 자기 일에 대한 애정이 많은 거죠. 그런 사람이랑 일하는 게 제 입장에서도 고마운 일이라고 생각해요.

카메라를 끄는 은정. 만족하며

은정 이렇게 잘하면서·· 고맙습니다.

뭔가를 원하는 눈빛으로 온화하게 은정을 바라보는 상수.

은정 지웠다니까.

상수 안 지웠어요.

은정 지웠어요.

상수 맥주 한잔할까요?

은정 어디서 수작을··

45. 편의점 앞 / 밤.

동네 어귀 편의점 파라솔에 앉아있는 은정.
상수가 맥주 대 여섯 캔이 든 봉지를 들고 와 한 캔 꺼내주고 앉는다. 자기는 뭐 먹을까 고민하며…

상수　내가 돈을 아끼려고 그런 게 아니라··
(주머니에서 뭔가를 꺼내며) 작업실에 맛있는 안주가 있었거든요··

지퍼 백에 한가득 담긴 말린 빙어.

상수　말린 빙어·· 드세요.
은정　(별로 감흥이 없지만 먹어는 보는·· 괜찮네··) 맛있네요.
상수　좀 싸드릴까요? 작업실에 많은데.
은정　(가만히 보다가) 친절한 거 은근히 잘 어울리는 거 알아요?
상수　그렇겠죠. 열과 성을 다해 연기하고 있으니까요. 되게 불편한데 초인적인 힘으로 견디고 있는 거예요.
은정　거 사진이 뭐라고. 귀엽더만.
상수　귀여운 거 싫어요.
은정　애들은 좋아하면서 귀여운 건 싫어?
상수　내가 귀여운 건 싫어.
은정　귀엽네.
상수　싫다고.
은정　…귀여워.
상수　에이·· 씨…

시간의 흐름··
모두 비운 맥주 캔·· 마지막 캔을 마시고 있는 둘.

은정　아니 일할 때도 좀 친절하게 하면 안 되나? 그게 소리 지르고 욕하면 뭐가 더 잘 돼요?

상수 제어가 안 돼요‥ 그래서 내 말 못 알아듣는 곳으로 가려고.

은정 그게 뭐 언어 문젠가? 기운이 다 느껴지는 건데.

상수 아프리카.

은정 에?

상수 거기 가면 못 알아챌 거야. 갈 거예요. 아프리카.

은정 애들 만나러 가려는 거죠‥?

상수 이번엔 지겨워서 보기 싫을 때까지 있어보려고. 돈을 모으고 있지.

은정 다 기부하면서 돈이 모이나‥

…. 사실‥ 좀 물어보고 싶은 게 있었어요.

상수 ?

은정 보육원에서‥ 음‥ 그러니까‥ 숨 쉬는 게 참 편했거든요.

상수 음‥ 물어볼 게 뭐 있어요? 그냥 그렇게‥ 느껴지는 대로 느끼면 되지.

은정 ………그렇구나. 고맙네요.

상수 뭐가요?

은정 몰라요. 그냥.

상수 (뭔가 원하는 온화한 표정으로) 그럼…

은정, 핸드폰을 꺼내 사진첩을 연다. 상수의 사진.
차마 보지 못하고 고개를 돌려버리는 상수.
한 장 한 장‥ 지워가며‥

은정 참 나‥ 이게 도대체 뭐라고‥ 자. 다 지웠어요.

상수 복사본은?

은정 에이·· 거·· 뭐 범죄영화 찍어요? 다 먹었다. 갈게요.

상수 기억에서도…

은정 ……

상수 지워라.

그러든지 대충 손 흔들어주고 돌아서 가는 은정.

남은 맥주를 마시며 가만히 은정의 뒷모습을 바라보는 상수.

나른한 기지개를 켜는 그때, 쏟아지는 깨톡.

소민에게서 온 깨톡. 응? 하고 열어 보면··

소민이 보내온 상수의 셀카 사진들… 숨이 턱 막히는 상수.

그리고 그 사진 끝에 소민의 깨톡.

'감독님…. ㅋㅋㅋㅋㅋㅋㅋㅋㅋㅋㅋㅋㅋㅋㅋㅋㅋ'

이런 샹·· 하고 저 멀리를 보면, 은정이 무표정하게 바라보다가·· 순간 해맑게 웃어 보인다.

잡을 수 있는 거리인가 계산해보는 상수.

상수 백 미터 몇 초에 뛰어요?!

은정 15초요~

상수 아~ 빠르구나~

상수, 확! 하고 일어서는데 바로 튀는 은정.

좌절하고 앉아버리는 상수. 체념의 한숨.

46. 여의도 공원 / 밤.

조금 피곤해 보이는 진주와 범수. 밤공기는 좋다. 산책.

범수 어제부터 살짝 삐져있던 거죠?

진주 아니요. 삐졌단 단어는 내가 좀 작아 보여.

범수 음… 그럼 어떤 표현이 좋을까 비슷한 맥락의…

진주 당신을 부정적으로 평가하고 있었다. 정도.

범수 그렇구나.. 맞네. 상한 거네, 기분이. 정신이 없었어요. 오만가지 컨펌을 하는데..

진주 핑계.

범수 음.. 난 근데, 왜 이게 핑겐지 모르겠어. 일이잖아. 내가 어디 동호회 활동을 한 것도 아니고, 술 퍼마시고 논 것도 아니고. 이렇게 틈내서 만나고..

진주 (기분 상하는) 틈내서?

범수 아니.. 그니까.. 틈내서가 나쁜 말이에요? 나도 작가님도 바쁘잖아요. 틈내서 만난다는 게 얼마나 멋진 일이야?

진주 난 내가 만나는 사람한테 틈내서 만나는 사람이고 싶지 않아요.

범수 아니.. 그럼 안 만나?

진주 만나고 안 만나고가 중요한 게 아니라.. 아.. 답답해. 바쁘면 당연히 못 만날 수 있죠.

범수 못 만나면 싫지. 그래서 틈을 내서라도 만난다는 게 왜..

진주 아니.. 짧게 만나도 혹은 못 만나도 마음이 중요한 거고, 난 뭐 밀린 빨래 틈내서 돌리듯이, 바삐 처리하듯이 그렇게..

범수 뭔 소리에요? 왜 그렇게 말을 해요?

말이 돼요? 빨래라니? 처리라니? 아니 서로 바쁜 상황 알면서, 왜 항상 이런 걸로 기분이 상해요?

멈칫. 서는 진주. 범수를 마주 본다.

진주 ……항상‥ 이라니요‥ 나 그런 적 없어요. 처음인데.

범수 ……어…. 네… 그렇죠‥

진주 내가‥ 감독님 전 여친한테 바통을 이어받은 건가요?

범수 아‥ 그렇게 느낄 수 있게끔 말했어요, 내가. 실수에요. 미안해요.

진주 나는‥ 내 출발선에서 출발했어요.

범수 맞아요‥ 아‥ 미안해요‥ 이게 참‥ 아‥

진주 제가 오늘 실망을 좀 해야겠네요. 갈게요.

범수를 두고 돌아서 가는 진주.
따라가는 범수. 하지만 거리가 멀어지는‥

범수 미안해요. 저기‥ 저기요‥ 진주 씨‥

봐 줄 생각 없는 듯 보이는

진주 (V.O) 하‥ 인간이 실수를 반복하는 동물이 아니라면, 연애는 연애를 많이 해본 사람과 하면 되겠지‥
하긴‥ 많이 해본 놈은 왜 많이 했을까…. 에이…

변수에지지 말자. 니놈은 나쁜 것보다 좋은 게 더 많은 놈이다.

진주 (휙 돌아보며) 부지런히 안 따라와?!

범수 네?

진주 왜 뒤처지냐고 지금?!

범수 아.. 이런 식으로 멀어지다 오늘은 헤어지고 밤새 후회하고.. 내일 또 사과하고.. 뭐 그런 흐름 아니었어요?

진주 나에게 오라.

범수 네?

진주 오라면 오라.

범수 그냥 제가 가면 돼요?

진주 내가 갈까? 용서하는 입장에서 친히 방문까지 해야 돼?

범수 아…

잽싸게 진주 옆으로 붙어서 걷는 범수.

그런 범수에게 팔짱 끼는 진주.

범수 뭐지.. 죽을 뻔 했는데 큰 노력하지 않고 살아난 기분이야.

진주 내가 그런 사람이야. 복받은 줄 알아.

범수 아.. 진주 씨 만나고 내가 전생에 나라 정도 구했겠거니.. 했는데.. 내가 뭘 더 구했나 봐? 흐흐.. 영웅.

진주 아이고.. 우리 영웅님… 좋다네..

페이드아웃.

47. 은정의 집 / 밤.

한주가 소파 한쪽에 앉아있다.

진주, 은정, 효봉이 한주를 마주하고 앉아있다.

회의 같기도 청문회 같기도.

한주 인국이가 들으면 안 되는 내용이니까 이제부터 속삭임 모드.

끄덕이는 진주, 은정, 효봉. 한주가 그들을 모으고 입을 가려 고민을 털어놓는다. 한주가 쏼라쏼라…

점차 눈이 커지는 진주, 미간에 주름 잡히는 은정,

고심이 스며드는 효봉‥ 한주의 말이 끝나자 잠시 그녀를 노려보던 진주가 소리 지른다. 속삭임으로.

청력이 좋은 사람은 들을 것이고 좋지 못한 사람은 자막을 볼 것이다.

진주 그게 고민꺼리가 돼?! 너 지금 혹시 설마 고민해?

한주 …….

은정 하… 그때 그 자식을 죽였어야 했는데…

진주 엄머‥ 애 이거 계속 고민하네? 미쳤어? 고민도 하지 마. 욕 한 번 내뱉고 끝날 일을 지금 고민을 한다고?

은정 하… 그 자식이 너무 빨랐어‥

한주 너무 격하게만 생각하지 마.

진주 이게 진짜 미쳤나‥ 야! 너 고민 끝. 하지 마. 너 더하면 너 안 봐 나!

한주 왜 오바야?! 내가 어떻게 고민을 안 해 그럼?!

진주 왜 해야 되는데?! 너 걔한테 미련 있어?

한주 없어!

진주 근데!

효봉 잠깐.. 잠깐.. 너무 격앙됐어. 침착하게… 난 그니까.. 그래.. 인국이가 있으니까… 그래.. 누나가 누나 본인만 생각할 순 없다는 거 알아..

진주 누가 본인만 생각하래? 본인 먼저 생각하는 건 되잖아!

한주 그게 본인만 생각하는 거지.

진주 달라!

한주 뭐가!

진주 그… 그… 아무튼 달라!! 말도 안 되는 고민 때려치우라고!

은정 그만해 내가 이번엔 뒤에서 쳐볼게.

진주 됐어 나도 같이 가. 앞뒤로 같이 쳐버려.

벌떡 일어나는

한주 야!! 너넨 왜 내 생각을 안 해?! 그건 다 니네 기분이잖아! 너네 저만한 애 낳아봤어? 남편 없이 키워 봤어? 내 입장은 어떨지 하나하나 생각해 봤어?! 인국인? 어떤 생활을 하고 어떤 영향을 받는지 생각 봤어?!

진주 야.. 그래도 그렇게 말하면 섭하지! 우린 인국이 생각 안 하는 사람들이야?!

한주 생각하면! 이 정도 고민은 심각하게 진지하게 받아들여야지!

왜 고민 자체가 문제라고 뭐라 그러는데!

진주 사람 나름이지! 그놈이 온전한 놈이야?!

한주 애 아빠한테 너무 욕하지 마!

진주 너 지금 나 까고 그 새끼 편들어?!

한주 나이 먹고 사람이 좀 변할 수도 있는 거 아냐?!

진주 변한다는 놈이 갑자기 와서 합치재? 사전에 아무 노력도 안 해놓고? 그게 예의야?! 그게 변한 거야?!

한주 왜 자꾸 나쁘게만 생각하고 말해 너는!

진주 나쁘니까!!

한주 나쁜 새끼지! 변하면 얼마나 변하겠어! 사람이!

진주 너한테 한 짓은 어떻게 해도 안 없어져!

한주 애 다 키워놓으니까 이제 와서 그게 할 말이야?!

진주 어림없는 소리 하지 말라 그래!

한주 절대 그놈이랑 못 살아!

진주 당연한 거 아니야!

효봉 잠깐만.. 잠깐만.. 목소리 낮춰 봐. 아 이미 낮췄구나. 뭔가 이상해졌어.

은정 응.. 둘이 싸우다가 같은 편이 됐어.

효봉 아니 뭐 칼을 휘두르면서 동맹을 맺나?

진주 (어라?…) 뭐야.. 뭐야 너. 왜 싸우는데 내 페이스를 따라와?

한주 후… 난.. 남자한테서 내 행복을 찾을 생각 따위.. 없어.

진주 그.. 그치.. 근데 갑자기 입장을 바꾸니까 어색해졌잖아 내가.

한주 근데! 연애는 하고 싶어. 남자랑 꽁냥꽁냥도 하고.. 막.. 데이트도 하고..

진주 옳거니..

한주 막.. 뭐야 그.. 야한 것도 하고.. 아니 그건 아닌가..

진주 아니긴 뭘 아니야 이년아 가만 보면 니가 그런 거 젤 좋아해.

한주 난.. 그놈이랑 합칠 생각이 눈꼽만치도 없어.

은정 아 이거 뭐.. 뭔가 분위기가 이게.. 맞게 굴러가는데 이상해.

효봉 왜 이렇게 된 거야..?

진주 이년 때문에.. 야.. 그럼 처음부터 그러지.. 이거 소리 지르고 지랄한 내가 뭐가 돼?

한주 그.. 뭐랄까.. 이 정도는 고민한 척해 줘야.. 인국이한테 덜 미안할 거 같은..

어이없는 진주, 은정, 효봉.

진주 와아.. 인국이한테 덜 미안하려고 날 이용했어.. 저것두 저거.. 나이 먹으면서 미쳐가네..

은정 너랑 살아서 그래..

한주 그래서 말인데… 고백하자면…

뭐 또? 시선이 집중되는..

한주 ….나 만나는 사람 있어.

쩝…. 이건 또 무슨 전개가… 싶은 진주.. 은정.. 효봉..

진주　　아… 씨… 배 꺼지네.. 나 생 지랄을 왜 한 거야..

웃음이 나오는 은정과 효봉..

48.　　재훈의 집 / 밤.

불 꺼진 방으로 들어오는 재훈.

불도 켜지 않은 채 침대에 피곤한 몸을 파묻는다.

잠시 생각에 빠지는… 나쁜 쪽의 생각은 아닌듯한…

"그냥 세상은 조금 더 착한 사람이
조금 더 애쓰고 살 수밖에 없어요.
엄청난 손해 같지만 나쁜 사람한테
세상을 넘길 순 없잖아.
우린 어떻게 보면 지구를 지키고 있는 거야."

_ 범수의 말 중

· 16부 ·

16

1. 은정의 집 / 밤.

한주 그래서 말인데… 고백하자면…

뭐 또? 시선이 집중되는‥

한주 ….나 만나는 사람 있어.

쩝…. 이건 또 무슨 전개가… 싶은 진주‥ 은정‥ 효봉‥

Cut To

자기 자리에 다소곳이 앉은 한주.

그녀를 뚫어져라 보고 있는 나머지 멤버.

진주 일단 그래서 누구야? 어디서 만났어? 얼마나 됐어?

한주 그 좀… 키가 좀 크고‥

일동 우와~

한주 귀엽고…

일동 이히~

한주 그‥ 재훈 씨‥

일동 와아아아우!

한주 아니 그‥ 재훈 씨랑 동갑이고…

일동 와우~ 연하남…

한주 그때 그 왜… 그… 우리 클럽 갔을 때‥

일동 오우 쉬엣…

한주 같이 못 논다고 했는데‥ (부끄) 다시 와서 번호 주세요, 하는데‥ 그때 걔 어깨가 쩍 벌어져 있는데‥

진주 어깨 보고 주셨다?

효봉 이해가 될 것도 같고.

진주 히야… 나 지금 뒤통수를 잃었어. 하도 쎄게 맞아가지고.

은정 칠 줄 아네. 뒤통수. (뒤통수를 만지며) 얼얼하다 야.

한주 근데‥ 그… 사귄다기보다‥ 톡을 좀 주고받는다‥?

일동 우우…

진주 매일? 아침에 출근하면서도? 일하는 중간에도? 자기 전에도?

한주 그럴걸?

진주 (효봉에게) 사귀는 건데?

효봉 (한주에게) 사귀는 거네.

한주 (은정에게) 사귀는 거야?

은정 나 병삼 오빠랑 매일 그렇게 톡 하는데?

진주 그건 일이고. 그럼 일주일에 몇 번 만나?

한주　일주일에.. 한 번 정도 밥술?

진주　(효봉에게) 사귀는 거 아닌데?

효봉　(한주에게) 사귀는 건 아니네.

한주　(은정에게) 사귀는 거 아니야?

은정　주기적으로 만난다는 건데? 애매하면 그냥 그 사람한테 물어보면 되잖아.

진주　그럼 고백이 되지.

은정　그래?

효봉　응.

진주　아 진짜 유치해서 여기까진 안 물어볼라 그랬는데, 한방에 정리하자. 어디까지 갔어.

한주　…눈.

일동　응?

한주　눈 마주친 정도..

진주　한주야. 이제 너 내숭 까는 거 아무도 안 믿어. 그냥 말해.

한주　…..(검지로 자신의 입술을 누른다)

화색이 도는 진주와 효봉.. 그 와중에 신중한

은정　혀…

진주　(말 자르고) 됐어, 됐어!! (벌떡 일어서며) 사귄다고 쳐. 됐어.

박수 치며 일어나 한주를 안아주는 일동.

이게 뭐라고..

한주　　아니 근데.. 사귀기로 한 적은 없는데..

진주　　괜찮아, 놀기라도 해. 됐어!

발까지 동동거리며 좋아하는.. 이게 뭐라고..

2.　　진주의 방 / 밤.

책상에 앉아 열심히 글을 쓰는 진주.

진주　　(V.O) 좋아하던 드라마가 있었다. 서로 사랑하던 남녀 주인공은 각자의 욕망을 위해 가장 먼저 사랑을 희생시켰다. 갖은 풍파를 겪은 후.. 모든 걸 잃은 채 다시 제자리로 돌아간 두 사람은 큰 것을 희생해 작은 것을 얻으려 했음을, 그 어리석음을 통감한다.

인터컷

1부 첫 씬 드라마 장면.

진주　　(V.O) 그리고 그 무지했던 시간은 다시 시작할 수밖에 없음을 깨닫고, 다시 시작할 수 있는 용기를 얻은 시간이었다고 위로한다.
이런 말~도 안 되게 비생산적이며, 성장도 뭣도 아닌 과정이 내 주변 대부분의 사람들에게 경험치로 남아있다.

3.　　한주의 방 / 밤.

인국이를 안고 잠든 한주.

4.　　재훈의 방 / 밤.

텅 빈 방에서 드라마를 보며 혼자 맥주를 마시고 있는 재훈.

5.　　은정의 방 / 밤.

끔뻑끔뻑 잠들지 못하고 뒤척이는 은정.

돌아누우면 홍대가 침대에 걸터앉아 자상하게 웃고 있다.

하지만 금세 홍대는 사라진다.

6.　　범수의 방 / 밤.

털레털레 들어와 옷도 못 벗고 침대에 누워버리는 범수.

잠들 기세.

진주　　(V.O) 드라마를 보는 것만으로는 도무지 학습이 되지 않아

기어코 드라마의 주인공 되어버리고 마는, 어리석은 우리.

7.　　진주의 방 / 밤.

열심히 타이핑 중인

진주 (V.O) 하지만… 다시 시작하고 싶음을 부정하지 않는 기특한 우리. 어쩌면 우리의 체질은 넷 중 하나…

진주의 한글 타이핑이 타이트하게 보인다.

'주연 *어쩌면 우리의 체질은 넷 중 하나 아닐까요?*
멜로소양인. 멜로태양인. 멜로소음인. 멜로태음인.'

8. 범수의 집 거실 / 낮.

소파에 앉아 태블릿으로 서른 되면 괜찮아져요
대본을 읽고 있는 범수. 뭔가 맘에 드는지 씨익- 미소.
태블릿을 내려놓고 방으로 들어가는 범수.

Cut To

외출 복장으로 갈아입고 나오는 범수.
주방으로 가 냉장고 문을 연다.
음식 보관통을 열어보면 방울토마토 세 방울…
그러다 문득 거실 창 앞에 방울토마토 화분에 시선이 간다.
시들어 있는 방울토마토를 보고 죄책감에 젖어드는 범수.
천천히 토마토에게로 향한다. 그 앞에 멈춰서 무릎 꿇고 앉아 마른 줄기를 더듬으며 그나마 괜찮은 토마토들을 딴다.

범수 미안하다… 그렇게 좋아한다, 좋아한다 해놓고…

9. 진주의 작업실 / 낮.

진주와 수희 열심히 대본 작업 중. 그저 키보드 타이핑 소리만 요란하게 울리던 그 공간에 초인종 벨소리.

수희가 일어나 인터폰을 확인하면 범수.

수희 감독님 오셨습니다~

Cut To

잘 씻은 방울토마토를 접시에 담아 내오는 범수.

수희 옆으로 앉는다.

범수 (뭔가 좀 슬픈) 마지막 방울토마토에요.

진주 응? 왜?

범수 돌보지 못해서… 시들어버렸어요.

진주 (슬픔에 동조하는) 음.. 죄책감 느끼는구나?

범수 뭐.. 조금.. 잃었지만 실패 같진 않아요. 우린 충분히 좋은 시간이 있었으니까.

진주 그래요 다시 시작하면 돼. 뭐.. 씨앗을 심고 싹이 나오길 기다리고.. 열매를 맺을 때까지 이런저런 과정을 다시 거친다는 게..

아.. 조금 피곤하게 느껴지기도 하겠지만..

범수 이게 싹이 잘 안 나오기도 하고..

진주 나올 때까지 하는 거예요. 방울토마토 뭐 없어도 살지만, 있으면 좋은 거니까.

이게 이렇게 아련할 내용인가 두 사람을 번갈아 쳐다보는

수희　지금 감정은 마치 모래시계 마지막 회에서 혜린이와 우석이가 태수 뼛가루 뿌릴 때 느낌이야.. 방울토마토 가지고 왜들 이러세요?

범수　혜린이 우석이.. 그들도 다시 시작했을까..

진주　우석이는 사랑하는 아내가 있고.. 혜린이는 왠지 아직 혼자일 것 같아..

수희　우리 대본 회의 중인 거 아시죠? 이거 일하기 싫어서 이러는 거 같은데?

범수　하하.. 들켰다.

진주　하하.. 원래 대본 회의라는 게 반은 잡담이야. 꽃피우는 수다 속에 샘솟는 아이디어.

범수　그 안에 도사리는 마감의 압박.. 하하.. 좀 먹으면서 회의를 이어가 볼까요?

그제야 방울토마토를 먹기 시작하는 범수와 진주, 수희.

진주　촬영 준비는 어때요?

수희　대본 회의 시간이라니까.

범수　시간이 촉박한 거에 비하면 원활해요.
워낙 베테랑들이니까.

수희　우린 베테랑 아니니까 대본 얘기 좀..

진주　(아랑곳 않고) 근데 보통 드라마 보면 초반에는 엄청 힘줘서

찍다가 뒤로 갈수록 좀 엉성해지는 경우가 좀 있더라고.

범수 시간에 쫓겨서 그래요. 근데‥ 우린 걱정하지 마요.
내가 그러지 않으려고 방법을 고안해냈거든.

진주 오호.

범수 드라마 판에 정말 획기적인 제안이 될 거야‥

수희 (기대‥ 기대‥)

진주 어떻게? 어떻게?

범수 뒤로 갈수록 완성도가 떨어지는 걸 미연에 방지하기 위해서‥ 처음부터 완성도를 떨어트리고 가는 거예요.

오호‥ 그거 좋은 생각인가…? 카오스에 빠지는 수희.

진주 ……이~ 야~~ 오와‥ 그 생각을 왜 못했지? 아니 근데‥ 시간 없다고 허투루 찍지 않는다며?

범수 작가님. 드라마 같은 장기적인 레이스에선 일관성이 곧 완성도에요.

진주 와아… 역시 감독은 나무를 보지 않아. 숲을 보잖아‥

범수 (헤헤… 뿌듯…) 작가님이 최고의 경지까진 가지 말자 다짐하셨잖아요. 저 그때 영감을 받았거든요. 감명 깊었어요.

진주 (헤헤… 뿌듯…) 우린 서로에게 굉장히 발전적인 영감을 주고 있네요‥

수희 퇴행적인 영감을 주는 거 같은데…? 아니‥ 힘드신 건 알지만‥ 벌써부터 미쳐 가시면 어떡해요‥ 그것도 두 분이 같이‥

진주 헤헤·· 조금 미쳐도 좋아요. 어차피 지구도 돌잖아.

수희 뭔 소리야 그게··

진주 (갑자기 빅뱅의) 뱅뱅뱅~

(범수에게 손가락 총을 쏘며) 빵야! 빵야! 빵야!

범수 (가만히 보다가·· 하하·· 참·· 총 맞는 시늉) 으헉! 으헉! 으헉!

작가님과 감독님이 세트로 미쳤음을 확신하는

수희 대본··· 얘기하시죠.

범수 아~ 우리 케잌 먹으러 갈까요?

10. 커피숍 / 낮.

시원한 음료를 마시며 널브러진 범수와 진주.

진주 옆으로 노트북을 켜놓고 앉아있는 수희.

수희의 노트북 화면 대본 회의록을 보면

'대본 회의록' '참석자 범수 감독님, 진주 작가님, 수희 보조 작가' '회의 내용' '방울토마토··· 초반부터 완성도 떨어트림···' '케잌····' '대본 얘기 안 함'

범수 역시 대본 회의는 밖에서 해야 돼.

진주 맞아 안에서 죙일 글 쓰는데 답답하게.

범수 근데 우린 왜 맨날 이 커피숍만 오는 거야?

진주 그런 게 있어요.

범수 아, 이번 10부에서·· 크·· 멜로소양인·· 그거 좋더라.

수희, 회의 내용에 적는다.
'회의 세 시간 만에 대본 얘기 나옴…'

진주 아·· 그거 즉흥적으로 나온 건데.
범수 좋아요. 난 좋았어요.
결국·· 이러네 저러네 해도 체질이라는 거 아냐·· 아·· 그럼 혹시·· 최 팀장은 어떻게 돼요? 시놉에 소개되지 않은 결말이 있나?

11. 흥미유발 엔터 휴게실 / 낮.
한주와 재훈의 커피타임.

재훈 거봐요, 되게 좋아하죠?
한주 나 연애한다는 말에 그렇게 좋아하는 모습 보니까·· 뭔가·· 내가 좀 불쌍하게 느껴지더라.
재훈 이게 이렇게 좋아할 일인가··
내가 그동안 어떻게 산 건가··
한주 응. 그거.
재훈 지겹다 지겹다 해도 연애가 좋은 건가 봐요?
한주 응?
재훈 연애한다고 하면 일단 걱정부터 하는 사람은 없잖아요.

뭐 상대가 원수의 집안이라든가 그런 특수한 경우를 제외하곤.

한주 …그… 런가…

그때, 출근하는 소진.
일어나 인사하는 한주와 재훈.

한재 안녕하세요~

멈춰서 어느 때보다 친절하고 조심스레 인사를 받고 주는

소진 응. 안녕. 굿모닝.

무슨 일인지 가지 않고 한주에게 고운 미소를 보내는 소진.
한주는 이유를 알 것 같고 재훈은 왜 저러나 싶다.

한주 차 한 잔 드릴까요?
소진 으음~ 아니야.

가방에서 커피 원두를 꺼내 테이블에 올려놓는

소진 한주 좋아하는 원두야. 촬영 얼마 안 남아서 힘들지?
제작팀 인원 충원할 거니까 너무 무리하지 말고.
응. 쉬엄쉬엄.

친절하게 웃으며 돌아서는 소진.
방으로 들어가는 소진을 보며 앉는

재훈 왜… 왜 이러시는 거죠? 곧 떠날 사람처럼‥

뭔가 알고 있다는 듯 웃고 있는 한주를 보고 낌새를 눈치챈

재훈 알고 계시네요. 말씀하세요.
한주 아이쿠 비밀인데 들켰네.
재훈 우리 비밀 털어놓는 사이 아니었나요?
한주 아이쿠 그럼 말해야겠네.

하고 소진의 사무실을 살피면 소진이 블라인드 사이로 한주를 보고 있다. 평온한 미소로‥ 그저 미소 짓는 한주 그 미소 그대로 복화술

한주 무슨 일이 있었냐면…

12. 홍미유발 엔터 소진의 사무실 / 밤.

모두 퇴근한 시간 어둑한 사무실.
퇴근 준비를 마치고 소진의 사무실로 결재 서류철을 가지고 들어오는 한주. 소진의 책상에 서류를 올려놓고 돌아서 나가려는데 어지럽혀진 책상이 눈에 걸린다. 너부러진 종

이들을 가지런히 놓고 볼펜들을 연필통에 넣어주는 한주.
그러다 볼펜 한 자루가 책상 밑으로 떨어진다.
볼펜 한 자루 잡으려다 연필통까지 우두두 떨어진다.
아이쿠.. 책상 밑에 쪼그려 앉아 볼펜을 줍는 한주.
손이 닿지 않는 곳에 떨어진 볼펜을 집기 위해 낑낑거릴 때,
통화 중인 소진이 들어온다.

소진 자아기이~ 나 이제 끝났단 말이얌. 그렇게 투덜투덜대면?
깨물어 버릴꼬야. 어디긴 어디야 입술이지~ 이히히~

얼음된 한주. 일어선 것도 앉은 것도 아닌 채..
몸까지 꼬아가며 교태를 부리는

소진 보고 싶어쪄여? 곰방 갈게 기대료~ 우웅~ 사랑..

그렇게 책상으로 향하던 소진이 자연스레 한주와 마주한다.

소진 해애액!!!!!

경기를 일으키며 핸드폰을 소파로 내던지는 소진.

13. 홍미유발 엔터 휴게실 / 낮.

고개를 숙인 채 복화술로 대화를 나누고 있는 한주와 재훈.

한주 하느라고 한 건데‥ 도저히 따라 할 수가 없어‥

재훈 혀를 반만 써보세요. 곰방 갈게 기대료~

한주 그거 아니야, 사람이 낸 소리가 아니었어.

재훈 사귄 지는 얼마나‥

한주 50일 돼서 커플링했대요‥

재훈 오… 러블리하다‥

여전히 블라인드 앞에 서있는 소진.

저들이 자신의 얘기를 하는 것이 분명하나…

소심하게 미소 지을 뿐… 아득히 먼 곳을 바라볼 뿐‥

커플링이나 만지작거릴 뿐…

14. 커피숍 / 낮.

케익을 먹어치운 범수, 진주, 수희.

범수 음… 찬성. 좋다. 그럼 의외의 반전이니까 아예 조금 더 가죠.

진주 응? 어떻게?

범수 커플링하는 거 어때요? 전혀 안 그럴 거 같잖아.

진주 오… 좋네.

범수 (대본 펼쳐보며) 근데 난 더 궁금한 게 성 씨피랑 정 작가. 이건 시놉에 전혀 없던 전개잖아.

15. 포장마차 / 밤.

소주를 넘기는 인종. 소주를 넘기는 혜정.

그녀를 바라보는 그….

16. 혜정의 작업실 / 플래시백.

＊플래시백 - 15부 11씬.

휙 하고 나와 슝 하고 나가버리는

인종 국장한테 니?! 니?! 니가 뭐야? 니가!! 에잇!!

- 혜정의 작업실 현관.

문을 박차고 나온 인종, 순간 현관문에 등을 기대고 놀란 가슴을 진정시킨다. 자신의 가슴을 토닥토닥..

인종 아… 젠장.. 쿵쾅거리다니.. 나이 50줄에 이게 뭔…
창피하게.. 에잇…

갈 길 가는 인종.

17. 포장마차 / 밤.

소주를 넘기는 소 대표.

옆에 앉은 소 대표를 쳐다보는 인종.

왜 쳐다보나 천진하게 인종을 쳐다보는 소 대표.

소 대표 왜… 요? 안주 드릴까요?

인종 (하… 체념하듯)…너 먹어.

껍데기 볶음을 맛있게도 먹는 소 대표.

그런 소 대표를 예쁘게 바라보는 혜정.

그런 혜정을 살피다 체념하는 인종.

혜정 어떻게 여기서 맨날 만나.. 포차 정말 자주 오시는구나?

소 대표 저는.. 포차의 정서가 좋아요. 적당히 맛없고 적당히 비싸고, 적당히 불편하고.. 잠시 머물다가기 좋고.. 고독한 사람을 위로하지도 이용하지도 않는 느낌이랄까..
쉬어가쇼~ 아님 말고~ 이런 느낌.

혜정 하… 철학적이면서도 감성적인… 뭐 좀 웃긴 질문이긴 하지만.. 왜 여태 혼자에요?

소 대표 네? 아… 하하.. 결혼은 했습니다.

혜정 ……(!!)

이건 또 무슨 전개가..

체념했던 인종의 얼굴이 해사해지기 시작한다.

혜정 응? 혼자… 라고..

소 대표 　혼자죠. 보냈으니까.

혜정 　(슬퍼져….) 그… 사… 별‥?

이건 또 무슨 전갠가‥

생기 돌던 인종의 눈빛에 동정이 일기 시작한다.

소 대표 　아, 아니. 미국이요. 저… 기러기 아빱니다.

혜정 　……

인종 　……(슬쩍 쪼개는‥) 아… 기러기 아빠구나…

난 강아지 아빤데…

되레 웃음이 새는 혜정. 그녀를 보고 따라 웃는 인종.

강아지 아빠가 웃긴 건가? 따라 웃어보는 소 대표.

18. 거리 / 밤.

비가 온다. 빨간 우산 아래 인종과 혜정이 나란히 걷는다.

밥 잘 사주는 예쁜 누나 2부 참고.

혜정 　이걸로 가다간 둘이 반은 다 젖겠다‥

인종 　그렇다면 방법이 있지.

우산을 오른손으로 옮기고 자유로워진 왼손으로 혜정의 어깨를 감싸 안는 인종　이렇게.

다소 수줍은 혜정. 그렇게 걷는 둘.
두 사람의 빠르지도 느리지도 않은 발걸음.

음악 *'Stand By Your Man' – Carla Bruni*

길가에 다다라··

인종　택시·· 탈까?
혜정　어·· 근데·· 술 좀 깨고 가면 좋을 거 같긴 한데··
인종　그럼·· 좀 더 걷다 타는 게 낫겠다.
혜정　그니까.

뒤돌아 다시 걷는 두 사람·· 이하 V.O.

인종　작가님 되게 쪼끔했구나?
혜정　뭐?
인종　소리 지를 땐 애팔래치아 흑곰 같아서 몰랐는데 되게 작네?
혜정　흑곰 앞발에 명치 쎄려 맞는 소리 하지 말고·· 국장님 키나 걱정해. 난 표준이야.
인종　에이··· 날 뭘로 보고·· 내가 여자 많이 안아봐서 알아.
혜정　개를 많이 안아봤겠지.

웃으며 혜정을 밀치는 인종. 재밌어하는 혜정.

인종 그거 알아?

혜정 알고 싶지 않아.

인종 어렸을 땐 몰라서 헤맸는데 지금은 모른척하다가 헤매.

혜정 그래… 우리 그냥 평생 모르자.

인종 하하하하하.

혜정 그게 더 젊어 보여.

인종 응~ 하하하.

기분 좋은 기운으로 걷는 두 사람.

19. 커피숍 / 낮.

열심히 타이핑 중인 수희.

범수 음… 그게 다예요?

진주 음.. 글쎄요.. 평생 좋은 친구가 될까요..? 아님 모른 척하지 않는 어느 날을 맞이하게 될까요?

범수 열린 결말?

진주 응.

범수 음.. 잘 됐으면 좋겠는데 지금 모습도 나쁘지 않단 말이지..

진주 그니까.

범수 아.. 근데 애는.. 끝내 짝이 없을 건가?

20. **혜정의 작업실 / 낮.**

책상 앞에 우두망찰하게 서있는 미영과 사랑.

그 앞에 어마어마한 자료 뭉치들을 내려놓는 환동.

뿌듯하게 미소 지으며

환동 자, 이건 제가 승마에 대한 자료를 모으면서 공부했던 건데요, 필요하실 거 같아서.

그 모습을 뒤에서 보고 있던

혜정 아니·· 우리 드라마가 승마 드라마가 아닌데·· 그냥 주인공 취미가 승마인 건데?

환동 그러니까 잘 알아야죠.

손가락 한 마디 두께의 프린트 물을 가방에서 꺼내 책상에 내려놓는

환동 그리고 이건 12부 리뷰한 거·· 제가 그냥 뽑아왔습니다. 몇몇 개연성에 안 맞는 것들이 조금 있었거든요. 팩트 체크부터 감정선의 흐름까지 1부부터 분석을 해봤고, 아이디어 조금 첨부했습니다.

혜정 그··· 리뷰라는 게··· 감상평 같은 건데··· 그게 대본보다 두꺼우면 어떡해?

환동 풍성해지는 거죠. 하하하.

혜정 감독님은… 일 말고.. 취미 같은 건 없어요?

환동 없습니다.

혜정 뭐.. 연애랄지..

환동 드라마와 결혼했습니다.

혜정 아.. 기혼이구나..

환동 하하하.. 아, 운동은 시작했습니다.

21. 필라테스 센터 / 낮.

몸짱 여자 코치에게 상담을 받고 있는 환동.

친절하고 미모까지 겸비한 코치.

코치 무슨 운동이든 꾸준함이 중요하고..

꾸준함을 위해선 동기부여가 필요하겠죠?

운동을 하려는 목적이 있으세요?

환동 네. 팔씨름을 잘하고 싶습니다.

코치 아… 팔씨름..? 여긴 필라테스…

환동 네. 제가 현대 해부학과 운동과학을 바탕으로 고민한 결과. 우선 코어를 바로잡으며 근력을 키워가는 게 저의 전략입니다.

코치 아… 그렇구나.. 팔씨름을 위해서?

환동 팔씨름. (혼잣말) 이겨버릴 거야…

코치 네?

환동 아니요. 아무튼.. 그렇습니다.

재밌다는 듯 웃는 코치.

Cut To

다른 날. 열심히 필라테스 1:1 교습을 받고 있는 환동.

Cut To

샤워하고 나오는 환동.

나가려는데 입구에 지키고 서있는 코치.

환동　수고하셨습니다~

코치　(뭔가… 친근하게 환동을 바라보는) 환동님.

환동　네.

코치　식단 조절하세요?

환동　아… 하려고는 하는데…

코치　요 건너편에… 샐러드 레스토랑 오픈했는데… 맛있더라구요. 건강하게 먹고 나면 맥주 한 잔 정도는 용서해도 될 것 같은데…

대놓고 데이트 신청이라고 해도 무방한 느낌. 눈으로 말 다 하고 있음. 알아들은 것인지 잠시 망설이던

환동　(알겠다는 듯이) 아는 분이 개업했구나? 홍보? 하하하.
알겠습니다. 스태프들 데리고 한번 가보겠습니다.
수고하십시오~

싱긋 웃어 보이며 나가는 환동.

겸연쩍게 웃는 코치. 그녀의 뒷모습에서··

진주　(V.O) 어쩌면… 평생 혼자일 수도 있고··

범수　(V.O) 아니야·· 또 모르지? 그만의 코치를 만날지··

뒤돌아보는 코치의 표정에 어떤 결기가 엿보인다.

코치　아·· 놔·· 승부욕 있는 여자 또 발동 걸리게 하네··

여유 있게 쪼개는 코치.

22. 커피숍 / 낮.

진주　그런가··? 한번 만들어 봐?

범수　(대본 보며) 아 맞다. 동생 커플도 계속 보고 싶던데 난. 귀엽잖아.

23. 학원가 / 낮.

컵밥을 먹고 있는 지영과 정환.

컵밥. 노량진에 있을 법한 거 아무거나. 물어보지 마.

정환　만약… 우리 중 한 명만 시험에 합격하고··
나머지 한 명이 끝내 실패한다면·· 우린 헤어지게 될까?

지영　그 고민할 때 공부 한 자 더하면 합격해.

정환　너무 엄마 같은 말만 하지 말고. 난 심각해.

컵밥의 메인 메뉴를 한 조각 정환의 그릇에 옮겨 주는

지영　먹기나 해.

정환　그냥 한 쪽만 합격하면 둘 다 같이 포기하는 거 어때?

지영　그런 헛소리를 이렇게 진솔하게 하면 내가 몸 둘 바를 모르게 돼.

컵밥의 메인 메뉴를 한 조각 지영의 그릇에 옮겨 주는

정환　어떤 노선을 타게 되든 내가 너 먹여 살린다.

지영　정환아.

정환　응!

지영　……니 먹을 거나 챙겨. 그 정도면 난 너 사랑할 거니까.

흐뭇하게 바라보다 우욱— 토 쏠리는 컵밥 아저씨.
히히 웃으며 맛있게 먹는 지영과 정환.

24. 커피숍 / 낮.

골똘히 생각하는

진주 음‥ 근데‥ 헤어지겠지. 아직 어린데.

범수 으‥ 안 돼. 어리니까 헤어진다는 게 뭐야‥

진주 동생은 굉장한 실리주의잖아.

범수 실리주의니까 지키는 게 현실적으로 이익이란 걸 알겠지.

진주 지키지 못했을 때 돌아보지도 않는다는 거지. 얘는 일찍 결혼할 거거든. 장기연애하다 서른 줄에 헤어지게 되면 선봐서 1년 안에 결혼할 타입이야. 공무원이랑 할 거야, 아마.

범수 으‥ 듣기 싫어… 안 들어… 얘넨 강을 건널 때까지 사랑할 거야. 그렇게 해줘요.

진주 그럼‥ 헛된 약속을 하는 정도로 마무리합시다.

범수 에이 거 참‥ 그리고 여기‥ 얘넨 그냥 공개 연애 말고 그냥 결혼을 해버리면 어때요?

25. 헤어숍 / 낮.

펌하며 열심히 대본을 암기하는 소민.

옆에 앉아 그런 소민을 관찰하는 은정.

그들을 담고 있는 병삼의 카메라.

은정 대본 정말 열심히 보네?

소민 응. 나 대사 못 외워. 백 번 봐야 돼.

은정 어쨌든 노력한다는 거네.

소민 내가.. 현장에서 대사 열두 번 연속 틀린 적 있었거든. 내가 마지막 씬이었는데 내가 계속 틀리니까 안 끝나 촬영이. 근데 그날이 어마어마한 혹한이었단 말이야.. 영하 20도?

은정 그런 날도 촬영을 해?

소민 비만 안 오면 해. 근데.. 그날 내가 얼어 죽기 전에.. 스태프들 눈에 밟혀 죽을 뻔했어. 차라리 얼어 죽으라는 듯이 노려보는데.. 그때 다짐했지..

소민이 말을 이어가던 중 저만치 앞으로 선주를 에스코트하며 들어오는 민준. 소민과 눈이 마주치자 당황하는 민준.

소민 내가 먼저 죽인다…

은정 응?

하고 소민의 시선을 따라가면 선주를 보내고 주춤거리고 있는 민준이 보인다. 잽싸게 민준을 카메라에 잡는 은정.
잽싸게 도망가는 민준.
잽싸게 폰을 꺼내는 소민. 민준에게 깨톡.
소민 '실장급이 왜 숍까지 따라와?'
민준 '우리 로드 빵꾸 났어'
소민 '근데 왜 니가 오냐고'
민준 '난 근면 성실하니까'

소민 '근면 성실하게 좀 맞을까?'

답이 없는….

소민 '저년이 너 나오라고 했지?'

답이 없는…….

아.. 그래? 되레 여유 생기는 소민을 관찰하는 은정.

은정 정말.. 뜨거운 연애를 하는구나. 안 피곤해?

26. 네일숍 / 낮.

네일을 마치고 건조 중인 선주.

여유 있는 표정으로 그녀에게 다가가는 소민.

소민 선주 안녕.

선주 어머. 소민 언니. 안녕하세요.

일어나서 인사 안 해? 라는 눈빛을 분명히 보내는데..

뭐? 왜? 일어날 생각 없는

선주 내가 일어나질 못하네. 손톱 말리고 있어서.

소민 아.. 넌 손톱으로 일어나니?

선주 (천진하게 웃으며) 무겁잖아. 스톤.

재밌다는 듯 웃으며 마주 앉는다.

소민 너 좋은 소식 들리더라?

선주 응? 아~ 영화배우가 영화하는 게 뭐 좋은 소식인가.

소민 연애한다매?

선주 (여유 있게 쪼개며) 했었지. 마지막 연애가 한 20년 전인가‥?

소민 두 달 됐다며?

선주 (슬쩍 스치는 당황) ….

소민 야구선수고?

선주 (많이 스치는 당황) 하‥ 야구 룰도 몰라‥

소민 자이언츠.

선주 베어스거든! (헉! 주변 둘러보며) 뭐? 어쩌라고?

소민 어떻게? 내가 패치 하나 붙여줘? 카메라 포커스 잘 맞추는 기자로다가?

선주 아니 왜… 왜 같은 배우끼리 이래? 나 전 남자친구도 대표님한테 걸려서 진짜 혼난단 말야.

소민 마지막 연애가 20년 전이라매?

선주 아 한 달 전이야.

소민 지금 남친이 두 달 됐는데?

선주 ……….언니 뭐 필요해요?

소민 민준이 내 거야.

선주 응?

소민 나 민준이랑 사귄다고.

선주 응? 우리 민준 오빠?

소민 (뭐 하나 집어던지려는)

선주 아니 김 실장님.

소민　　호칭 똑바로 하고.. 그 예쁜 눈으로 3초 이상 쳐다보지 마.

선주, 뭐지? 생각하다가… 먼발치서 그 모습을 보고 낭패 중인 민준을 발견. 아하.. 뭔지 알겠는. 재밌다는 듯 웃음이 새는.

선주　　오와.. 진짜? 너무 재밌다.

소민　　알았냐고?

선주　　네 언니.

씨익— 쪼개며 일어서는 소민.
역시 일어나 정중히 인사하는

선주　　들어가세요, 언니~ 사랑해요~

소민　　응~

걸어가면서 민준에게 윙크하는 소민.
멋있다 그래.. 박수 쳐주는 민준.

27.　　커피숍 / 낮.

진주　　갑자기 웬 결혼?

범수　　그냥. 그렇게 오래 붙어있었는데 이것저것 길게 재는 애들도 아니고. 빨리 합쳐버리는 거지.

진주 난 마지막 회에 결혼 장면 들어가는 거 싫은데, 뭔가 할 거 없어서 그런 거 같잖아.

범수 뭐가 할 거 없어서야… 정말 순수하게 예쁜 그림 생각한 건데. 좋잖아요, 해피엔딩.

진주 결혼이 왜 해피엔딩이야? 굳이 따지자면 비혼 선언이 오히려 해피엔딩에 가깝지.

범수 (당황) 나랑 결혼 안 할 거예요?

순간 수희의 눈치를 보며 더 당황.

범수 뭐… 이런 류의 대사를 하지 않을까 했는데… 안 하겠지. 알아.

진주 결혼을 하긴 할 거 같아, 얘넨 헤어질 수가 없거든. 연예인이지만 이것저것 재지도 않고 의외로 순진한 게 잘 어울려. 우리 드라마가 시즌제로 간다 치면… 한… 시즌 4에 하면 되겠다.

범수 에이… 막돼먹은 영애씨도 아니고… 시즌을 몇 개나 하게… 그럼 만난 지 얼마 안 된 애네가…

28. 제이비씨 구내식당 내 다미의 사무실 / 낮.

늘 그렇듯 대화 자세.

다미 결혼?

동기　응.

다미　프러포즈야?

동기　응.

다미　와.. 설렌다. 근데 그걸 여기서 해?

동기　의미 있다고 생각했는데.

다미　그래 뭐 장소는 그렇다 치고. 그 말을 듣기엔 좀 이른 감이 있는데?

동기　어차피 할 거 빨리 해봤어.

다미　나한테 그렇게 확신해?

동기　확신이 없어서 빨리 하고 싶어.

다미　빨리 서류상으로라도 구속하겠단 건가.

동기　구속당하겠다는 거야. 니 말 듣고 사는 게 너무 행복해서.

다미　그래 그럼. 언제 할까?

동기　일단 부모님께..

다미　촌스럽게 뭘 부모님을 불러 결혼식에.

동기　……응?

다미　우리끼리 해. 스몰 웨딩이 유행이잖아.

동기　부모님 없는 건.. 너무 스몰인데..?

다미　이번 주 일요일에 하자.

동기　이번 주는… 식장이 없을걸?

다미　촌스럽게 뭘 식장이야. 스몰 웨딩이라니까. 요 앞에 인도 음식점에서 하자. 카레 먹으면서.

동기　아… 카레… 뭐.. 대관.. 해야 되나..?

29. 인도 음식점 / 낮.

결혼 행진곡. 입구에서부터 팔짱 끼고 들어오는 동기와 다미. 나름 차려입은 두 사람. 행진하듯 걸어가며 사람들에게 가볍게 인사한다. 사람들은 아무도 그들을 모른다.

동기 많이 드세요.

손님1 누구야?

손님2 몰라.

Cut To

구석 빈자리에 앉아 마주 보고 미소 짓는 동기와 다미.

카레를 먹으며‥

30. 커피숍 / 낮.

대본을 보며 늘어지게 하품을 하는 수희.

노트북을 펼쳐 놓고 대본을 보고 있는 진주.

범수 근데 얘넨… 여자가 남자의 유머에 적응할 때 즈음‥
전세가 역전될 수도 있지 않을까?

진주 여자 쪽에서 더 좋아하게 된다?

범수 가능성 있지.

진주 무슨 근거로? 그건 작가인 나한테 달렸는데? 역전 안 할 건데?

범수 잘 봐요. 이 남자는 말 잘 듣고 적당히 멍청한 듯하지만 자기만의 유머 세계를 만들고 굴하지 않으며 일관성을 유지해. 자기가 포기하는 게 아니라 결국 상대가 적응하게 만들어. 끈기 있지.

진주 음.. 그렇… 긴 하지.

범수 게다가 간과하는 사실이 있는데 얘 공부 되게 잘해서 이 회사 들어온 거란 말이야. 근데 공부한답시고 다른 쪽의 욕구를 등한시하는가? 아니지. 점심 후에 마시는 커피 맛도 알고, 퇴근 후에 마시는 맥주 맛도 알아. 놀라운 건 자기 돈 안 쓰면서 그걸 다해. 근데 사회적 관계 아주 원만해.

진주 심지어 만나는 여자도 예쁘네. 오호… 내가 썼는데.. 대단한 사람이었네.

범수 전략이라기보다 그냥 살아온 방식이 그래. 얘한테 적응한다는 건 휘말린다는 거야.

진주 여자는 나중에 내 뜻대로 안되니까 지는 거 같아 뭔가 억울하고, 속 터지고, 근데 헤어지진 못하겠고, 그래서 약 오르고 뭐 그런 거?

범수 그런 거.

진주 재미는 있겠다. 참고할게요. 근데 거기까지 될라나 모르겠네.

대본을 보다가 가슴에 통증을 느끼는 범수.

진주 왜? 왜요 갑자기.

범수 마음 아파서. 이건.. 내가 감히 아는 척할 수 없는 감정이야..

31. 보육원 식당 / 낮.

마주 앉아 밥을 먹고 있는 은정과 상수. 상수의 얼굴에 짜증이 가득하다. 그런 상수가 거슬리는 은정.

상수 (수저 내려놓으며) 아우 맛없어, 씨이…

은정, 짜증 내는 상수의 식판을 보면, 너무 깨끗하게 비운.
시원하게 물 한 잔 먹고 일어나는 상수.
티슈로 자기 먹던 자리까지 닦고 가는.
그런 상수를 가만히 보는 은정.

32. 보육원 조리실 / 낮.

마주 앉아 각자의 고무대야 안의 그릇을 씻고 있는 은정과 상수. 계속 혀를 차며 짜증을 내는 상수가 계속 거슬리는

은정 자꾸 앞에서 짜증 낼 거예요? 하지 말라고 그럼.
상수 해야··
은정 (말 자르는) 안 해도 되니까 나가요. 왜 같이 짜증 나게 앞에서 그러냐고.
상수 누가 내 앞에 있으래?
은정 아·· 그러네·· 절루 가서 해요 그럼.
상수 ····내가 먼저 앉았는데?
은정 그러니까 먼저 일어나.

상수 (말이 맞나…? 생각… 이상한데…?)

은정 뭘 생각을 해? 내가 틀렸는데. 쯧‥

은정, 자기 설거지통을 들고 일어나려는데‥

상수 여기서 해.

은정 왜요?!

상수 ….떨어져서 하면…

은정 …..

상수 정 없어.

은정 와… (앉으며) 여러 가지 하네‥

33. 보육원 마당 / 낮.

그늘진 곳에 앉아 하드를 빨고 있는 은정과 상수.

마당에 뛰노는 아이들 네댓 명.

멀거니 아이들을 보고 있는 은정을 무색하게 보고 있는 상수.

상수 ‥ 나한테 관심 있어요?

은정 (그러든지) 아니요.

상수 나두요.

은정 (그러든지)

상수 그래서 하는 말인데‥ 아프리카 같이 안 갈래요?

은정 왜요?

상수 돈이 없어요.

은정 나도 없어요.

상수 그럼 안 되겠구나··

은정 네··

그저 하드나 빨며 아이들을 구경하는 은정과 상수.

상수 전쟁이 문제야.

은정 혼잣말인 거죠?

상수 너무 웃기지 않아? 전쟁이란 게 상대 의지를 강제해서 뭔가 득을 취하려는 건데 미래를 파괴하면서, 얻으면 뭐하게? 미친놈들·· 한국전쟁 알지?

은정 한국 사람이니까요.

상수 김일성이 전쟁고아 수천 명을 동유럽 사회주의 동맹국들한테 보냈단 말이야. 거기서 잘 살았습니다~ 면 좋은데·· 거기서 계속 잘 살았을까? 아니지. 전쟁이 끝나고 다시 돌아갔어. 보내서 갔을까? 아니지. 불려서 갔어. 전쟁 후의 북한이 인도적인 차원의 결정으로 아이들을 찾은 걸까?

은정 ·······(관심이 가는) 아니지. 전후 복원에 필요한 인력으로 배치됐겠죠.

상수 죄 없는 애들이 탄광으로 갔는지 해외로 팔려갔는지 아무도 몰라.

가만히 상수를 관찰하는 은정.

지가 무슨 말을 했는지도 모르는 것만 같은 천진한

상수　누가 그런 거 다큐로 만들어줬으면 좋겠다.

은정　…….

34.　서점 / 낮.

서적 코너를 둘러보고 있는 은정.

어느 코너에서 발길을 멈추고 책들을 훑어본다.

한국전쟁 고아 관련 서적들. 유심히 살펴보는 은정.

35.　영상 자료원 / 낮.

자료를 검색하는 은정.

자료를 찾아 대여하는 일련의 모습들.

영상 관람실에 들어가 비디오테이프를 데크에 넣는 은정.

폴란드 국영 TV에서 제작한 한국전쟁고아에 관련한 다큐를 보는 은정.

36.　커피숍 / 낮.

이제 일 좀 하는 수희.

범수와 진주의 대화 내용을 타이핑하고 있다.

범수　음·· 안 떠나면 안 되나? 그냥 여기서 다 같이 행복하게 잘 먹고 잘 살았습니다.

진주　꼭 시놉대로 가야 되는 건 아니니까 고민 좀 더 해볼게요.

범수　오케이. 난 작가님을 믿으니까.

진주　후훗.

범수　문제는 동우 이놈·· 이놈이 문젠데··

37. BAR / 밤.

소진이랑 한주 갔던 곳 아님 비슷한 곳.

나란히 앉아 위스키를 마시고 있는 한주와 재훈.

쓰디쓴 위스키를 목에 넘기고 맛을 인내하는

재훈　으··· 위스키가·· 유용하네··

한주　쓰디쓴 위스키가 목을 타고 넘어가는 걸 견디고 나면 내가 조금은 강한 사람처럼 느껴진다고·· 대표님이.

재훈　아·· 그럼 몇 번 더 견뎌볼까요?

자신의 잔에 술을 채우는 재훈.

한주　오늘은 왠지·· 맥주보다 이게 어울릴 것 같았지.

재훈　고맙습니다. 실장님 덕분에 일하는 시간도 즐겁고, 보너스처럼 위로받는 시간도 받고. 누가 이런 직장상사를 만나겠어요?

한주 마찬가지야·· 나도 일할 때 내 편이 있는 것 같아서 좋아요. 우리. 오래 같이 합시다.

재훈 제가·· 좀 더 강한 형태로·· 잘하겠습니다. (잔을 비우고) 크··· 강해진 거 같아. 지금·· 조금 더 강해졌어···

한주 이제 곧 무너질 거예요.

재훈 ···?

한주 사람들은 무너지고 싶어서 강한 척하는 거 같더라고. 조금은 무너져도 무리 없겠지·· 싶을 때까지.

재훈 ······아··· 그런가·· 근데 아직·· 무너질 용기가 안 나네요. 실장님이 해주실래요?

한주 ···내가?

재훈 그냥··· 솔직하게 말해주세요. 해줄 말 있지 않아요?

한주 ·······음··· 감당할 수 있겠어요.

재훈 (옅게 웃으며) ···네.

한주 음···· 그럼··· 난 이제부터 당신의 지나간 사람으로 빙의합니다.

눈을 감고 어떤 의식을 치르듯 입 모양으로 주문을 외우는

한주 자. 됐어.

재훈 ·······

한주 뭘 듣고 싶어? 나한테.

재훈 너의··· 진짜 마음··

한주가 분위기를 잡는다.
마지막 남은 미련으로 흐릿한 추억을 되새기듯

한주 ……추재훈.
넌… 나를 사랑했어. 아니 정확하게는 사랑한다는 말로
날 너의 틀에 맞추려 했어.
너의 틀에 맞춰지지 않으면 날 비난했어. 날.. 버려뒀어…
길들이려고.
넌.. 사랑하려고 한 게 아니라.. 소유하려고 했어..

＊플래시백.

- 4부 32씬.

재훈 그만해 그만!!!

- 5부 41씬.

재훈 나가.. 나가.. 넌 그냥 쓰레기야..

- 8부 53-1씬.

재훈 다!! 내가!! 내가 잘못한 거야.. 다 그냥 내가 잘못한 거야. 어떤 상황이든 니가 뭘 했든 내가 잘못한 걸로 해야 니

가 끝이 나지‥

현재. BAR.

한주 넌‥ 나한테 널 맞춰갈 생각이 없었어.

니 틀에 날 끼우려고‥ 내 어리석음을 인질 삼아‥

내 감정을 마음대로 재단하고‥

니가 원하는 걸 끊임없이 요구했어‥

그 요구가 이뤄지지 않으면‥ 날 비난했어‥ 날‥ 버려뒀어.

재훈 ………..

한주 넌‥ 나를…. 사랑한 거니?

버티다‥ 버티다‥ 무너지는 재훈.

한없이 서러운 눈물… 아픈… 눈물…

재훈의 눈물을 기다려주는 한주.

그 눈물이 조금은 멎어갈 때쯤…

재훈의 손을 잡아주는 한주.

재훈 이유도 정확히 모르면서‥ 그냥 힘들어하고 있던 내가 참…

한주 자기를 정확히 아는 사람이 어딨어요? 자길 다 안다고 믿는 사람은 결국 상처받을 일이 더 많이 남은 사람들이에요.

재훈 ……

한주 ……그거 알아요? 재훈 씨는 힘들었을 텐데‥ 그런 재훈 씨 보면서‥ 나도 연애하고 싶단 생각이 든 거? (피식)

이상하지··? 그 바보 같은 게··· 그게·· 좋아.

38. 커피숍 / 낮.

음·· 대본을 음미하는 범수.

범수 다수의 공감과 지지를 받긴 힘들 거예요.

진주 소수의 적극적인 공감과 지지를 받는 것도 좋죠.

범수 근데·· 기억을 떠올려서 부끄러운 마음이 크다면, 사람들은 밖으로 꺼내 놓고 지지하지 않아요. 안으로 숨기지.

진주 음··· 근데 왜 안 말려요? 나 열심히 쓰고 있는데.

범수 의미 있으니까. 누군가는 뼈를 잡고 울 수도 있어. 쫄지 말고 갑시다.

진주 그럴까요? 그래요. 그리 해봅시다.

범수 (기지개 켜며) 와아·· 우리 일 많이 했다.

진주 시작이지.

범수 음·· 진짜 시작하러 한번 가 볼까나?

진주 그럴까나?

수희 (노트북 덮으며) 고우~

자리를 털고 일어나는 진주와 범수.

그들을 따르는 수희.

나른하고도 기분 좋은 진주와 범수의 얼굴.

39. 대본 리딩 장소 / 낮.

많은 스태프들과 배우들이 속속 들어온다.
재훈이 바삐 움직여 자리마다 음료를 배치하고,
차례로 들어오는 배우들을 한주가 반기며 자리로 안내한다.
이 모든 풍경들을 은정과 병삼이 카메라에 담고 있다.
반가운 얼굴은 반가운 대로 모르는 얼굴은 모르는 대로 인사를 나누는 풍경.
범수와 진주가 들어와 지정된 자리를 찾아가고,
이내 들어오는 천이슬, 소민과 일어나 인사를 하고,
또 이어 들어오는 남자 배우들과도 반갑게 인사를 나누는 풍경.

점프.

각자 일어나 인사하는 그 어색한 시간.

이슬 안녕하세요, 주연 역할을 맡은 천이슬입니다.
잘 부탁드립니다.

점프.

소민 신애 역할 맡은 이소민입니다. 잘 부탁드립니다.

점프.

성제 경재 역할 김성제입니다. 열심히 하겠습니다.

점프.

재호 동우 역할 맡은 정재호입니다!

점프.

진주 음… 대본 안에서 저를 괴롭히던 인물들이 눈앞에 살아계시니… 꽤나 무섭지만…

그런 진주를 카메라에 담으며 뿌듯한 미소를 짓는 은정. 그리고 한주.

진주 다들 멋있으세요. 그 멋짐에 해가 되지 않도록… 열심히 쓰겠습니다.

점프.

범수 인생에 정말 귀중한 시간일 텐데 이 작품을 위해서 그 시간 할애해주신 여기 모든 분들께 감사드리고. 우리 모두 서로에게 좋은 사람이 되어주길 바랍니다. 잘 부탁드립니다.

박수 치는 사람들.

점프.

리딩이 한창. 대본을 읽으며 웃거나 진지하거나··

진주　(V.O) 시작. 끝이 가장 멀리 보이는 지점.
결과를 가장 예측하기 어려운 그 지점에서.
수많은 스태프와 배우들이 만나고 수많은 가치관이
부딪친다. 수백수천 개의 상황과 감정 안에서,
사람들의 해석이 매번 같을 순 없다.
명확한 답이 없는 문제를 앞에 두고,
우리는 토론할 것이고, 답을 찾아갈 것이다.

40.　촬영장 / 낮.

모니터 체크하고 있는 범수를 찍고 있는
은정과 병삼의 카메라.

범수　레디·· 액션.

무전기를 든 범수의 액션에 맞춰 촬영이 진행되는 풍경.
범수의 뒤에서 카메라 이동하면 길고 긴 건널목을 내달려
오는 이슬과 소민.
그녀들을 앞에서 백 팔로우하고 있는 촬영용 카메라.
건널목을 건너며 프레임아웃.
범수의 컷 소리와 함께 달리기를 멈추는 이슬, 소민.

이 모든 것을 한 번에 담아내는 우리의 카메라.

진주　(V.O) 시작. 시작은 본디 끝을 향해 달리는 것이지만
우린 그것을 끝이 아니라 완성이라 부른다.
성공이나 실패에 그 의미를 두지 않겠다는 것.
시작의 의미는 완성에 있는 것. 지금의 설렘을 즐기기로
한다. 물론… 크고 작은 암초가 반갑잖은 인사를 건네기도
하겠지…?

41.　제이비씨 편집실 / 진주 작업실 / 밤.

편집 프로그램을 열어놓고 앉아 진주와 통화 중인 범수.

범수　작가님. 시청률 아무것도 아니에요.
누가 요즘에 가구 시청률을 봐?
전혀 신경 쓸 거 없어요. 이제 2부 나갔는데 뭐.
우리 화제성 되게 높은 거 알죠? 절대 걱정하지 마요.

범수는 반 미쳐있다. 절대 걱정하고 있고, 초조하다.
몸 둘 바를 모른다.

- 진주 작업실.

작업 테이블에 홀로 앉아 작업 중이었던

진주　감독님‥ 지금 목소리가 떨려‥ 울어?

범수　(F) 아 뭔 소리에요. 아하하하.

진주　지금 느낌이 이승에 있는 사람이 아닌데?

범수　(F) 아닌데? 어차피 이승이나 저승이나‥ 아, 아니다. 작가님! 시청률 신경 쓰지 마요!

진주　… 감독님. 아무 생각 하지 말고 오늘은 들어가서 좀 자요. 하루 종일 촬영했잖아‥ 감독님 잘하고 있어요. 걱정하지 마. 지금처럼 하고 나머진 나를 믿읍시다. 드라마는 작가 놀음이라며? 내가 아주 미쳐서 놀아볼 테니까.
나 믿어요. 알았죠?

- 편집실.

스르르. 편안해지는 범수. 기분 좋은 미소가 스며든다.

범수　고마워요. 그래요. 들어가서 전화할게요. 네.

전화를 끊는 범수 기분 좋게 일어서면 뒤에 과자 까먹고 있는 천하태평 동기. 미소를 잃지 않으며 동기를 쳐다보는 범수의 눈빛에 언뜻 스치는 살기.

동기　(너무나 해맑은) 아 난 재밌든데? 왜 안 보지? 야, 맥주나 한잔하고 들어가자. 헤헤.

범수　너‥ 시청률이 2%밖에 안 나왔는데‥ 뭐 포상휴가 가는 얼굴로‥ 나를 계속 본다? 너 뭐 다른 드라마 하니? 너 같은 스태프가.. 금요일 밤에 우리 거 안 보고 쇼미더머니 보는 거야..

동기, 갑자기 해맑던 미소가 사라진다.
쇼미더머니를 분명히 봤다 말하고 있다.

범수 (가서 멱살을 쥐어 잡고) 이.. 새..끼가...
동기 쇼미 안 보면 다음 날 사람들이랑 대화가 안 된단 말이야!!

진주 (V.O) 하지만 입소문을 탄 우리 이야기에 대한 관심은 급반등했고.

42. 진주의 작업실 / 낮.

진주 (V.O) 높아가는 시청률과 동시에 악플에 시달리기도 했다.

경멸과 환멸과 부정적인 모든 것 잔뜩 화가 난 진주의 얼굴에 묻어있다. 눈물까지 흘려가며 누군가와 심한 언쟁을 벌이고 있다.

진주 니가 뭔데 나한테 쓰레기네 어쩌네 지랄이야!
내가 어떻게 살았는데! 니가 보고 싶은 것만 보고 꼬투리 잡아서 사람 드잡이 시키고 말이야! 니가 사람이야?! 어따 대고 욕지거리야!! 넌 애미애비도 없니?!!!

화면 넓어지면 노트북 앞에 앉아있는 진주.
모니터엔 '서른 되면 괜찮아져요' 시청자 게시판이 열려있다.
진주의 노트북을 덮어버리는

수희　　아니 왜 자꾸 악플만 찾아서 보는 거야?
진주　　(노트북에 엎어져서는) 하… 고단하구만.. 내가 어떻게 여기까지 왔는데.. 아.. 요런 게 있었네..
수희　　그놈이 원하는 게 언니 이러고 있는 거야. 일어나.
진주　　이건 살인 아니야? 손가락이 죽창이야? 국회는 뭐 하는 거야.. 이런 거 안 잡아가…

문득 생각에 일어나 노트북을 펼쳐보며

진주　　설마 이거.. 이 자식이 국회의원 아니야 이거?!

43.　　산책로 / 밤.

나란히 걷고 있는 범수와 진주.
아직 좀 슬픈 진주. 그녀를 살피는

범수　　뭐.. 비평엔 비판도 있고 겸허히 받아들여야겠지만, 악플은 다른 거예요. 걸러서 봐야지.

진주 악플은 뭐 악플이라고 경고 색깔 들어가 있나. 어떻게 걸러?

범수 아니.. 패스하고 맘 상하지 말라는 거지. 그런 데다 막 욕하는 사람들 외로워서 그래. 외로워서.

진주 외롭다고 사람이 사람을 죽이면 그게 사람인가 사탄이지.

범수 그러지 않은 사람이 더 많다는 게 얼마나 다행이에요. 그냥 세상은 조금 더 착한 사람이 조금 더 애쓰고 살 수밖에 없어요. 엄청난 손해 같지만 나쁜 사람한테 세상을 넘길 순 없잖아. 우린 어떻게 보면 지구를 지키고 있는 거야.

진주 어벤저스가 지켜주는 줄 알았더니만..

범수 아.. 씨.. 아이언맨 생각하니까 갑자기 슬프네.. 아무튼.. 우리 드라마 15세 이상 시청이죠? 그런 댓글 쓴 사람 만 15세 미만이다에 내 오른쪽 손목과 작가님 전 재산을 걸게.

진주 왜.. 재산은 내 거 걸어?

범수 작가님 글은 써야 되니까 손목은 내 거 하고. 나 부동산 내년에 좋아진대서.. 재산은 작가님 거 하고..

진주 이 와중에 얍삽해?

범수 합리적인 거죠.

가만히 범수를 보다가 팔짱 끼고 들러붙는 진주.

범수 (좋긴 한데 왜 이래?) 내가 그렇게 낭만적인 농담을 한 것 같진 않는데.. 후하네..

진주 난 너 그게 좋아. 산책하면서 듣는 그 시답잖은 농담이 좋아.

범수 아 반말 섹시하다.

진주　너무 뜨거워지지 마. 난 뜨거운 거 싫어. 지금 정도의 온도로.. 평생 옆에 있어.

기분 좋은 미소로 잠시 걷다가 화들짝 하고 떨어지는

범수　온도가 좀 올라갔어요. 식혀야지. (떨어져 걷는)
진주　일루와.. 날 선선하다. 괜찮아.
범수　안 돼요. 지금 너무 뜨거워.
진주　일루와.. 지금 떨어질 기분 아니다.

다시 붙어서 함께 걷는 둘. 서로 토닥토닥..

진주　(V.O) 나쁜 일은 좋은 일이 혼자 오게 두는 법이 없었지만, 다행히 우린 알고 있었다. 서로를 도닥이는 작은 제스처가 위기에 맞설 가장 큰 무기임을..

둘의 모습에서 페이드아웃.

44. 극장 / 낮.

암전에서 ***'1년 후'***
화면 열리면 나란히 서서 멀뚱히 박스 오피스를 바라보고 있는 세 친구. '여자, 사람, 배우' 매진. 매진. 매진.
소민의 얼굴이 크게 박힌 포스터. 붐비는 사람들.

진주 넌… 다큐에다가 뭔 짓을 하는 거야?

은정 그러게… 니가 왜 소민이를 띄워 놔가지고…

한주 전 매니저랑 몰래 연애를 담은 게 신의 한 수였어.

진주 아니 제2의 전성기를 맞이하자마자 결혼까지 할 줄 알았나… 소민이가 아주… 장사꾼이네.

은정 아… 나 예술하는 사람인데… 짝짓기 프로그램을 해버렸어.

진주 그만한 예술이 어딨어?

한주 어쨌든 가시죠, 안방과 극장을 씹어 드신 언니들.

뒤로 돌아. 당당하게 걸어가는 세 여자.

45. 홍대의 카페 / 낮.

홍대를 처음 만났던 그 자리에 앉아 창밖을 내다보고 있는 은정. 직원이 커피를 내온다.

직원 날이 또 더워지네요.

은정 그러네요. 여기 빙수도 맛있는데.

직원 드시고 가세요. 서비스로 드릴게요.

은정 아니에요.

직원 드세요. 저희… 이번 달이 마지막이에요…

은정 ….

직원 어떻게 근근이 유지는 했는데… 쉽지가 않네요.

은정 아… 주세요. 빙수.

직원 네. 기다리세요.

은정이 앞을 보면 홍대가 앉아있다.
따뜻하게 서로를 바라보는 두 사람.

은정 여기‥ 없어진대.
홍대 오래됐지 뭐. 잘 다녀와.
은정 응‥ 잘 만나고‥ 잘 찍고‥ 얼굴 까매져서 올 거야.
홍대 멋지다. 잘 할 거야. 까매도 예쁠 거고. 긴 여행이 되겠네.
은정 …서운한가?
홍대 니가 행복하면‥ 난 그거면 돼. 돌아오면‥ 여기도 없고. 나도 없는 거야.
은정 (끄덕)
홍대 ‥서운한가?
은정 ‥우주가 왜 가늠할 수 없이 넓은 줄 알아?
홍대 ‥응?
은정 우리 각자의 자리가 하나씩 마련되어 있대. 행성에선 영원히 머물 수가 없어서 정해진 시간이 되면, 그곳으로 이주하는 거지.
홍대 ·······
은정 거기서 만나. 우리.
홍대 (끄덕)

화면 넓어지면 홍대의 모습이 보이지 않는다.

먼 곳을 보며 따뜻하게 미소 짓는 은정.

46. 커피숍 / 낮.

마주 앉은 한주와 승효.

승효 그·· 인국이 방학 때·· 제주도에서 며칠은 놀 수 있게끔·· 그렇게는 해줘.

한주 그래.

핸드폰 사진첩을 열어 40평대 아파트 사진을 한 장씩 보여주는 승효. 이게 또 뭔가 싶은

한주 뭐·· 왜? 뭐? 자꾸 집 자랑이야. 어쩌라고?

승효 이건·· 내가 살았던·· 아파튼데··

계약서 등 아파트 문서를 꺼내 건네는 승효.
슬쩍 열어 확인하는 한주.

승효 음·· 나야 서울에서 일할 때 머물 작은 오피스텔만 있으면 되고·· 이건·· 너한테 주고 싶은데·· 너 애 키우면서 월급 받아 가며 언제 집 장만해?

한주 ····그런 걱정 할 수 있는 사람이 그랬어?

승효 그러네·· 아무튼·· 이거 주고 유세 떨고 싶은 마음도 없고··

고민하지 말고··

한주, 쿨하게 서류를 자기 옆으로 가져 놓는다.

한주　　당연히 받지. 고민을 왜 해? 심지어 이 정도면 유세 떨어도 돼.

승효　　····아···· 그래··· 음··

한주　　용건 끝?

승효　　음··· 그래··· 나 먼저 일어설게.

대충 인사하고 쿨하게 돌아서 가는 승효.

조금 미안한 마음이 드는지 가만히 그 뒷모습을 바라보다가

한주　　오빠.

천천히 돌아보는 승효에게 다가서는 한주.

차가운 기운을 걷어내고 서로를 바라보는 둘.

언뜻 화해의 기운이···· 돌 때····

한주　　양도·· 세는?

승효　　아··· 양도세··· 그··· 당연히 내가···

한주　　(환하게 웃는) 고마워.

47. 진주의 작업실 / 낮.

홀로 앉아 열심히 타이핑 중인 진주.

진주 (V.O) 서른. 어리다는 핑계를 댔다간 다 큰 어른이라는 것이 질책이 되어 돌아오고, 어른이라고 으름장 놓았다간 코웃음의 조롱거리가 되기 십상인.. 이상한 나이.
그 나이를 살짝 지나온 지금. 우린 진정한 의미의 독립을 앞두고 있었다.

48. 40평대 아파트 / 낮.

입주 전 텅 빈 거실.
나란히 서서 실내를 둘러보는 진주, 은정, 한주.

진주 조금.. 넓은 감이 있네.
한주 작업실 겸 주거까지 해야 하니까요 작가님. 저희 회사 마음 같아선 펜트하우스를 준비하고 싶었는걸요.
진주 해 그럼. 펜트하우스.
한주 마음만 받아 우선.
은정 하긴 두 작품 계약했으면 여기 얼마나 있어야 되는 거야?
진주 감옥인 건가.
한주 쾌적하고 평화로운 감옥이 되길 바랄게.
진주 기분이 뭔가 뽀송뽀송하면서도 눅진눅진하네..
은정 사는 게 그렇지 뭐..

49. 커피숍 / 낮.

대본 회의 중.

미간에 잔뜩 힘주어 설전을 벌이고 있는 진주와 범수.

범수 후… 작가님. 데뷔작 크게 성공하신 능력 있는 작가님.

진주 비꼰 거예요, 지금?

범수 삐딱한 거예요, 지금?

진주 넌 한 번의 성공에 취해 자만하고 있다, 대본 회의시간에 대본 얘기와 상관도 없는 내 성공을 비난의 도구 삼아서 공격하려는 거 아니에요?

범수 공격이라뇨? 같은 편끼리 뭔 공격이야? 난 감독으로서 올바른 방향을 제시하는 중이에요.

진주 자기주장 관철시키기고 싶으면 본질에서 벗어나질 마요. 왜 상대를 비꼬면서 자기가 우월하다 우기는 옹졸한 방식을 택하냐고.

범수 옹졸이라니! 다 듣지도 않고 굳이 나쁜 단어를 무기 삼아 꺼내들고 푹 푹 찔러대는 방식은 뭐? 악랄한 건가?!

두 사람의 피 튀기는 언쟁에 아랑곳 않는 수희.

느긋하게 시계를 본다.

진주 악랄?! 악랄이라뇨! 예의를 지키세요!

범수 예의 지켜서 옹졸이라는 단어가 나와?!

진주 아니 어떻게 맨날 자기 얘기만 다 들으래?

범수 어머나 억울해. 내가 할 말이에요, 작가님! 아니 근데 작업실을 옮겼는데 왜 커피숍은 맨날 여기야?!

진주 내가 그랬어요?! 왜 나한테 난리야 자꾸!

수희 여섯 십니다.

범수 후… 퇴근합시다.

진주 내일 얘기해요.

범수 네.

화가 풀리지 않은 듯 먼저 일어나버리는 범수.

자연스레 진주의 옆으로 가서 앉는다.

표정이 뭔가 고요해진다.

노트북을 닫고 범수의 어깨에 기대는 진주.

늘상 보았던 그림인 듯 노트북 가방을 챙겨들고 일어서는

수희 그만 퇴근하겠습니다.

범수 내일 봐요.

꾸벅 인사하고 나가는 수희. 나긋하게 진주를 바라보는

범수 오늘 어땠어요? 그 감독 새끼가 또 힘들게 했죠?

진주 말도 마요. 아우‥ 똥고집. 한 번 자빠져 봐야 돼 그 인간은. 오늘 어땠어요?

범수 대본 회의를 하루 종일 했는데‥ 작가가 말을 안 듣네요. 몇 년 동안 차기작 못 내고 헤매 봐야 돼 그 인간은.

나긋한 미소로 서로를 바라보는 두 사람.
그러다 슬슬 어금니 물고·· 입술이 실룩실룩···
눈빛에 살기를 생성하는데··· 인내하며

진주 하지 마.
범수 안 해요. 하지 마.
진주 안 해. 하지 마.
범수 하지 마.

잠시 째려보다가 마음을 다스리고 인내하는 두 사람.
다시 범수의 어깨에 기대는 진주.

범수 ··· 배고프죠? 뭐 먹을까요?
진주 맛집 가요.
범수 내가 리스트를 뽑아놨지.
진주 잘했어··
범수 아··· 어쨌든·· 좋다.

슬쩍 미소 짓는 두 사람의 모습.

50. 홍미유발 엔터 앞 / 밤.

시계를 보며 바쁘게 걸어 나오는 한주. 뒤따라 나오는 재훈.
길가에 승용차를 대기하고 기다리던 한주의 연하남이 반

갑게 손을 흔든다. 재훈에게 약간 쑥스러운 한주.

재훈　참… 열성이네요.

한주　내가 쟤를 자꾸 이렇게 만드네. 내 잘못이야.

재훈　어서 가서 계속 잘못하세요.

한주　응. 먼저 갈게요.

연하남이 재훈에게도 알은 채를 하며 인사한다.

꽤 친숙하게 인사를 받아주는 재훈.

한주　아니 데리러 안 와도 된다니까 자꾸 말 안 듣네.

연하　아니 말 안 들을 거라니까 자꾸 말 안 듣네.

한주　에휴…

재훈에게 손 흔들고 차에 올라타는 한주.

떠나는 차를 보다가 시계를 보고 바삐 걸음을 옮기는 재훈.

51.　껍데기집 / 밤.

뜨거운 화로 안에서 돌돌 말리고 있는 돼지 껍데기.

각자의 잔을 알아서 채우며 채운 소주를 비워내는 둘.

가만히 은정을 보던 상수가 가방에서 지퍼백 하나를 꺼내

툭 던진다. 뭔가 하고 보면

상수 빙어 말린 거. 유럽엔 없을걸?

은정 이거 좋아한다고 한 적 없는데.

상수 그쪽이 좋아하건 말건 내가 주고 싶어서.

은정 가만히 보니까 빙어같이 생긴 것 같기도 하고.

상수 (의연하지만 스치는 당황)

은정 난 뭐 줄 게 없네. 아프리카엔 없는 게 더 많을 텐데.

상수 뭐.. 몇 달 있다가 올 거잖아 그쪽도. 그냥.. 얘기나 합시다.

은정 뭔?

상수 그냥.. 여태 말하지 않았던 자기 얘기.

가만히 상수를 보는 은정. 가만히 은정을 보는 상수.
끄덕끄덕 작게나마 수긍하는 은정. 잠시 생각… 하다가..
입을 연다.
두 사람은 이런저런 얘기를 나눈다.
디졸브. 시간경과. 되는 사이 많은 대화들…
시간의 흐름…
그 끝에 멀거니 은정을 보는 상수,
가볍게 고개를 주억거린다. 그리고 술을 따라준다.
그리고 자신의 술도 채운다.

상수 here's looking at you, kid.

자막 '당신의 눈동자에 건배'

은정 ····?

상수 카사블랑카에 나온 대사야·· 우리나라에서 참 멋지게 번역 됐지. 당신 눈에 뭐가 보이든·· 난·· 당신의 눈동자에·· 건배··

하고 잔을 드는 상수.
맞춰줘야 되나 하다가 짠이나 하자 잔을 내미는 은정.
그 잔을 지나쳐 은정의 눈에 잔을 가져다 대는 상수.
소주잔과 은정의 눈이 맞닿은 채··· 잠시 정적···
바로 떼야 되나··· 뭔가 좀 어색해진 상수에게···

은정 ···· 떼.

천천히 잔을 떼는 상수. 마신다.

상수 모로코에서 만납시다.
은정 (잔을 비운다)
상수 르완다로 가기 전에··· 카사블랑카의 정취를···
은정 생각해봅시다.

52. 뮤지컬 극장 앞 / 밤.

멀리 걸어오는 재훈이 보인다.
그는 혼자다.

53. 뮤지컬 극장 로비 / 밤.

발부받은 티켓을 확인하며 로비 대기 의자에 앉는 재훈.
하릴없이 사람들을 구경한다.
많은 사람들이 오간다. 삼삼오오 모여 수다를 떨거나,
로비에서 만난 일행을 반기거나.
아랑곳없이 애정을 과시하는 커플도.
그 사이로 하윤이 걸어온다. 그녀는 혼자다.
시계를 확인하며 걸어오던 하윤은 재훈과 눈이 마주친다.
잠시 걸음을 멈추고 재훈을 본다.
두 사람은 약속된 바가 아닌 듯하다.
재훈은 어떤 방식의 인사를 해야 할까 고민한다.
고민의 끝맺음도 전에 하윤이 먼저 다가온다.
재훈은 천천히 일어서고 하윤과 마주한다.

하윤 뮤지컬 보러 왔어?

재훈 응.

하윤 응… 그래‥ 어떻게 여기서 보네.

재훈 그러게. 일행은‥

하윤 혼자 왔어.

재훈 아‥

하윤 넌.

재훈 나‥ 혼자.

하윤 뮤지컬 좋아했었나?

재훈 몇 번 보니까‥ 괜찮더라.

하윤 ····그래.

잠시 할 말을 찾지 못하는 두 사람.

하윤 자리 어디야?

재훈 어. (티켓 보여주며) 여기.

하윤 아·· 머네.

재훈 ····

하윤 그래. 잘 봐.

재훈 ··응.

편한 미소를 보이고 재훈을 지나쳐가는 하윤.

그녀의 뒷모습을 잠시 바라보던 재훈.

사람들 사이 하윤이 묻혀갈 쯤

재훈 저기·· 하윤아.

하윤 (돌아보는) ····응?

재훈 끝나고 뭐 해?

하윤 ··없어.

재훈 ··맥주 한잔할래?

하윤 ·······그래.

재훈 ···그래. 앞에서 봐.

하윤 응.

서먹한 옛 친구 대하듯 약속을 잡는 둘.

돌아서는 하윤.

옅고 아련한 미소가 새는 재훈.

페이드아웃.

54. 은정의 집 / 밤.

식사 중인 진주, 은정, 한주, 효봉.

뒤로 거실엔 뛰노는 인국.

한주 황인국!! 밥 먹으라고!!

인국 배고프면 알아서 먹겠지! 놀 땐 좀 놀게 내비 두라고!

한주 와아.. 진짜… 저걸 진짜…

은정 저런 애가 사춘기 땐 말 더 잘 들을 수도 있어.

진주 희박한 가능성에 기대 걸지 말자. 저거 이제 더 크면 힘 싸움이야. 운동하자. 우리가 합쳐서 힘으로 제압할 수 있게.

효봉 우리 언제 다시 모이는데?

일동 말이 없어지는…

Cut To

가방을 챙겨 들고 나설 채비를 하는 효봉.

그를 배웅하는 누나들.

효봉 내일 데리러 올게.

은정 괜찮다니까, 공항 리무진 바로 앞에 있는데 뭐.

효봉 조용해. 못 가게 하기 전에.

진주 아이구 우리 효봉이 문수 씨랑 살더니 남자다워졌네.

한주 으음~ 설렌다, 신혼부부. 음… 아니다, 난 해봤구나. 별로다. 가.

효봉 응. 내일 봐.

55. 인서트

텅 빈 효봉의 방. 디졸브.
짐을 쌓아 놓은 한주의 방. 침대에 잠든 인국. 디졸브.
짐을 쌓아 놓은 진주의 방. 책상에 켜진 노트북. 디졸브.
짐을 쌓아 놓은 은정의 방. 가운데 놓인 커다란 트렁크. 디졸브.

은정 (V.O) 나 생각해보니까 우리 나이가 너무 좋은 거 같아. 뭔가를 다시 시작해도 어색하지 않을 나이 중엔 제일 똑똑하고. 뭔가를 다시 시작하기에 좀 애매한 나이 중엔 제일 어리고.

한주 (V.O) 아… 갑자기 생기 돈다. 우리 어리고 똑똑한 거구나. 근데… 너네랑 있을 땐 똑똑하기 싫어. 수다는 조금 모자란 맛이 있어야 재밌고. 난 너네랑 죽을 때까지 수다 떨 거거든.

진주 (V.O) 거 수다의 맛을 높이겠다고 멍청한 짓 만들어하진 말고. 똑똑하다고 자만하지 말고. 어리다고 진짜 어린 줄 알지 말고. 무엇보다…

56. 은정의 집 거실 / 밤.

한가득 너부러진 맥주 캔. 각자의 위치에 너부러진 세 친구.

진주 내가 늘 말했지. 현재 주어진 위기에 온전히 집중하는 게 위기를 키우지 않는 유일한 방법이라고.

한주 라면 얘기하지 마.

얘기해놓고 괴로워하는 진주와 한주. 으…
항상 먼저 행동하는 은정.

진주 크디큰 위기에 늘 몸으로 맞짱 뜨시는 은정 언니. 따르자.

한주 니가 선동했어. 니가.

각자의 포지션으로 이동해 라면 밤참을 준비하는 세 친구의 모습. 넓은 화면에서 이어지는 수다··

진주 (V.O) 맞다. 너, 그·· 테러 조심하고··

은정 (V.O) 테러를 어떻게 조심해?

한주 (V.O) 잘생긴 남자 조심하고.

은정 (V.O) 그걸 왜 조심해?

진주　(V.O) 내전 지역 가지 말고··

은정　(V.O) 유럽 간다고.

진주　(V.O) 유럽 갔다가 아프리카 갈 거잖아.

한주　(V.O) 그래. 그 뭐냐 날라리아 조심하고··

진주　(V.O) 말라리아.

한주　(V.O) 말라리아 조심하고··

시간이 흐름.
잘 끓인 라면 뚜껑을 열고 식탁에 모여 앉은 세 친구.
라면을 그릇에 옮기며 행복한 얼굴들…
라면을 먹으며 수다를 이어가는 세 친구의 모습.

진주　(V.O) 우린 오늘도 맛있게 떠들고 맛있게 먹고 맛있게 사랑한다. 그 언제까지고 밤에 먹어야 건강한 라면은 나오지 않겠지만··
뭐 좀 그렇더라도 만회할 수 있는 시간이 넉넉한 우리의 지금에 행복을 느끼며… 만회할 수 있음을 깨달은 우리의 지금을 칭찬하며, 일단 맛있게·· 후루룩.
뭐 좀·· 그래도 되잖아?

환하게 웃는 세 친구의 모습에서.

The End.

만든 사람들

극본 이병헌, 김영영
책임프로듀서 함영훈
기획/제작 안제현, 신상윤
제작총괄 김보미
프로듀서 최영중, 박우람
제작프로듀서 백준규, 전아영, 김경민

[삼화네트웍스]

기획프로듀서 김민
기획PD 위지원, 박병희
마케팅총괄 윤은정
마케팅프로듀서 주현실, 오경아
제작관리 유경미, 엄태린
제작행정 이진희, 김동준, 김다혜

촬영감독 노승보, 김대성, 엄시우
포커스풀러
조진우, 김병국, 주병익, 서동기
촬영팀 A 김건용, 신지훈, 이승현, 김다미
촬영팀 B 윤혁, 임규도, 신규민
촬영팀 C 김준희, 박일동, 김우진, 강병걸

테크니컬 슈퍼바이저 [알고리즘] 조희대
포스트 프로덕션 슈퍼바이저
[알고리즘] 김경희
원본 데이터 관리
[알고리즘] 강아름, 김지연, 신영섭

현장 데이터 관리
[BASE Technical Production]
데이터매니저
김태호, 박수진, 오지은, 강유리

조명감독 박성찬
조명퍼스트 윤보현, 양준혁
조명팀
최윤석, 김대환, 김성욱, 이용석, 박경배
발전차 김동환
동시녹음 [Sound204]
붐오퍼레이터 이태형
붐어시스턴트 이규환

그립팀
[퍼펙트그립] 김선환, 이상민, 김건욱, 임현준

미술제작 [삼화네트웍스]
미술감독 원지환
미술팀장 서정아
미술팀 강은지, 김시은, 박소연
세트제작
[라인웍스] 김선환, 유수정, 최한나
세트진행 변성수

소품 [지니어스] 이이진, 주동만, 안초민
푸드스타일리스트 이승은, 김유미
소품차 서창근

의상 [바코드] 김보배, 박민하

의상차 원대연

분장미용
[예랑분장미용] 차지연,
김예린, 전미강, 김민지

특수효과
[디엔디라인] 도광섭, 도광일, 정상성

캐스팅디렉터 [티아이] 정치인, 이상
아역캐스팅 노태민, 김민성, 노태양

엑스트라디렉터
[레오폴드 T&S] 이현우, 유성열

무술감독 박현진
무술지도 김민호

봉고배차 [만차렌탈미디어] 강학구
연출봉고 정찬주, 이제환
제작봉고 이성남
카메라봉고 오천수, 최재근
특수차량 / 렉카 [카해피] 김영동
버스 [비알에스]
스태프 버스 윤은하

편집 남나영(MORI), 하미라, 김서우
편집보조 민주홍

음악감독 김태성
작곡
박상우, 최정인, 임미현, 김연정,
박정은, 신현필, 윤채영
음악효과 이광희, 홍가희
OST제작
[스톤뮤직 엔터테인먼트]
마주희, 김민호, 송예진

사운드 믹싱 [SoundIN]
사운드 슈퍼바이저 조계환
사운드 편집
김형태, 조은영, 김소연, 허대호

특수영상 [매버릭]
VFX 총괄 이경용
VFX 슈퍼바이저 김정희
VFX 아티스트
박진홍, 김희진, 민소정,
김영태, 강수빈, 이윤준

DI [모그커뮤니케이션즈] 김열회

타이틀
[nineconcept] 최준구, 김은진,
장희승, 한기정, 이미래

종합편집 [JTBC 미디어텍] 이용직
기술지원
[JTBC 기술기획팀] 이석호,
박연옥, 김태근, 김보경, 박진우

홍보대행 [블리스미디어] 김호은, 여민아
스틸 [블리스콘텐츠] 김민수, 김호빈
메이킹 선우선
포스터 [그림하는 김씨] 김종호

대본인쇄 [슈퍼북]

JTBC 홍보 정지원, 강정국
JTBC 마케팅
한정은, 이혁주, 강세연, 조정민
JTBC 웹기획 장은영

JTBC 웹운영 강예은

JTBC 웹디자인 김현철

JTBC 메이킹편집 조혜민

JTBC 미디어컴

이종민, 김은란, 오승환, 권수영

JTBC 제작행정

우상희, 김선이, 박민경, 하성범

마케팅총괄대행

[제이와이미디어] 정승욱, 고종일, 김동욱

보조 작가 김지연, 심세미

섭외

[로케니스트] 성상배, 박준수, 이호

SCR 한소이, 조아라

FD

윤혜준, 정의택, 서우성, 김준희,

박시완, 강근민, 최성군

조연출 안영삼, 김민경

연출 이병헌, 김혜영

제공 JTBC

기획/제작 삼화네트웍스

천우희 · 안재홍

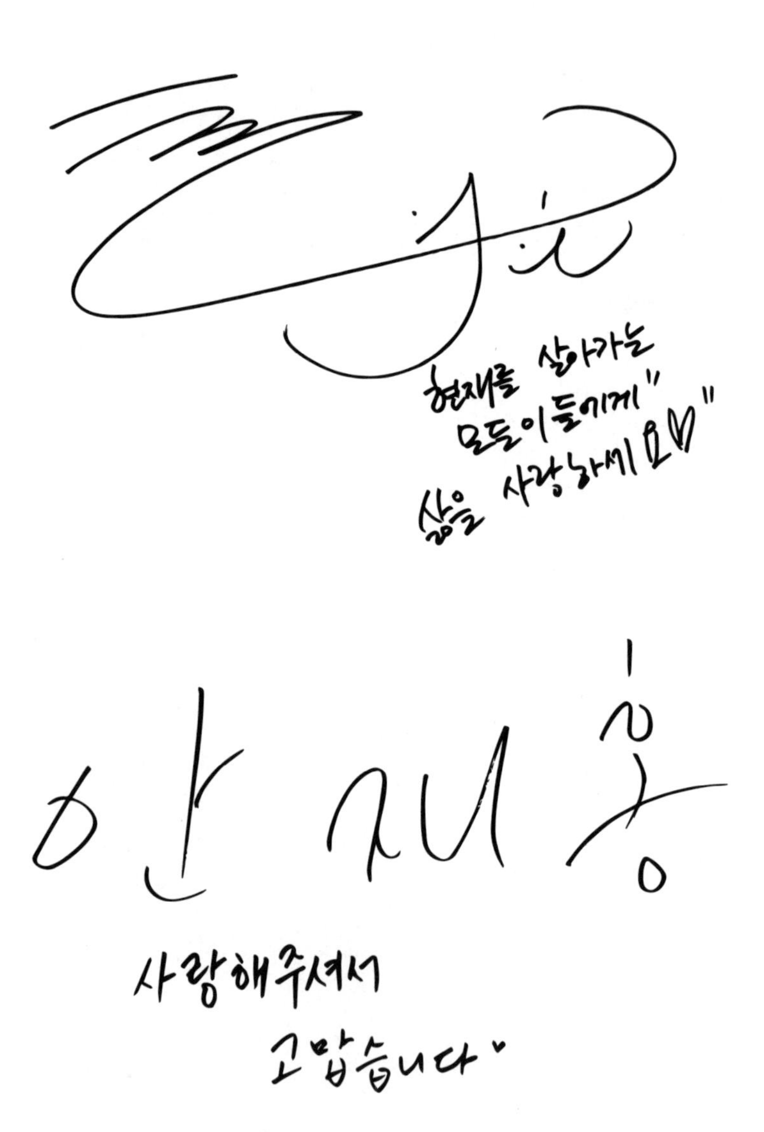

멜로가체질,
이은정 드림.
우리가 살아가는, 사랑하는
동안에 —

Be Happy!!
사랑해 ♥
멜로가 체질을 사랑해주신 덕분에
소중한 대본집이 나왔습니다.
응원해주셔서 감사하고
기다려주셔서 감사합니다.
늘 건강하세요.
한지은 드림!!

"사랑해" 이 말이 너무 이쁘지 않나요?
멜로가체질을 좋아해주신 모든 팬 분들 너무
사랑합니다.
저희 드라마로 힐링하시고 옆에 있는 소중한 사람에게
"사랑해" 라고 말 할 수 있는 용기 있는 사람이
되었으면 좋겠어요!!!
여러분 모두 사랑해요~
"재훈이가"
- 공명

from. 효대

그대 생각하면 잠이 오지 않아
불을 끄고 가만히 창가에 앉아
마음에 접어놓은 수많은 얘기 속에
그대에게 하고픈 말 사랑해
거기서 만나, 우리.

멜로가 체질, 평생 사랑해!!!

-소민-

to. 이민준 에게.

사랑해요.
그리고 잊지못해 멜체주
또 보자 :)

윤지온 · 손석구

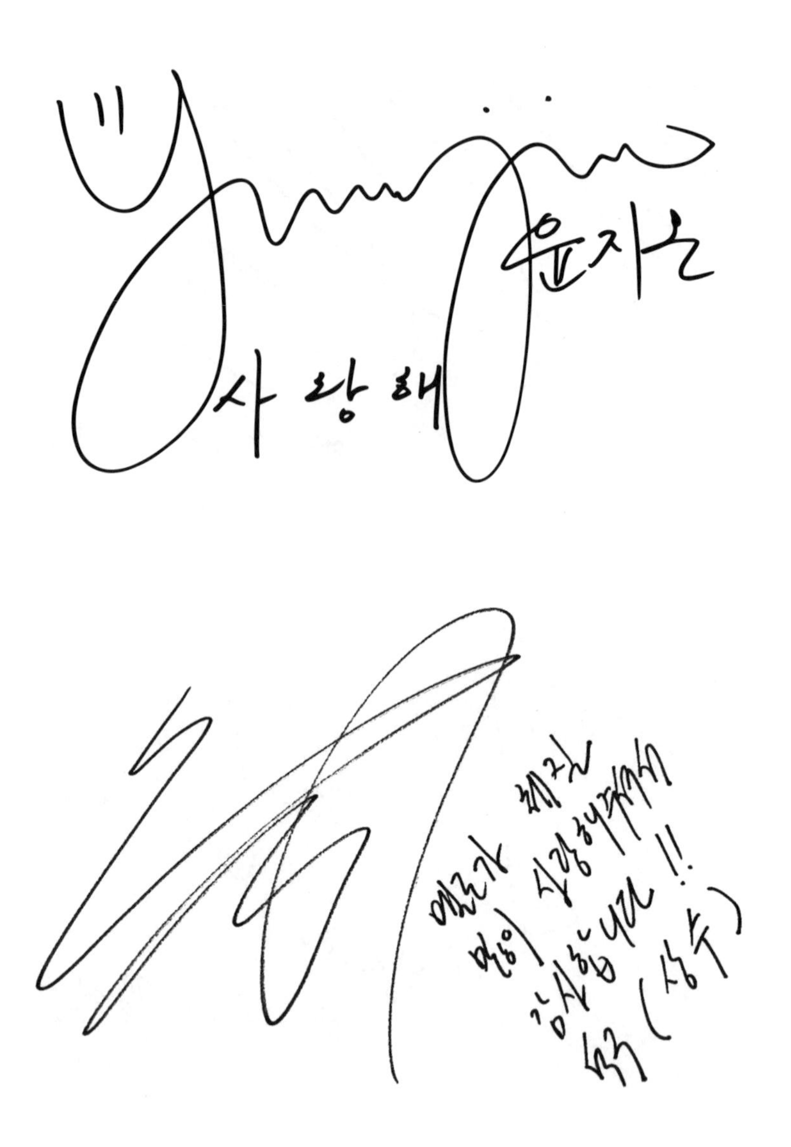

이지민

멜체 영양사 다미 ♥
고마워 "사랑해"

Joonseok!

멜로가 체질 '동기'
허준석

처음이자 마지막일수 있었던 저의 첫 멜로!
많은 사람들에게 공감과 위로가 되었던 작품!
또 한번 행복을 느끼는 시간이 될것 같아요:)
축하합니다!

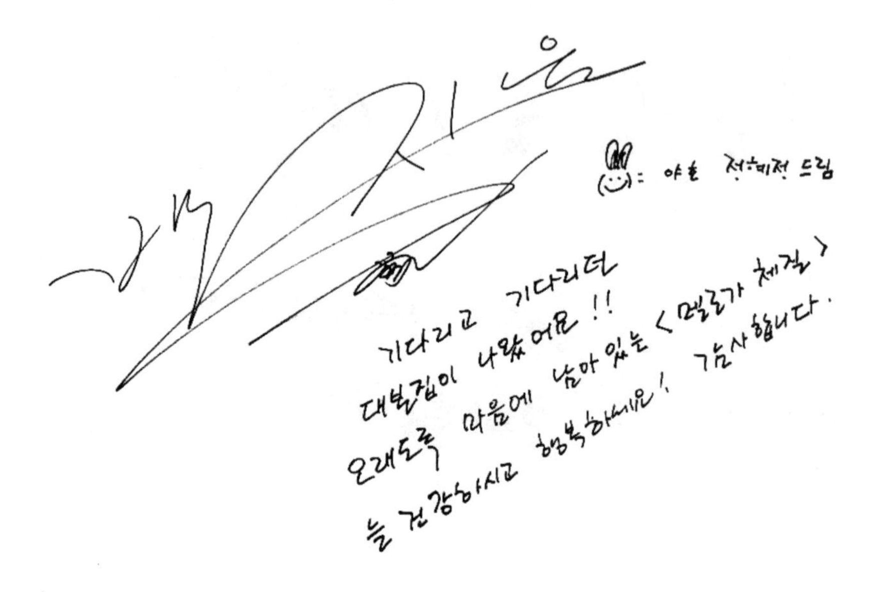
: 야호 정혜저 드림
기다리고 기다리던
대본집이 나왔어요 !!
오래도록 마음에 남아있는 <멜로가 체질>
늘 건강하시고 행복하세요! 감사합니다.

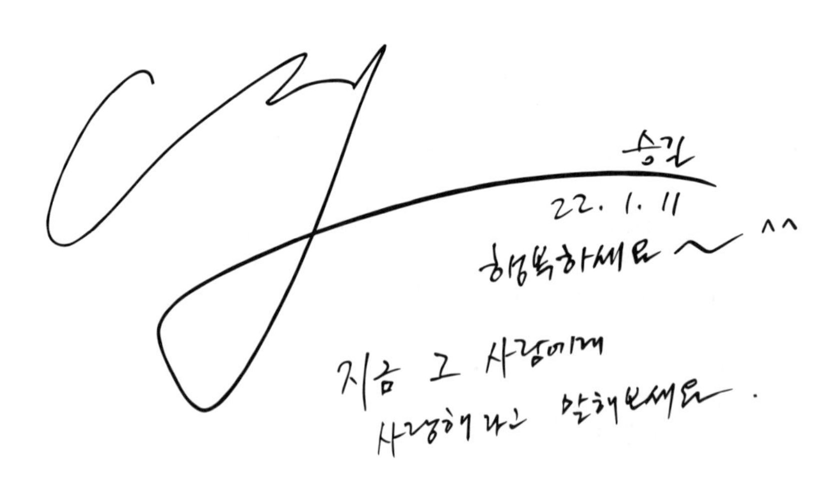
승길
22. 1. 11
행복하세요 ~ ^^
지금 그 사람에게
사랑해라고 말해보세요.

이유진

To. 멜로가 체질

멜체를 사랑해주셔서
감사합니다
모두 사랑합니다 !!

멜로가 체질 2